D1404951

Prévenir
l'infarctus
ou y survivre

Les voies du cœur

Catalogage avant publication de Bibliothèque et Archives nationales du Québec et Bibliothèque et Archives Canada

Reeves, François

  Prévenir l'infarctus ou y survivre : les voies du cœur

  Publ. en collab. avec Éditions du CHU Sainte-Justine.
Comprend des réf. bibliogr.
ISBN 978-2-89544-107-6 (Éditions MultiMondes)
ISBN 978-2-89619-115-4 (Éditions du CHU Sainte-Justine)

1. Myocarde – Infarctus – Ouvrages de vulgarisation. 2. Myocarde – Infarctus – Prévention – Ouvrages de vulgarisation. I. Titre.

RC685.I6R43 2007   616.1'237   C2007-941841-4

Impression : LithoChic

© Éditions MultiMondes et Éditions du CHU Sainte-Justine, 2007

Éditions MultiMondes : ISBN 978-2-89544-107-6
Éditions du CHU Sainte-Justine : ISBN 978-2-89619-115-4

Dépôt légal – Bibliothèque et Archives nationales du Québec, 2007
Dépôt légal – Bibliothèque et Archives du Canada, 2007

50%

Imprimé avec des encres végétales sur du papier dépourvu d'acide et de chlore et contenant 50 % de matières recyclées dont 15 % de matières post-consommation.

IMPRIMÉ AU CANADA/PRINTED IN CANADA

Dr François Reeves

Prévenir
l'infarctus
ou y survivre

Les voies du cœur

Éditions du
CHU Sainte-Justine

ÉDITIONS
MULTIMONDES

ÉDITIONS MULTIMONDES
930, rue Pouliot
Québec (Québec) G1V 3N9
CANADA
Téléphone : 418 651-3885
Téléphone sans frais : 1 800 840-3029
Télécopie : 418 651-6822
Télécopie sans frais : 1 888 303-5931
multimondes@multim.com
www.multim.com

DISTRIBUTION AU CANADA
PROLOGUE INC.
1650, boul. Lionel-Bertrand
Boisbriand (Québec) J7H 1N7
CANADA
Téléphone :   450 434-0306
Tél. sans frais :   1 800 363-2864
Télécopie :   450 434-2627
Téléc. sans frais : 1 800 361-8088
prologue@prologue.ca
www.prologue.ca

ÉDITIONS DU CHU SAINTE-JUSTINE
3175, Côte-Sainte-Catherine
Montréal (Québec) H3T 1C5
CANADA
Téléphone : 514 345-2350
Télécopie : 514 345-4991
edition.hsjc@ssss.gouv.qc.ca
www.chu-sainte-justine.org/editions

DISTRIBUTION EN FRANCE
CASTEILLA
10, rue Léon-Foucault
78184 Saint-Quentin en Yvelines
FRANCE
Téléphone : 01 30 14 19 30
Télécopie : 01 30 14 19 45
casteilla@wanadoo.fr

Les Éditions MultiMondes reconnaissent l'aide financière du gouvernement du Canada par l'entremise du Programme d'aide au développement de l'industrie de l'édition (PADIÉ) pour leurs activités d'édition. Elles remercient la Société de développement des entreprises culturelles du Québec (SODEC) pour son aide à l'édition et à la promotion.

Gouvernement du Québec – Programme de crédit d'impôt pour l'édition de livres – gestion SODEC.

À mes parents, Luce et André,
modèles d'humanisme et de culture

Remerciements

J'aime apprendre. C'est ce qui enrichit ma vie et c'est un trait de caractère que j'admire chez les autres. J'ai appris comment on fait un livre, comme un résident se préparant pour les examens du Collège Royal du Canada. Mes «directeurs de thèse» ont été les éditeurs Luc Bégin, des Éditions du CHU Sainte-Justine, et Jean-Marc Gagnon, des Éditions Multimondes. Ces deux maisons d'édition sont d'une rigueur irréprochable, l'une en vulgarisation médicale et l'autre en vulgarisation scientifique. Les bonnes fées sur le berceau de cet ouvrage.

Merci à ma plus clairvoyante lectrice, Céline Boisvert du CHU Sainte-Justine. La vision d'une grande psychologue est un atout pour un tel ouvrage. Merci à mes lecteurs Luc Bégin, Jean-Marc Gagnon, Gilles McMillan, Hubert Reeves, Michel Komajda, François Lespérance, Sylvie Bourcier et Germain Duclos, pour leur patience, leur rigueur et leurs conseils éclairés.

Merci à Guy Leclerc, déclencheur du projet, professeur agrégé de recherche, chef de cardiologie du CHUM et directeur général du renommé centre de recherche AccelLAB. Merci à mon maître français Michel Komajda qui a accepté de préfacer le livre, au travers de ses nombreuses occupations de professeur agrégé de l'Université Pierre et Marie Curie, de responsable du pôle médico chirurgical de cardiologie du CH Pitié-Salpétrière de Paris et de vice-président de la Société européenne de cardiologie.

Merci à ceux et celles qui, au fil des ans, ont inspiré ma carrière et qui quelque part sont à l'origine de ce livre. Merci à mes professeurs de l'Institut de Cardiologie de Montréal : Martial Bourassa, Jacques Lespérance, Lucien Campeau, Marcel Boulanger, Ihor Dyrda, Jacques Crépeau, Raoul Bonan, Pierre de Guise, Pierre Théroux et notre doyen Jean-Lucien Rouleau, médecins d'envergure qui ont marqué et façonné la cardiologie moderne. Merci à Jean-Claude Tardif, un de mes anciens résidents, directeur de la recherche de l'ICM, à la fulgurante carrière à peine entamée. Merci à Érick Schampaert, dynamique chef de cardio de l'hôpital Sacré-Cœur, qui m'a fait partager l'aventure C-SIRIUS.

Merci très chaleureux à tous ceux qui ont contribué de près ou de loin à la réalisation du livre. À mes collègues du CHUM : merci à François Lespérance, professeur titulaire et chef du service de psychiatrie. Merci à Carl Chartrand-Lefebvre, radiologiste spécialisé en imagerie cardiaque. Merci à Benoit Coutu, chef d'arythmologie. Merci à Jean-Marc Raymond, futur collègue actuellement en fellowship à Harvard, pour ses images en arythmologie. Merci à Samer Mansour, chercheur en cellules souches cardiaques. Merci à Jacques Lelorier, fabuleux professeur et maintenant inestimable collègue de recherche. Merci à Roger-Marie Gagnon, ancien chef de cardiologie, qui a jeté les bases du laboratoire d'hémodynamie du CHUM et de ma carrière. Merci pour leur implication en prévention : Michèle de Guise, chef de cardio préventive et directrice de la promotion de la santé du CHUM, Jean-Pierre Després, directeur de la recherche de l'Institut de Cardiologie de Québec et titulaire de la Chaire internationale sur le syndrome cardiométabolique, et Andrew Pipe, directeur du centre de cardiologie préventive de l'Institut de Cardiologie d'Ottawa.

Merci à mon bon ami Jacques Genest Jr, directeur du programme de cardiologie de McGill et président du comité Affaires santé de la Fondation des maladies du cœur. Merci à Denis-Claude Roy, confrère hématologue et directeur du programme de greffe de cellules souches à l'hôpital Maisonneuve-Rosemont.

Merci à l'exemplaire personnel de l'urgence et d'hémodynamie de la Cité de la Santé de Laval pour s'être prêté aux séances de photos en plein cas d'urgence avec leur professionnalisme coutumier. L'équipe envoie tous ses souhaits de bonne santé à celui qui bénéficia de son expertise lors de cette nuit (secret professionnel, mais il se reconnaîtra).

Merci à Jean Perreault, maire visionnaire de Sherbrooke et à l'animateur Jean-Luc Mongrain, la voix de ceux qui n'en n'ont pas, selon l'expression lumineuse de Bernard Derome. Merci au dévouement de René Déry de la compagnie *Boston Scientific*, Julie Lefebvre et François Girard de la compagnie Abbott et Linda Pyke de la compagnie Medtronic pour leur soutien iconographique, contribution totalement bénévole à l'information et l'éducation en santé. Merci à Luc Lauzière, photographe du CHUM, pour avoir capté la lumière de la vie de nos patients. Merci à André Pratte et l'équipe journalistique de *La Presse* pour leurs sources. Merci à Pierre-Henry Fontaine, «médecin» du Saint-Laurent et protecteur des cétacés. Merci à William Reymond, «vérificateur général» de la malbouffe et fantastique journaliste d'enquête.

Merci à André, Claudette, Yves, Donatien, Pascale et les autres. C'est auprès d'eux que j'ai appris le plus.

Table des matières

Remerciements IX

CHAPITRE 1 **Les Merlot** 1

CHAPITRE 2 **Pourquoi la cardiologie ?**
La névrose–grand-papa 9

CHAPITRE 3 **Expo et cardio**
Métamorphoses de la cardiologie :
quelques découvertes importantes 13

CHAPITRE 4 **Le Voyage fantastique**
La cardiologie d'intervention 27

CHAPITRE 5 **Nanocircuits et bioplomberie**
Biorythmes : perpétuelle recherche de l'équilibre 67

CHAPITRE 6 **La fleur et le cœur**
Aspirine ou ail « cryogénik » ? 93

CHAPITRE 7 **Stress et *stress test***
Les mythes ont la vie dure 125

CHAPITRE 8 **Le cœur a ses raisons**
Les causes de la maladie cardiaque 139

CHAPITRE 9 **Avoir le cœur gros**
En 2057, 100 % de l'Amérique du Nord sera obèse 153

CHAPITRE 10 **Dope, dopage et cœur**
On achève bien les chevaux 183

CHAPITRE 11 **Cœur, environnement et mondialisation**
Le fond du cœur est parfois plus difficile à atteindre
que le bout du monde (proverbe chinois) 195

CHAPITRE 12 **Le Légo** 209

CHAPITRE 13 **Le médicament universel ?**
Activité physique et maladie cardiovasculaire 213

CHAPITRE 14 **Christian** 233

CHAPITRE 15 **Courrier du cœur**
Conseils après un événement cardiaque 235

CHAPITRE 16 **Donatien** 247

CHAPITRE 17 **Les contes d'Andersen**
Vers un système optimal de traitement
et de prévention de l'infarctus 249

CHAPITRE 18 **Pascale et le loup** 259

CHAPITRE 19 **Le cœur et la mort**
Voit-on un tunnel avec une lumière ? 263

CHAPITRE 20 **« *Scotty, beam me up* »**
Science-fiction de la cardiologie 269

ÉPILOGUE **De la science-fiction à la cardiologie planétaire** 281

Bibliographie et ressources 285

CHAPITRE 1

Les Merlot

0 h 00

Les contractions la prirent de plus belle. Ce crescendo de crampes douloureuses, c'est la quatrième fois que Lise le ressent depuis son arrivée à l'hôpital. Son troisième enfant franchissait douloureusement le pont entre la vie marine et la vie terrestre. Comme les six milliards d'êtres vivants sur terre, il répétait, simplement en naissant, l'évolution de la vie animale : sortir du milieu liquide pour conquérir la terre ferme.

Pendant neuf mois, l'embryon a vécu en accéléré chacune des étapes du développement des organes qui eut lieu au cours des millions d'années de l'évolution et qu'étudient les paléontologues depuis déjà fort longtemps. À deux semaines, son cœur était similaire à celui d'un ver, à six, à celui d'une grenouille et à vingt semaines à celui d'un écureuil. On dirait qu'à chaque naissance la nature rappelle à l'homme sa longue filiation au monde animal primitif, cette histoire permanente gravée dans l'ADN de chaque individu – que les scientifiques appellent la double hélice de Crick et Watson –, tel un CD gravé à des milliards d'exemplaires. Le cœur du bébé est alors sur le point d'effectuer une transformation vitale : passer de l'eau à l'air libre, de la vie aquatique à la respiration. Un miracle de quelques secondes qu'il aura fallu des centaines de millions d'années à mettre au point.

Lise est en plein travail et son mari André, qui ressent chacune de ses contractions comme s'il allait accoucher lui-même, a soudainement des nausées.

– Je vais à la cafétéria, veux-tu que je te rapporte quelque chose ?

– Tout de suite? Maintenant? Non, pas maintenant, tu ne traînes pas trop, hein?

Il s'efforce de sourire pour dissimuler son malaise grandissant.

– Je n'ai pas manqué les deux premiers, je ne manquerai pas celui-là! Je reviens dans deux petites minutes, j'ai juste besoin d'un café.

André quitte la chambre, repère l'ascenseur, presse le pas. Il appuie sur le bouton. Sa poitrine devient franchement douloureuse, comprimée même. La porte de l'ascenseur s'ouvre enfin. Il regarde fixement le plancher, tout tourne autour de lui. Il s'effondre.

0 h 11

Au poste de garde, Linda finit son quart de travail. Elle a encore eu une grosse journée et, heureusement, personne ne lui demande d'ajouter un huit heures. Au moment de quitter, elle aperçoit devant l'ascenseur le mari de la patiente qui accouche à la salle trois. Il fait un curieux mouvement de pantin puis s'écrase comme une masse au sol. Elle accourt et constate qu'il est inerte. Elle se penche sur lui. Il n'a plus de pouls et ne respire plus. Elle appelle: «Claire! déclenche le code!»

Le personnel de la salle d'accouchement, habitué à mettre les êtres au monde, s'efforce de le ramener au monde. Les haut-parleurs déchirent le calme de l'hôpital à cette heure tardive: «Code 129, corridor du 4e CD. Code 129…»

0 h 13

Mireille vient de s'endormir. Médecin résidente de troisième année de spécialité, elle est de garde aux soins intensifs. Elle vient tout juste d'intuber un patient en détresse respiratoire après toute une journée de travail dans le service d'endocrinologie. Une fois celui-ci stabilisé, elle tente de glaner une ou deux heures de sommeil dans sa petite chambre de garde avant le prochain appel. Elle éteint, son téléavertisseur sonne, la tire du lit. Dans le noir, le petit écran lumineux clignote. Elle enfile son sarreau et ses souliers, et bondit dans le corridor vers le 4e CD.

À son arrivée, Louis, le préposé, masse énergiquement la poitrine d'André Merlot pendant que Linda le fait respirer avec un masque. Il est toujours inconscient, sans pouls spontané ni pression. Louis explique la situation:

– Il s'est effondré devant l'ascenseur. Ce n'est pas un patient, c'est un visiteur. Le mari de la femme qui accouche dans la trois.

– Des antécédents, demande Mireille?

– Aucune idée, c'est sa femme qui est inscrite, pas lui.

0 h 14

L'équipe des soins intensifs arrive à toute vitesse avec le lourd chariot de réanimation. Branchement du scope. Louis déchire la chemise d'André pendant que Mireille dirige la réanimation.

– Il est en fibrillation ventriculaire.

– On zappe: 300 joules.

– …

L'appareil émet des signaux qui se superposent aux signes vitaux. Twiiiiit. «Clear!!». Choc. Sursaut cambré d'André sur la civière. Mireille annonce:

– OK, j'ai un pouls! Il est reparti!

– Pression?

– 65 sur… rien… c'est difficile à entendre.

– Lévophed et xylo. On fait un ECG.

Mireille regarde le tracé d'électrocardiogramme dont l'encre est encore humide.

– Infarctus aigu massif. Je l'intube, appelez le docteur Reeves. Il va falloir une dilatation d'urgence. Et je voudrais parler à l'obstétricien de la mère. C'est qui?

– Le docteur Huot.

L'infirmière tient le téléphone à l'oreille de Mireille alors qu'elle finit d'intuber le patient.

– Allo, docteur Reeves? Vous n'en reviendrez pas…

0 h 40

En arrivant à l'hôpital, je n'en revenais effectivement pas des absurdités de la vie : un homme meurt pendant que sa femme donne la vie. Coefficient de difficulté d'une telle situation potentielle : veuve avec trois orphelins, dont un nouveau-né.

Tenue de combat et entrée dans la salle de cathétérisme cardiaque.

– Bonjour tout le monde !

– Bonjour docteur Reeves !

– Vous connaissez l'histoire ?

– Mettons qu'ils étaient nerveux à la salle d'accouchement !

– Je voudrais te voir avec un cas de siège…

– Dans le temps, j'étais pas pire…

Les techniciens et infirmières s'affairent à installer André sur la table d'examen et à préparer le matériel. L'inhalothérapeute papillonne autour de sa tête et de ses équipements, et veille sur la qualité de sa respiration artificielle.

0 h 56

Encore quelques minutes avant de commencer la procédure. J'appelle l'obstétricien de madame Merlot.

– Docteur Huot ? Comment ça va chez vous ?

– Bien, le bébé ne va pas tarder à sortir. Et vous ?

– Il s'en sort, mais c'est un infarctus massif. On va tenter de rouvrir l'artère. Qu'est-ce que vous avez dit à sa femme ?

– Que son mari a eu un malaise et qu'on s'en occupait. Mais elle soupçonne la gravité du malaise, vu qu'il ne revient pas à un moment pareil.

– Dites-lui qu'il a fait une chute de pression, un choc vagal, comme beaucoup de gars pendant les accouchements, et que je préfère le garder à l'écart de la salle d'accouchement tant qu'il n'est pas complètement rétabli. On lui expliquera après.

0 h 59

Armure de plomb de 20 livres. Pendant un cathétérisme, la salle bombarde continuellement des rayons X. C'est ce qui a causé il y a plus d'un siècle la leucémie mortelle de Marie Curie qui manipulait dans l'ignorance et sans protection le radium. Masque et chapeau. Désinfection des mains. Blouse et gants. Piqûre de l'artère fémorale. Montée du cathéter dans l'aorte et positionnement à l'entrée de l'artère coronaire gauche. Injection de colorant et ciné numérique : c'est bien la descendante antérieure qui est bouchée à quelques millimètres de son origine. La plus grosse des trois coronaires. Enfilade du fil-guide d'orientation gros comme un cheveu, fait de platine et de composites, au travers du blocage de l'artère, cause de l'infarctus. Un peu de flot sanguin commence à passer au travers de l'occlusion.

– Ballon 3 par 15.

Passage du ballon sur son fil d'Ariane jusqu'à l'obstruction de l'artère.

– Dilatation, 6 atmosphères.

Restauration du flot coronarien, qui est redevenu presque normal avec inondation d'oxygène au muscle asphyxié. Martin s'exclame en regardant le scope :

– TV !

– Non, c'est de la reperfusion, c'est bon signe.

Les arythmies ventriculaires sont la première cause de décès pendant un infarctus. C'est la principale cause de mort subite : la personne s'effondre, morte. La TV, ou tachycardie ventriculaire, est le prélude à l'arrêt cardiaque, en fibrillation ou activité électrique chaotique. Le cœur est tellement irrité par le manque de sang et d'oxygène qu'il fait une véritable crise convulsive dans une tempête électrique. Une TV, c'est la crise d'épilepsie du cœur. C'est la raison pour laquelle il est recommandé aux personnes ayant une forte douleur dans la poitrine d'appeler l'ambulance via le 911 plutôt que se rendre directement à l'hôpital, au volant de sa voiture, par exemple. Dans ce cas, non seulement on peut mourir, mais on peut en tuer d'autres. En ambulance, on a les ambulanciers pour nous réanimer, comme Mireille ramena Merlot à la vie.

1 h 39

Fin de la procédure. Artère grande ouverte, flot sanguin normal, électrocardiogramme apaisé. Tension et pouls contrôlés sans médicaments. Transfert à l'unité coronarienne. Nouveau coup de téléphone à l'obstétricien.

– Docteur Huot?

– Un beau garçon de huit livres. Et vous?

– Dilaté sans pépin. On le laisse doucement se réveiller. Je peux voir sa femme avec vous?

6 h 30

– Monsieur Merlot! Monsieur Merlot!

André a un tube de plastique d'un centimètre de diamètre entre les cordes vocales, grâce auquel il peut respirer, un tube dans le nez qui descend dans l'estomac pour le vider et éviter qu'il ne vomisse dans ses bronches, harnais facial pour que les tubes ne bougent pas, branché de partout pour le suivi de ses signes vitaux, sonde dans la vessie pour mesurer ses pertes en liquides, canule dans l'artère du poignet pour suivre son pouls et sa pression, infusion de solutés aux avant-bras pour éclaircir son sang, dilater ses artères et être prêt de toute urgence à lui administrer un médicament. Le voilier ventriculaire est sorti de la tempête, complètement pris en charge par les garde-côtes du cœur.

– Monsieur Merlot, faites-moi oui si vous m'entendez.

André remue à peine, puis hoche la tête deux fois.

– Monsieur Merlot, vous avez eu un malaise cardiaque, mais tout se passe bien maintenant. Vous me comprenez?

André entrouvre une paupière, tentative épuisante de reprendre contact avec la réalité.

– Monsieur Merlot, je veux que vous sachiez que votre femme a eu son bébé. C'est un beau gros garçon de huit livres et il est en pleine forme.

C'est à ce moment-là, après une nuit particulièrement affairée, que j'ai été témoin d'une des scènes les plus marquantes de ma carrière, et qui m'a laissé une image saisissante : André, qui venait de frôler la mort, qui émergeait tout juste de l'inconscience, qui avait tout juste la force d'entrouvrir une paupière, a soulevé un bras, serré le poing et l'a fait tournoyer en faisant : «Ouh! Ouh! Ouh! Ouh!» dans son tube endotrachéal.

Il était père pour la troisième fois!

CHAPITRE 2

Pourquoi la cardiologie ?

La névrose-grand-papa

Pourquoi la cardiologie? La réponse se trouve chez Pasteur, chez Paul Robert David et chez... grand-papa.

Mon grand-père Joseph Aimé Reeves, que l'on appelait «grand-papa aimé» – vrai titre de gloire pour tout grand-père! –, est mort subitement à l'hôpital, quatre jours après un infarctus. J'avais onze ans. J'ai toujours été frustré de ne pas avoir bien connu ce grand-père, père de mon père, lui qui m'a fourni le quart de mes gènes et dont on parlait avec estime et affection.

> On peut voir loin quand on grimpe sur des épaules de géants.
>
> Félix Leclerc

Je réalise d'autant cette perte que je vois aujourd'hui mes parents remplir un rôle admirable et irremplaçable dans la magie de l'enfance de leurs huit petits-enfants. C'est ce que j'appelle ma névrose-grand-papa. J'aurais voulu éviter aux petits garçons de 11 ans de perdre leur grand-papa, par l'injustice d'une maladie qui peut se traiter, d'une mort qui peut s'éviter. Trop fleur bleue pour le 21e siècle? J'ai croisé assez de familles folles de bonheur de retrouver leur parent en bonne forme après un infarctus pour savoir que cela vaut la peine d'y consacrer sa vie. Et grand-papa en serait content.

Quand j'étais au primaire, mon père m'a donné une biographie de Pasteur, fort bien présentée et illustrée si ma mémoire est bonne, mon premier livre de vulgarisation scientifique. Ce fut le coup de foudre. C'est dans ce livre pour enfant que j'ai réalisé l'importance de bien observer et de bien écouter, qui est la base de la démarche scientifique, expliquée aujourd'hui dans toutes les écoles secondaires : observation – théorie – expérimentation – preuve. Ce livre était si clair et intéressant, qu'il a fait comprendre nombre de choses au petit garçon que j'étais. Pasteur a passé sa vie à comprendre des phénomènes invisibles aux yeux de ses concitoyens : les bactéries et leur rôle. Il a également passé sa vie à combattre, au nom des idéologies progressistes de son époque et de sa quête de vérité, pour accomplir son plus puissant leitmotiv : diminuer la souffrance de ses concitoyens. Aujourd'hui, quarante ans après avoir reçu cette biographie de Pasteur, je me rappelle de ce livre autant que de mes Tintin. Ce petit bouquin captivant m'a notamment fait réaliser que la santé passe par l'éducation.

Pasteur avait bien compris l'importance de l'éducation et il a été un des premiers éducateurs et vulgarisateurs de la science moderne. Pionnier en santé publique et en éducation médicale continue, il a consacré sa vie à expliquer ses théories à ses concitoyens, avec l'impact planétaire et historique que l'on sait sur la santé de l'homme. La pasteurisation, entre autres, reste toujours un point tournant en santé.

L'éducation est prioritaire et vitale pour notre santé. Partout sur la planète, les milieux scolarisés souffrent moins de maladies que les milieux non scolarisés. D'où l'idée que la vraie médecine préventive se trouve dans l'éducation. Nous y reviendrons souvent au cours de cet ouvrage.

Bien des années après avoir reçu ce livre sur Pasteur, étudiant en médecine grâce à ce petit livre, deux personnes ont influencé mon choix vers la cardiologie d'intervention : Jean Lemire et Paul Robert David.

Jean Lemire était le chef du service de cardiologie de l'Hôpital Notre-Dame, que j'ai connu lors de mon internat en 1982 : une locomotive d'énergie exubérante. Un homme d'un dynamisme et d'un leadership peu commun, clinicien de premier ordre, auteur de nombreuses formules célèbres, dont celle-ci : « Sacrebleu de Démosthène, la cardiologie, c'est la physiologie au chevet ! »

Son mantra sur la physiologie est toujours valable aujourd'hui. Il m'a convaincu de revenir un jour à Notre-Dame comme cardiologue. J'ai un solide attachement à Notre-Dame : mon père y avait fait sa formation d'interniste, j'y suis né, on y a guéri avec succès le cancer de mon père, pratiquement toute ma famille y a été soignée, et c'est l'endroit où ma fille est née, un des moments forts de ma vie, revécu avec bonheur avec mes deux garçons.

Le départ de Jean Lemire pour les États-Unis, vers une pratique correspondant plus à son dynamisme, est une de mes déceptions professionnelles. Ce fut aussi une grande perte pour notre milieu.

Cette même année du départ de Jean Lemire, Paul Robert David était le chef du service de cathétérisme cardiaque de l'Institut de Cardiologie de Montréal. On le confond d'ailleurs souvent avec le sénateur Paul David, fondateur de l'Institut de Cardiologie de Montréal (ICM) et cardiologue clinique. Paul Robert David est un grand leader de notre communauté, premier au Canada à pratiquer la dilatation coronarienne en 1980, suivi quelques mois plus tard par Roger-Marie Gagnon, alors chef de cardio à Notre-Dame, l'homme qui m'a donné ma carrière.

Pendant mon internat, j'ai assisté à une présentation du docteur David sur la dilatation coronarienne. C'était la première fois que j'assistais à un congrès de l'Association des cardiologues du Québec. À cette époque déjà, je savais que le «cœur» serait mon choix, mais j'hésitais entre la cardiologie médicale (diagnostiquer, suivre des patients et prescrire des médicaments) et la chirurgie cardiaque (opérer des patients). La présentation du docteur David a été une révélation: on pouvait réparer les artères d'un patient cardiaque sans l'opérer, sans lui ouvrir la poitrine, juste par un trou de piqûre. Révolution. Le docteur Paul Robert David m'ouvrait un nouvel horizon et j'ai été séduit par cette spécialité naissante: l'hémodynamie, appelée aujourd'hui cardiologie d'intervention, située entre la cardiologie médicale et la chirurgie cardiaque.

Pouvoir réparer un cœur par un trou de piqûre, comme on construit un bateau miniature dans une bouteille.

CHAPITRE 3

Expo et cardio

Métamorphoses de la cardiologie : quelques découvertes importantes

Fin 1960. Il y a quarante ans, la cardiologie réalisait sa métamorphose. C'était aussi Expo 67, l'année où le Montréal de mon enfance se transfigurait. Quarante ans, c'est un clin d'œil dans l'histoire de la Terre et de l'humanité. Tout s'accélère pendant cette décennie, notamment dans le monde médical : apparition des unités coronariennes, réanimation, massage cardiaque et défibrillation électrique pour les arrêts cardiaques, premières images de coronaires, premiers pontages coronariens, première greffe cardiaque. On assiste à l'explosion d'une technologie fine, raffinée par l'informatique et la biotechnologie naissantes. Dans un autre domaine de la science et des technologies, mais indirectement lié à la médecine, on suit avec passion les vols d'Apollo, préparatoires à la première marche sur la Lune en 1969. Ère de gloire de la cardiologie qui s'appuie sur une imagerie sophistiquée dérivée en partie des grands télescopes et des outils descendus de l'espace.

Avec le recul, on peut se demander ce qui incitait à devenir cardiologue avant 1967. Certains prétendent qu'il n'y avait rien. Ce qui est faux. Le «Moyen-Âge» de la cardiologie préparait ce qui s'en venait. Tout était prêt et mûr pour l'ère moderne. La cardiologie a alors explosé, tout à fait contemporaine d'Expo 67, et le petit garçon que j'étais ne se doutait pas encore de sa chance de grandir au milieu de cette effervescence scientifique et sociale.

Il y a plusieurs excellents articles et ouvrages sur l'histoire de la cardiologie. Notamment une savoureuse histoire de la cardiologie québécoise par le docteur René de Cotret, cardiologue qui a consacré sa retraite à cet ouvrage.

À noter également l'article du docteur Eugene Braunwald – le pape de la cardiologie régnant à Harvard – décrivant, dans le *Journal of the American College of Cardiology*, les dix points tournants de la cardiologie. De ces derniers, je retiens la découverte des rayons X, de l'échographie, de l'électrocardiogramme et du cathétérisme cardiaque. Un élégant tableau synoptique de notre histoire cardiologique est présenté en 2004 dans *Atlas of Heart Disease and Stroke*, de l'Organisation mondiale de la santé et du *Center for Disease Control*. Bien sûr il existe des ouvrages qui présentent d'autres sujets passionnants. Mais je m'en tiendrai ici à ce qui m'a frappé et à ce qui éclairera les chapitres à venir.

Grèce antique : le doigt dans l'œil jusqu'à l'aorte

«Artère» est un mot qui vient du grec signifiant «qui transporte de l'air». Dieu sait (comme Zeus, Allah, Jéhovah, Bouddha) que, lorsque je pique une artère, ce n'est pas de l'air qui sort de là! Comment les Grecs, dont notre maître Hippocrate, ont-ils pu errer à ce point? D'autant plus étonnant que tout le monde à cette époque saignait des animaux dans sa cour…

Les autopsies de l'Antiquité montraient que les artères étaient vides après la mort. Les dissections pratiquées par les médecins grecs il y a 2 500 ans sur des animaux égorgés induisent des erreurs d'interprétation. Les artères étant trouvées vides, on en déduisait qu'elles transportaient de l'air. Et comme le foie et la rate sont gorgés de sang, ces deux organes étaient considérés comme des éléments importants du transport du sang.

La méthode scientifique s'arrêtait aux deux premières étapes : l'observation et la théorie, ignorant l'expérimentation et la preuve, essentielles à la véracité de la théorie.

1772 : l'angine

En Angleterre, William Heberden décrit pour la première fois l'angine. Sa description peut figurer dans tout livre moderne de cardiologie. «Ceux qui en sont affligés sont saisis lorsqu'ils marchent (surtout en montant une côte ou après avoir mangé) d'une sensation douloureuse et des plus désagréables dans la poitrine, sensation qui semble vouloir éteindre toute vie si elle continue ou augmente ; mais du moment qu'ils arrêtent de marcher, tout l'inconfort disparaît». Il est aussi le premier à considérer l'hypercholestérolémie comme un facteur de risque, lorsqu'il note que le sang d'un patient obèse, et mort subitement, était «épais comme de la crème».

1900 : le cas de l'année, l'infarctus aigu

La légende canadienne de la médecine, William Osler, successivement professeur à McGill, à Johns Hopkins et à Oxford, fit venir en hâte tous les étudiants de l'hôpital pour voir un phénomène exceptionnel.

«Messieurs, lance-t-il en mesurant son effet de professeur modèle, cet homme est victime d'une maladie *rare* : il a fait un infarctus du myocarde.»

Nous reviendrons plus loin sur cette rareté du début du siècle.

1929 : le premier cathétérisme cardiaque

Le premier cathétérisme cardiaque a été, si je puis dire, du *jackass* avant l'heure. C'est l'œuvre d'un *étudiant* de chirurgie allemand, Werner Forssmann, réalisée avec l'aide d'une infirmière. La pauvre n'avait aucune idée de ce que Forssmann planifiait. Il s'est ouvert une veine au bras, y a inséré une sonde urinaire qu'il a poussée jusque dans l'oreillette droite. Ainsi équipé, il a couru vers le laboratoire de radiologie et s'est radiographié, question d'immortaliser son expérience. Le cathétérisme cardiaque était né. En fait, Forssmann reprenait chez l'humain les expériences du physiologiste britannique William Harvey et du Français Claude Bernard qui faisaient le même type d'expérience sur des animaux pour mesurer la pression artérielle.

Avoir raison trop tôt, c'est avoir tort.

Les Mémoires d'Hadrien, Marguerite Yourcenar

Le fondateur de l'hémodynamique, Forssmann, a été immédiatement congédié de son hôpital. Il a néanmoins poursuivi ses travaux sur des chiens et… sur lui-même. Bien que la presse ait acclamé son innovation, l'establishment médical d'alors a complètement ignoré, voire rejeté ses travaux. Devant ce rejet, Forssmann a finalement abandonné la cardiologie pour l'urologie. L'usage des cathéters en urologie a alors devancé de beaucoup celui des cathéters en cardiologie, effet papillon de la décision d'un establishment peu visionnaire.

Il y a toujours une justice immanente. Werner Forssmann recevra le prix Nobel de médecine en 1956 avec deux autres pionniers du cathétérisme cardiaque, Cournand et Richards. Dans les années 1960, la technique de cathétérisme cardiaque s'est raffinée avec les travaux de Sones et Judkins aux États-Unis, et de Martial Bourassa de l'Institut de Cardiologie de Montréal. Ces derniers ont développé des cathéters adaptés à l'anatomie du cœur, facilitant et sécurisant la technique. Ce sont les pères de la coronarographie moderne.

Les années 1950 : couché pendant 3 mois

L'Allemagne, autorité mondiale en autopsie et pathologie. Lors de séries d'autopsies de patients victimes d'infarctus, un pathologiste a constaté qu'après un infarctus, il fallait trois mois avant que la guérison soit complète et la cicatrice, stable. C'est vrai. Mais la déduction était fausse parce que tirée de l'immobilisation du bras cassé pour favoriser la guérison de la fracture : il a donc décrété qu'il fallait garder un patient couché pendant trois mois pour le repos du cœur.

On sait aujourd'hui que le lit est le pire ennemi du malade : déconditionnement, baisse de pression avec vertiges et chute au lever avec risque de fractures. Fonte des muscles et constipation. Plaies de lit jusqu'à créer des cratères dans les talons, les fesses et le dos. Pneumonie par manque d'expansion respiratoire, phlébite et embolie pulmonaire. Perte de calcium des os, ostéoporose accélérée facilitant les fractures au moindre choc. Plusieurs de ces complications sont mortelles : on peut mourir de rester couché !

Si nous négligeons de mobiliser le plus rapidement possible un patient, toutes ces complications augmentent en flèche. C'est pourquoi les méthodes moins invasives (dilatation coronarienne) provoqueront toujours moins de complications que les méthodes invasives (pontages à cœur ouvert). Tout ce qui prévient l'immobilisation d'un patient améliore sa survie, d'où l'effort continu de la médecine vers des techniques « furtives », avec des patients rapidement sur pied.

Aujourd'hui, le taux de mortalité chez les patients postinfarctus, dilatés et non compliqués, est de moins de 3 %, et le patient est de retour chez lui quelques jours après sa crise. Il va infiniment mieux que notre grabataire forcé (trois mois!) des années 1950, confronté à un taux de mortalité de 30 à 40%. Comme chez les Grecs, la constatation du pathologiste était réelle (la cicatrice de l'infarctus est complétée en trois mois), mais la déduction fausse (il faut garder le patient couché pendant trois mois). On a négligé l'expérimentation et la preuve, colportant encore une fausseté pavée de bonnes intentions. Le repos est certainement une condition inhérente du traitement de l'infarctus. Mais pas couché pendant trois mois. Il y a d'autres façons de protéger le cœur pendant sa guérison.

1967 : premiers pontages

Les premiers pontages ont été faits dans un contexte fort héroïque. Mortalité jusqu'à 50%. Le concept y était mais, comme en aviation, c'est un milliard de petits progrès qui ont rendu le vol vers Paris moins hasardeux que ne l'avait été celui du *Spirit of Saint-Louis* de Charles Lindbergh. Aujourd'hui, avec 6 000 pontages l'an dernier au Québec et 800 000 dans le monde, c'est une opération routinière pour des chirurgiens expérimentés.

Il est intéressant de constater que les médecins répètent ce que la nature fait depuis des millions d'années : des pontages ou collatérales. Systématiquement, le cœur se ponte lui-même après l'occlusion d'une artère. Phénomène invariable : la nature a horreur du vide et est dotée de processus d'autoguérison. Nous y reviendrons au chapitre «Science-fiction de la cardiologie».

Les chirurgiens ont appliqué la technique de dérivation (*bypass* ou pontage), c'est-à-dire prendre un vaisseau ailleurs sur le corps (veine ou artère) pour le brancher de l'aorte à l'artère malade, au-delà du blocage. L'autoroute métropolitaine est bloquée, tout le monde passe par la voie de service. On se rassure : nos chirurgiens font des voies de service plus grosses que l'artère malade. Cette technique était déjà utilisée pour d'autres organes, mais le cœur fut le plus tardif à se faire ponter parce qu'il bouge, que ses artères sont très délicates et que toute manipulation peut amener une arythmie mortelle. C'est la circulation extracorporelle, développée à la Clinique Mayo en 1955, qui a ouvert la porte de la chirurgie à cœur ouvert. Un «cœur-poumon» artificiel connecté aux gros vaisseaux du corps assure la circulation du sang et de l'oxygène, ce qui permet d'arrêter le cœur pour le réparer, et de le redémarrer une fois réparé. Une hibernation cardiaque contrôlée médicalement.

René Favaloro, un cardiologue argentin invité à travailler aux Cliniques Cleveland, fut le premier, en 1968, à ponter une artère coronaire en utilisant une veine de la jambe. Il entreprit un vaste travail de pionnier et de formation partagé entre son pays d'origine et Cleveland, formant des centaines de jeunes chirurgiens à la technique du pontage. Il fut couvert d'honneurs et de distinctions scientifiques.

En 2000, l'Argentine a traversé une grave crise sociale et financière. L'Institut de Cardiologie de la Fondation Favaloro, à Buenos Aires, accumula un déficit de 75 millions de dollars. Les demandes de Favaloro au gouvernement argentin pour éponger la dette restèrent lettre morte. Le 29 juillet 2000, Favaloro, 77 ans, se suicide en se tirant une balle dans le cœur, lui qui en avait méticuleusement réparé des milliers.

La cardio *rock star*

Lors des congrès internationaux de cardiologie, il n'y a pas beaucoup d'émotivité pendant les présentations scientifiques. Les progrès viennent beaucoup plus lentement que nos espoirs. Ils sont rares, mais il y a des *standing ovations*. Voici les trois que je connais.

1977 : le ballon de dilatation

Andreas Gruentzig, Allemand émigré en Suisse, est le Christophe Colomb de la cardiologie d'intervention. Il montre à un auditoire médusé les images d'une artère coronaire bouchée à 90 %, puis parfaitement débloquée en y gonflant un petit ballon. L'hémodynamie franchissait le Rubicon de l'intervention, se métamorphosant d'une spécialité diagnostique à une spécialité de traitement. Nous pouvons maintenant réparer une artère du cœur sans ouvrir la poitrine d'un patient. *Standing ovation* débridée, habituellement dévolue aux *rock stars*. Ce premier ballon, Gruentzig l'avait bricolé sur sa table de cuisine et testé chez l'animal. Aujourd'hui, il se pratique dans le monde plus de deux millions de dilatations coronariennes par an. Y compris sur des *rock stars*.

2001 : le stent médicamenté

Marie-Claude Morice, cardiologue française et chef de l'Institut cardiovasculaire Paris-Sud, présente l'étude RAVEL. Cette étude est la première portant sur les stents enduits de médicaments pour empêcher la resténose ou reblocage, talon d'Achille de notre spécialité. Aucun reblocage ! Nous avions enfin la possibilité qu'une artère parfaitement dilatée reste indéfiniment ouverte, atteignant et surpassant peut-être la durabilité de la chirurgie de pontages. Effervescence, *bravissimi* et applaudissements enthousiastes. Trois de nos jeunes cardiologues d'intervention du CHUM, les docteurs Samer Mansour, Jean-François Gobeil et André Kokis sont allés parfaire leur formation en travaillant un an sous la supervision de cette grande dame de la cardiologie française.

2006 : le médicament qui enlève l'athérosclérose

L'étude Asteroid, dirigée par les Cliniques Cleveland et à laquelle le CHUM a participé, porte sur le Crestor ou *rosuvastatine*. C'est le dernier né des puissants médicaments, appelés statines, pour abaisser le cholestérol. Pour la première fois, on a démontré qu'un médicament peut non seulement ralentir la progression de la maladie coronarienne, mais résorber partiellement les plaques de gras bloquant nos artères. Un autre Eldorado est atteint : une pilule peut effectivement diminuer les plaques de gras dans les artères. À nouveau, excitation juvénile débridée des doctes et sérieux personnages que constitue une assemblée mondiale de cardiologues.

Nitro : sexe, cœur et dynamite

La recherche médicale a parfois des cheminements incongrus. L'histoire de la «nitro» en est un bel exemple. La nitroglycérine est un puissant explosif découvert en 1847 par l'Italien Ascaro Sobrero. Sa forme stabilisée est la dynamite : un mélange de nitroglycérine et de pâte de silice stabilisante, mis au point vers 1860 par Alfred Nobel, chimiste suédois. Nobel a persisté alors que Sobrero avait tout abandonné, jugeant ce produit trop dangereux. Ce qui était vrai : le propre frère d'Alfred Nobel et plusieurs collaborateurs avaient été tués par une explosion dans leur laboratoire. Néanmoins, la persistance de Nobel dans l'adversité lui a assuré le succès de ses recherches. Et une monumentale fortune, qu'il a léguée en totalité à la fondation qui porte son nom. Celle-ci est destinée à récompenser les travaux de chercheurs ayant contribué à l'avancement de l'humanité en médecine, physique, chimie, littérature et paix. Nobel est un symbole des contradictions humaines : l'inventeur du plus dangereux explosif est un bienfaiteur de l'humanité.

En 1867, le pharmacologue anglais Lauder Braunton découvre que l'une des formes de la nitroglycérine, le nitrite d'amyl, soulage les douleurs d'angine. Il a été mis sur la piste par un chimiste qui lui a rapporté qu'en inhalant accidentellement des dérivés nitrés pendant une série de manipulations, sa peau était devenue rouge, qu'il avait senti ses artères se dilater et son cœur battre plus fort. Par l'observation de ce chimiste et l'expérimentation de ce médecin, la nitro est entrée dans la vie des coronariens, véritable potion magique, bouée de sauvetage quand surviennent leurs crises.

L'autre anecdote vient des travailleurs d'usine de dynamite. Le lundi matin au travail, plusieurs avaient des maux de têtes qui s'estompaient progressivement jusqu'au week-end. Les maux de têtes réapparaissaient le lundi suivant. Ceci s'explique par deux phénomènes. La nitro donne mal à la tête, car elle dilate les artères, dont celles du cuir chevelu et du cerveau, mécanisme analogue à certaines migraines. La disparition des maux de tête expliquait aussi la tolérance à la nitro : le corps s'y accoutume après une exposition prolongée, donc avec l'usage les effets secondaires disparaissent, mais reviennent après un retrait de quelques jours.

Cent ans plus tard, on découvrira que les artères de notre corps fabriquent *leur propre nitroglycérine*, soit le NO ou nitroxide d'azote. Ce sera consacré par le prix Nobel (juste retour !) de médecine 1998 remis aux chercheurs américains Furchgott, Ignarro et Murad qui en ont élucidé les mécanismes. Autre cycle de l'histoire : de Nobel à la nitro à Nobel. Comme quoi l'observation attentive de phénomènes n'ayant en apparence aucun rapport permet de grandes percées et, encore une fois, la médecine reprenait ce que mère nature fait depuis longtemps.

Toujours à la recherche d'une meilleure nitro, il y eut des milliers d'essais et de manipulations chimiques pour trouver l'antiangineux idéal. Parmi elles, une nouvelle molécule synthétisée en 1996 par la compagnie Pfizer : le sildénafil. Au cours des premiers essais cliniques avec des patients angineux, on a réalisé que ce n'était pas très puissant contre l'angine. Mais les patients masculins avaient un effet secondaire inattendu : une érection vigoureuse, même chez ceux n'en ayant pas eu depuis longtemps. La recherche s'est alors tournée vers la dysfonction érectile. Le Viagra naquit, entraînant un tsunami commercial : le médicament le plus vendu de la planète ; plus de un milliard de dollars annuellement depuis 1998. Contrebande systématique dans les pays où l'approbation se faisait attendre, incluant le Canada.

Ironie suprême, des centaines de patients sont morts d'infarctus pour usage inapproprié du Viagra, médicament conçu initialement pour traiter la maladie coronarienne. J'ai connu une dame dont le mari est décédé en plein orgasme au Viagra : imaginez son épreuve.

Viagra et maladie cardiaque

Le cardiologue est fréquemment interpellé pour conseiller les hommes sur l'usage des Viagra, Cialis et Levitra. La double condition, être coronarien et avoir une dysfonction érectile, est fréquente : les deux ont la même cause. Une seule maladie vasculaire, l'athérosclérose, est en effet la cause la plus fréquente de la maladie coronarienne et de la dysfonction érectile.

La première précaution avec la prise du Viagra est l'usage simultané de nitrates, les nitroglycérines à longue action, comme les timbres cutanés ou les pilules. L'effet du Viagra et des nitros à longue action s'additionnent et peuvent précipiter une chute de pression dramatique pour des artères bloquées. Une simple question de plomberie : manque de pression dans un tuyau déjà très bloqué et tout bouché. Une association néfaste bien décrite lors de l'enquête de la FDA sur les décès au Viagra et qui met en garde la prise de Viagra avec des nitros.

Deuxième précaution : le Viagra pouvant abaisser la pression, son usage est à risque chez des personnes ayant facilement des chutes de pression, comme les grands insuffisants cardiaques ou les vieillards.

Troisième précaution : le Viagra peut changer les paramètres hémodynamiques d'une personne, c'est-à-dire débit cardiaque, pouls, pression, résistances périphériques, etc. Il est donc déconseillé pour ceux qui se remettent à peine d'un infarctus ou d'une insuffisance cardiaque. Il vaut mieux attendre la fin de la convalescence. Tout autant pour un cardiaque avéré et qui sent une montée de son angine ou de son essoufflement. Quelque chose se dérègle dans notre plomberie coronarienne et il ne faut pas l'aggraver avec le Viagra.

Dernier rebondissement pour le Viagra, on lui redécouvre un intérêt dans une maladie cardio-pulmonaire ! L'hypertension pulmonaire est une maladie rare, peu comprise, due à la contraction exagérée et pathologique des petites artères du poumon, touchant surtout les femmes et pouvant conduire, devant l'absence de traitement efficace, à l'insuffisance cardiaque et à la greffe pulmonaire. Plusieurs études donnent l'impression que le Viagra pourrait abaisser la pression pulmonaire et offrir un traitement à cette très pénible condition. D'autres études sont en cours.

William Heberden
(Londres, 1710-1801)

Le docteur William Heberden fit une description de l'angine de poitrine qui est devenue un classique. «Ceux qui en sont affligés sont saisis lorsqu'ils marchent (surtout en montant une côte ou après avoir mangé) d'une sensation douloureuse et des plus désagréables dans la poitrine, sensation qui semble vouloir éteindre toute vie si elle continue ou augmente; mais du moment qu'ils arrêtent de marcher, tout l'inconfort disparaît». Cette description doit être connue du grand public. C'est notre cri du cœur.

William Osler
(Montréal, 1849-1919)

Gradué de l'Université McGill de Montréal, cet éminent interniste pratiqua et enseigna successivement à McGill, à l'hôpital Johns Hopkins de Baltimore et enfin à l'université d'Oxford, contribuant fortement aux grandes traditions que sont maintenant ces trois prestigieuses facultés de médecine. Oxford lui accorda en 1905 le «Regius Professorship of Medicine», la plus haute distinction médicale du monde anglophone de l'époque. Il révolutionna la pédagogie médicale en intégrant les meilleures idées d'Amérique et d'Europe, structurant l'enseignement au chevet et le «Fellowship», le stage de surspécialisation médicale. Nombre de ses observations sont aujourd'hui des classiques, tels les *nodules d'Osler*, nodules apparaissant sur la main et associés aux infections des valves du cœur, les endocardites. En publiant le livre *The Principles and Practice of Medicine*, il lança le *textbook* de médecine, devenu la forme universelle de nos livres de médecine. William Osler est le modèle de la tradition du Centre universitaire de santé McGill, au sein de la 21e meilleure université du monde.

Werner Forssmann
(Allemagne, 1904-1979)

Le premier cathétérisme cardiaque est fait en Allemagne en 1929. Werner Forssmann, étudiant de médecine de 25 ans, se cathétérise lui-même en insérant une sonde urinaire dans la veine de son bras, en la poussant jusqu'au cœur et en se faisant une radiographie. Sur la radio, on voit la sonde, long fil noir sous le bras, montant jusqu'à la base du coup, puis redescendant vers le cœur pour entrer dans l'oreillette droite. Il fut renvoyé par son chef de service. Il reçut le prix Nobel de médecine 27 ans plus tard. Cette radiographie est l'ancêtre des millions de cathétérismes cardiaques pratiqués annuellement dans le monde pour diagnostiquer et traiter la maladie cardiaque.

Martial Bourassa (Montréal)

Fin 1960, Martial Bourassa, hémodynamicien chef de l'Institut de Cardiologie de Montréal, met au point les cathéters «Bourassa» conformes à l'anatomie coronarienne. Jacques Lespérance, collègue radiologiste de l'ICM, établit la nomenclature coronarienne avec quelques sommités internationales. Bourassa et Lespérance ont jeté les bases de la coronarographie moderne, avec Sones, Judkins et Amplatz aux États-Unis et Cournand en France. C'est l'un des pères fondateurs de l'Institut de Cardiologie de Montréal, l'un des meilleurs centres de Cardiologie du monde. La haute qualité de l'hémodynamie au Québec et au Canada leur est grandement redevable. La majorité de leurs anciens *fellows* issus de partout sur la planète sont aujourd'hui chefs de service aux quatre coins du monde.

René Favaloro
(Argentine, 1923-2000)

Chirurgien argentin qui œuvra longtemps aux Cliniques Cleveland après y avoir fait son *fellowship*, puis à Buenos Aires, il réalisa les premiers pontages coronariens en 1967. Il est l'une des sources de l'excellence des Cliniques Cleveland, reconnues aujourd'hui comme le meilleur centre de cardiologie aux États-Unis, sinon du monde. Sa technique consistant à prélever une veine de la jambe pour en faire une dérivation reste utilisée pour la vaste majorité du million de pontages coronariens chaque année. Aujourd'hui, le premier choix pour un pontage est une artère, la mammaire interne en raison d'une meilleure durabilité que les veines. Mais puisque le corps humain n'a que deux artères mammaires, que ponter les deux mammaires en même temps augmente les complications, que les autres artères utilisées comme pontages ne sont pas aussi efficaces que la mammaire, près de 90 % des pontages effectués au monde se font encore avec une mammaire et une à trois veines de la jambe.

Andreas Gruentzig
(Zurich, 1939-1985)

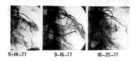

Cardiologue mort précocement dans un accident d'avion, il inventa le concept du ballon de dilatation et pratiqua la première angioplastie coronarienne à Zurich en 1977. La présentation de cette première suscita une ovation débridée au congrès de l'*American Heart Association*. Cette photo de la première dilatation coronarienne représente le Rubicon de la cardiologie d'intervention. Jusque-là une spécialité purement diagnostique, l'hémodynamique franchissait le fleuve du thérapeutique. Grand pédagogue, le Dr Gruentzig est aussi le premier à faire des présentations de dilatation en direct pour diffuser le plus rapidement possible sa technique. Il est à l'origine des *Live Demonstrations*, des procédures en direct sur écran géant devant auditoire, séances aujourd'hui réalisées partout pour accélérer la diffusion des connaissances et des échanges entre praticiens du monde entier.

Marie-Claude Morice (Paris)

Visionnaire en organisation de soins et de recherche, cette grande dame de la cardiologie française a organisé un réseau d'angioplastie optimal dans le traitement de l'infarctus, un modèle du genre. Dans un hôpital privé, elle a développé une organisation exemplaire de soins, d'enseignement et de recherche dont plusieurs universités s'inspirent aujourd'hui. Parmi une forêt de publications, elle est l'auteur principal de la première étude démontrant l'extraordinaire efficacité des stents médicamentés (appelés RAVEL), un nouveau sommet de la médecine moderne.

Patrick Serruys (Rotterdam)

Un des plus grands penseurs de la cardiologie d'intervention. Il a exploré toutes les facettes avec une grande rigueur scientifique et une grande honnêteté. D'une grande culture, parlant cinq langues avec raffinement. Il est le chercheur principal de trois grandes premières chez l'humain : les premiers stents (BENESTENT, 1994), les premiers stents médicamentés (FIM, 2001) et les premiers stents résorbables ou fondants (RESORB, 2007).

CHAPITRE 4

Le Voyage fantastique
La cardiologie d'intervention

C oronaire : qui a la forme d'une couronne. C'est ainsi que les premiers pathologistes ont décrit l'aspect des artères qui nourrissent le cœur. Les coronaires encerclent le haut du cœur, pour ensuite en suivre la surface puis plonger dans la profondeur du muscle. Notre roi de cœur est ceint d'une couronne. Le cardiologue est devenu orfèvre.

Le cœur est un organe à part. Sur le plan anatomique, c'est l'organe le plus asymétrique et biscornu du corps. Aucune symétrie, pourtant une constante du corps : deux yeux, deux oreilles, deux reins. Il y a bien un cœur droit et un cœur gauche. Dans l'embryon natif, encore au stade du ver de terre, les deux cœurs sont pareils. Mais au bout de quelques semaines, le gauche grossit et se renforce, car il pousse le sang dans tout le corps. À l'inverse, le cœur droit n'a qu'une responsabilité, vitale : pomper le sang dans le poumon. La différence entre nos deux cœurs vient aussi de la gravité : les cétacés ont les cœurs droit et gauche de la même taille, étant en apesanteur dans l'eau. Influence du milieu sur l'évolution. Chez le mammifère terrestre, la fonction créant l'organe, le cœur gauche devient rapidement quatre fois plus musclé et fort que le droit. La girafe, par exemple, a un ventricule gauche singulièrement développé : capacité de pomper 60 litres à la minute pour propulser le sang à six mètres de haut. L'humain débite 5 litres à la minute.

On dit souvent que notre cœur a la grosseur de notre poing. C'est à moitié vrai. Il a plutôt la grosseur du poing gauche sur lequel la main droite s'enroule, pouce contre pouce. Les mains dans cette position donnent une bonne idée de la taille et de la forme de notre cœur. Le ventricule gauche a la forme d'un obus, paroi épaisse et symétrique, cavité bien ronde. Le ventricule droit est enroulé autour et sa cavité a la forme d'un croissant. Croissant de lune sur pleine lune. L'autre particularité qui le distingue est que ses artères principales sont en surface. Tous les autres organes reçoivent les artères en leur milieu, comme le foie ou le rein. Cette différence vient de sa contraction continue. Si les coronaires plongeaient immédiatement dans la masse du cœur, comme le fait l'artère du rein ou du cerveau, elles seraient continuellement comprimées et le sang aurait de la difficulté à passer.

La particularité circulatoire du cœur n'est pas tant son anatomie (ses artères en surface) que son fonctionnement. Je surnomme le cœur la mère de famille. Le cœur nourrit le corps humain en se contractant et en poussant environ 70 millilitres de sang par contraction. Une fois sa contraction finie et le sang poussé dans nos organes, il se relâche et c'est à ce moment que le sang peut entrer dans ses propres tissus. La mère ayant servi tous ses enfants, elle peut s'asseoir et manger. Le corps est irrigué en systole (contraction cardiaque) et le cœur en diastole (relaxation cardiaque).

C'est un joli terme qui désigne notre spécialité : «angioplasticien» ou plasticien de l'artère, entre l'art plastique et la chirurgie plastique. Redonner à une artère sa première apparence, du moins angiographique, le «second début» de la coronaire. On dit aussi cardiologue d'intervention, celui qui pratique des «interventions cardiaques percutanées», par un trou de piqûre dans la peau. La langue quotidienne des hôpitaux du Québec utilise encore les termes «hémodynamique» ou «hémodynamie» (*hemos* : sang, *dynamos* : mouvement) et «hémodynamicien», néologismes adoptés au début de la spécialité et toujours dans l'usage, comme «lab d'hémo» ou «hémodynamicien de garde». Les Américains disent *cathlab* pour laboratoire de cathétérisme, *invasive cardiologist* pour hémodynamicien et *interventional cardiologist* pour angioplasticien. Il y a 72 angioplasticiens au Québec, la plupart œuvrant dans les grands hôpitaux universitaires.

La cardiologie d'intervention, c'est la version 2000 du *Voyage fantastique* des années 70, film ayant marqué l'imaginaire populaire du temps, notamment par le sous-marin miniaturisé naviguant dans les artères et le cœur.

Il faut se rappeler que la mission du sous-marin était de passer par les vaisseaux sanguins pour traiter le cerveau d'une importante personnalité, toute autre technique d'approche conventionnelle s'avérant trop dangereuse et risquant de le tuer.

Le cathétérisme cardiaque est exactement la version moderne de ce concept. La différence étant que le sous-marin miniature est remplacé par un cathéter faisant toutes les missions du sous-marin et qu'il est introduit comme lui par un trou d'aiguille dans les artères. L'image serait plus juste en évoquant un scaphandrier puisqu'il y a toujours un tuyau de raccord que l'on manipule pour obtenir un positionnement optimal et commander les actions à faire. Imaginons donc un sous-marin relié par un câble de contrôle depuis son point d'entrée. C'est notre cathéter cardiaque.

Est-ce moins «fantastique» que le sous-marin du *Voyage fantastique*? Oui et non. Un: on ne voit rien dans le sang! Il fait noir. Avec de la lumière, il fait au mieux rouge. Les belles prises hollywoodiennes au travers des cavités cardiaques, fort réalistes pour l'époque, étaient merveilleuses et j'en ai gardé un vif souvenir. Mais elles sont impossibles à réaliser, tant pour nous que pour les passagers du sous-marin. On pourrait utiliser d'autres ondes que la lumière pour traverser le sang, tels que les radars, ultrasons et effets Doppler-Fizeau, mais oubliez couleurs et trois dimensions.

Deux: un corps étranger métallique (le sous-marin) se baladant dans le sang aurait rapidement sur lui une nuée de cellules de défense très agressives, dont les plaquettes. Celles-ci forment l'une des trois grandes familles de cellules du sang et sont responsables pour une bonne partie de la coagulation. Les plaquettes s'agglutineraient au sous-marin, s'y colleraient jusqu'à former un gros caillot l'immobilisant.

Trois: pour se promener dans le labyrinthe des artères du corps, il faut une carte. Comparativement, Montréal, c'est de la rigolade. Le corps humain a des milliers de kilomètres de voies sanguines à sens unique, jusqu'à 100 000 kilomètres (deux fois et demie le tour de la Terre) si on inclut tous les microvaisseaux. Le sous-marin du film n'a pas de telles cartes, individuelles pour chacun de nous.

Quatre : la miniaturisation du sous-marin et de son contenu ne diminuerait pas sa masse (rien ne se perd, rien ne se crée, immortelle théorie de Lavoisier). Imaginons le trou que ferait un objet de quelques microns et pesant quelques tonnes. Il nous passerait au travers du corps dès l'injection ! Et à travers les fondations de notre hôpital.

Mais le fantastique a pris une autre voie.

Poste de commande

Pour inspecter et réparer un dommage dans une artère coronaire, il faut que notre sous-marin parte en exploration. C'est depuis la salle de cathétérisme cardiaque que se pilote cette exploration. Une salle de cathétérisme cardiaque, c'est trois salles de traitement spécialisé en une : elle réunit les qualités de la salle d'opération, de l'unité de soins intensifs et de la salle de radiologie.

- Salle d'opération pour la stérilité, les équipements et les interventions.

- Unité de soins intensifs, car on y réanime continuellement des patients en détresse respiratoire, en infarctus ou ayant fait un arrêt cardiaque.

- Salle de radiologie où trône un des appareils d'angioradiologie les plus raffinés de l'arsenal médical moderne, constellé d'une multitude d'écrans de contrôle pour piloter notre sous-marin vers sa mission.

Comme décrit plus haut, le sous-marin du *Voyage fantastique* ne pouvait avoir de cartes du patient à traiter. Dans le laboratoire, nos cartes topographiques numérisées à haute définition sont infiniment plus précises que les GPS existants. Nous les obtenons avec la fluoroscopie (les rayons X) et l'angiographie numérique à haute définition. Nous injectons du «colorant» à base d'iode qui nous montre instantanément la route des vaisseaux, guidant nos cathéters dans les artères grandes et petites, fluides ou embouteillées. Ces cartes précises au dixième de millimètre nous permettent de voir les structures à traiter et l'étendue de la maladie, comme si le patient était transparent.

C'est l'appareil de combat optimal dans notre guerre contre le plus mortel de nos ennemis, l'infarctus.

But de la mission

Notre sous-marin doit explorer le site menacé de notre patient, soit le blocage de la coronaire. La bonne analyse de ce site est cruciale pour la qualité du traitement. La principale cause de décès en Occident est toujours la maladie cardiovasculaire et est malheureusement en pleine croissance dans les pays en émergence, effet pervers de la mondialisation.

L'athérosclérose est de loin la plus fréquente maladie des artères et la cause de l'infarctus dans 99% des cas. Pour illustrer son aspect, prenons une artère et ouvrons-la en deux, sur la longueur. Normalement, elle serait lisse et d'un délicat rose nacré et luisant. Au lieu de cela, elle est jaune et brune, il y a des plaques de cholestérol, d'inflammation, de fibrose, de cicatrices, de durcissement avec dépôt de calcium. Cela ressemble à une peau couverte d'acné, inflammée et épaissie. «Acné» plus qu'inesthétique et très mortelle!

L'ironie: réaliser que l'infarctus, maladie hyper meurtrière, est habituellement causée par un «bouton».

Quelques milligrammes de gras inflammé, gros comme un bouton d'acné mûr qui, en éclatant, cause une thrombose et l'occlusion d'une artère du cœur. Ce «bouton» sur le point de se rompre, tout au plus agaçant sur la joue d'un adolescent en poussée hormonale, est létal dans le cœur. Lorsque la paroi de la plaque de gras se rompt, comme un bouton qui éclate sur la joue d'un ado, il se fait un trou dans la paroi de l'artère. C'est ce que j'appelle mes petits volcans.

Il est assez facile d'identifier, sur la radiographie du cœur, la plaque instable, la *culprit lesion* ou *vulnerable plaque* de la littérature américaine, soit la plaque coupable de la crise cardiaque de notre patient. Elle a un aspect de petit volcan, une colline de quelques millimètres de diamètre avec un trou au sommet. Il y a souvent un caillot à proximité, issu du trou comme un jet de lave. L'éruption du Vésuve dans notre Pompéi coronarienne.

La nature n'aime pas les trous, survie oblige. Sur un milliard d'années, elle a appris à les boucher à toute vitesse. Si une artère est trouée, immédiatement le sang fait un caillot pour éviter qu'elle ne se vide de son sang. Les hémophiles peuvent témoigner de l'utilité de ce mécanisme. Lorsqu'on se coupe, on saigne ; il y a un caillot, puis une gale et finalement la gale tombe et la peau redevient presque comme elle était. La cicatrice se fait par cimentage biologique, par dépôt de substances de réparation, dont le collagène.

Les coronaires sont de toutes petites artères dont la plupart ont un diamètre de l'ordre de deux à trois millimètres, à peu près le diamètre des veines du dos de la main. Le caillot prévu par Dame Nature pourra certes réparer et boucher le trou de notre petit volcan. Mais il peut aussi boucher notre artère malade, effet secondaire d'un des meilleurs traitements de survie de la nature. Et voilà l'infarctus.

La maladie la plus mortelle d'Occident est due à un tout petit blocage de gras, le «bouton d'acné» athérosclérotique, qui éclate en causant thrombose et arrêt de circulation dans une zone du cœur. La mort de cette zone est l'infarctus. Tous les organes peuvent faire un infarctus. Ce terme a été créé au 19e siècle par René Laennec, l'inventeur du stéthoscope, pour décrire cette lésion dans le poumon.

«Infarctus» vient du verbe «infarcir»: remplir de quelque chose, comme une dinde est farcie. La définition moderne d'infarctus est «zone de nécrose due à une occlusion artérielle». «Nécrose» signifie mort des cellules. Après la crise, le muscle inflammé se dessèche et devient une cicatrice, qui a un peu l'aspect d'une peau ayant été brûlée au troisième degré.

Le concept de plaque d'athérome qui se rompt en causant une thrombose explique un autre paradoxe occasionnellement vécu par les patients : on peut passer normalement le test d'un tapis roulant et faire un infarctus la semaine suivante. Le tapis roulant peut détecter un blocage sévère de l'artère. Mais il ne peut prévoir quand une plaque modérée et sans problème se rompra. Ce n'est que récemment, en 1980, qu'il a été déterminé de façon tranchée que c'est la thrombose qui cause l'infarctus. Jusque-là, il y avait des débats, à savoir si l'artère commence par se boucher par athérosclérose, puis une fois bouchée un caillot se formait, ou si la thrombose venait boucher une artère athérosclérotique. Poule ou œuf?

En 1980, le D^r DeWood a élégamment démontré, dans un article publié dans le *New England Journal of Medicine*, que la survenue d'un caillot était la cause et non la suite d'un infarctus. Révolution.

Pour comprendre et traiter l'infarctus, il a fait une série de coronarographies à des patients en infarctus aigu, ce qui était très audacieux à cette époque. Faire une coronarographie pendant un infarctus était jugé à haut risque, voire dangereux. Grâce à ces pionniers, la coronarographie est maintenant le premier choix pour l'infarctus aigu.

C'est la thrombose aigue qui cause l'infarctus. Ce nouveau savoir a fait en sorte que tous les modes d'approches et de traitements ont subi d'importantes modifications. C'est l'ère des médicaments qui font fondre les caillots, les fibrinolytiques. Sachant qu'un caillot frais causait les crises d'angine accélérées, redoutables signaux d'infarctus, on s'est mis à étudier l'effet de tous les anticoagulants connus de la planète pour tester leur efficacité.

On a tout exploré : la salive de sangsue et de chauve-souris, le venin de serpent, les protéines de bactéries, les anticoagulants humains naturels, l'écorce de saule, etc. Ce fut un monument d'effort de coopération mondiale sans précédent : les cinq continents y ont contribué avec des études incluant des dizaines de milliers de patients. Pas de rideau de fer, pas de Nord-Sud, pas de conflits de religions. Une collaboration planétaire contre l'ennemi de l'humanité, que l'on peut espérer voir se diffuser le plus tôt possible dans toutes les sphères de l'humanité.

Les succès du traitement de l'infarctus se sont rapidement accumulés au milieu des années 1980 et 1990, avec les fibrinolytiques, ces puissants médicaments utilisés pour dissoudre le caillot. Avec la reperfusion par fibrinolyse, les infarctus sont plus petits qu'autrefois, présentent moins de complications, et la mortalité a beaucoup diminué.

Plongée du sous-marin

Équipage paré pour la plongée. Mission : voir précisément l'anatomie, le site du blocage, les caractéristiques d'approche et planifier l'intervention pour réparer la coronaire. D'abord, s'introduire dans la circulation artérielle. Toutes les artères mènent au cœur, comme les chemins à Rome. Jusqu'à tout récemment, on utilisait l'artère fémorale, grosse artère de la jambe et à fleur de peau dans l'aine, donc facile d'accès avec une simple anesthésie locale. Aujourd'hui, on passe surtout par l'artère du poignet, nommée artère radiale. Les deux avantages de passer par le poignet : le patient peut se lever immédiatement et le taux de complications est beaucoup moindre.

Le docteur Gérald Barbeau de l'Hôpital Laval de Québec est un des pères de cette technique. Avec une poignée d'autres cardiologues de la planète, il a développé cette technique au début des années 1990, et cette approche s'est progressivement diffusée dans le monde. J'ai appris la technique auprès de lui il y a plus de 10 ans. Maintenant, plus de 75 % des 6 500 coronarographies faites annuellement au CHUM se font par le poignet.

Ce petit détail diminue jusqu'à dix fois le taux d'accidents liés à la piqûre de l'artère, particulièrement l'hémorragie, et accélère la lever du patient après nos interventions. C'est simple : bien approchée, une artère radiale n'entraîne pratiquement jamais de problèmes. Ceci représente infiniment moins de souffrances pour le patient et une économie marquée d'utilisation de lits d'hôpitaux. Un gros hématome dans l'aine peut causer un choc hémorragique, nécessiter transfusion, réparation de l'artère avec une autre intervention en angioradiologie ou une chirurgie vasculaire, causer par compression de la veine voisine une phlébite pouvant entraîner une embolie pulmonaire, comprimer le nerf de la cuisse avec faiblesse de la jambe, requérir jusqu'à un mois d'hospitalisation supplémentaire. Bref une «pépinologie» fort néfaste. Néanmoins, l'approche radiale n'est pas toujours possible, principalement en raison de sa petitesse et de ses tortuosités. L'approche fémorale reste donc bien présente au quotidien et toutes les nouvelles techniques diminuent le taux de complications, réelles mais rares.

Le vrai pionnier de l'approche radiale est le docteur Lucien Campeau, chercheur émérite de l'Institut de Cardiologie de Montréal. On lui doit notamment la classification internationale de la sévérité de l'angine, soit la Classification de la Société canadienne de cardiologie (*CCS Class*), que tous les médecins du monde utilisent. Fin 1980, le docteur Campeau a publié une série de cent coronarographies faites par voie radiale. Pendant mon entraînement, j'ai eu le privilège de l'assister dans quelques-unes de ces procédures. Puis, cette technique est tombée en désuétude pour un temps, car elle ne comportait pas d'avantages clairs par rapport à la coronarographie classique et qu'elle était initialement plus difficile à maîtriser que la voie fémorale.

L'intérêt pour la radiale est réapparu avec la dilatation coronarienne. Contrairement à la coronarographie simple, il faut donner d'importantes quantités d'anticoagulants pour assurer le succès d'une dilatation et prévenir tout caillot sur l'artère dilatée. Par contre, ces anticoagulants augmentent les risques de complications hémorragiques au site de la piqûre. L'hypothèse du docteur Campeau reposait sur la diminution des complications par voie radiale et sur les meilleures chances de mobiliser rapidement le patient. Sa vision sera largement confirmée par la suite, entre autres par les recherches du CHUM.

Exploration de la coronaire malade

Par le trou de la piqûre dans l'artère, on insère le cathéter, dont il existe une multitude de variétés remplissant autant de fonctions. Ces tubes ont un diamètre de deux millimètres et une longueur d'un mètre, allant du poignet ou de l'aine jusqu'à l'intérieur du cœur. Ces longs tubes fins, de concepts et matériaux sophistiqués, sont nos outils pour voir et réparer les structures cardiaques.

Le premier objectif est de voir l'intérieur des coronaires aux rayons X. Pour ce faire, il faut y injecter un produit de contraste à base d'iode. Sinon, les coronaires ne se distinguent pas au milieu des autres organes du thorax et restent invisibles. Pourquoi l'iode? C'est un liquide très dense qui ne laisse pas passer les rayons X, pratiquement comme le métal. Le mercure est un autre liquide dense qui serait bien capté par les rayons X. Inutile de préciser qu'il n'a jamais été utilisé à cette fin… Nous reparlerons plus loin du mercure. Il n'y a à ce jour aucun liquide qui a su remplacer les produits de contraste radiologique à base d'iode. C'est pour ainsi dire le seul « métal liquide » opaque aux rayons X que l'on peut injecter de façon sécuritaire dans les artères du corps humain.

Pendant l'injection d'iode au moyen du cathéter placé à l'entrée d'une coronaire, on filme en images numériques à haute résolution. Les appareils d'angiographies coronariennes ont aujourd'hui des résolutions époustouflantes, de l'ordre du dixième de millimètre ou 200 microns à une cadence de 30 images par seconde.

Une autre méthode est venue augmenter notre précision : l'échographie intracoronarienne. Tous connaissent l'échographie. Cette technique utilisant les ultrasons permet de voir sur un écran de télé le bébé dans le ventre de maman. La miniaturisation, issue des technologies de l'espace et de l'informatique, a permis de développer une sonde d'échographie de un millimètre de diamètre, donc capable de se faufiler dans presque toutes les coronaires.

Je suis toujours émerveillé de contempler sur mes écrans l'intérieur d'une artère de 3 mm comme si je m'y promenais tout en parlant à son propriétaire qui ne sent rien. Il y a 15 ans, seul le pathologiste avait accès à ces images avec son microscope, après autopsie et dissection… L'utilisation de ces techniques d'imagerie hyper précise (100 microns de résolution) chez une personne bien consciente a décuplé nos connaissances sur les artères que nous soignons.

Observer un organe vivant avec la précision du microscope du pathologiste ouvre rapidement des portes. Avec la coronarographie et l'échographie intracoronarienne capables de détecter des variations très fines, nous pouvons observer en quelques mois, sur quelques centaines de patients, les résultats de différents traitements (stents, médicaments). C'est un énorme gain sur les études cliniques classiques où il faut des années et des milliers de patients pour obtenir les mêmes informations. La vitesse et la précision de ces nouvelles connaissances sont semblables à celles communiquées par les robots sur Mars. L'échographie intracoronarienne est au stéthoscope ce que le robot *Opportunity* est au télescope. Les images que nous en ramenons ont révolutionné nos connaissances sur la maladie coronarienne.

Tube lance-torpille 1 : ouverture de l'artère au ballon

Une fois le problème identifié, le blocage bien identifié et analysé, le sous-marin utilise ses armes de combat. L'arsenal d'aujourd'hui est très élaboré et en croissance continue.

Le ballon de dilatation coronarienne permet d'écraser la plaque d'athérosclérose dans la paroi de l'artère afin de laisser la voie libre au sang. Avec les images faites sur les coronaires que l'on peut mesurer finement au compas électronique, le ballon est choisi pour épouser parfaitement la forme de l'artère. Ces ballons vont de 1,5 à 5 millimètres de diamètre (la majorité sont de 2,5 à 3,5 mm) avec des longueurs de 6 à 40 mm. Ils ont la forme de petites torpilles. La pression nécessaire pour ouvrir un blocage coronarien va de 8 à 20 atmosphères, occasionnellement plus de 25, soit plus de 10 fois la pression d'un pneu d'automobile.

Avec l'expérience des premières années, on a vite réalisé que la dilatation au ballon seul, parfois spectaculaire, n'était pas suffisamment efficace et sécuritaire. C'est même intrigant que ça réussisse! Imaginez : un tuyau biologique, élastique, malade, empli de crasses et de débris que l'on répare uniquement en y gonflant un ballon. Après avoir retiré le ballon, il fallait compter uniquement sur la guérison de l'artère malade pour qu'elle reste ouverte dans la configuration que l'on souhaitait. Mais il y avait encore trop de problèmes survenant pendant ou après la dilatation, dont le principal était la fermeture brutale de l'artère, s'affaissant comme un tunnel délabré et non étançonné.

Tube lance-torpille 2 : déploiement du stent dans l'artère

Il fallait trouver un mécanisme garantissant que l'artère bien dilatée le reste indéfiniment. Le concept du «stent coronarien» pour maintenir l'artère ouverte est apparu au début de 1980. La première implantation chez un patient a été faite à Toulouse en 1986 par un Français, Jacques Puel, et un Suisse, Ulrich Sigwart. Un stent, c'est un petit ressort métallique que l'on introduit dans l'artère malade en se servant du ballon pour l'y emmener et le déployer. Le stent est repli" sur le ballon dégonflé lorsqu'on l'introduit dans l'artère. Une fois sur le blocage, le ballon est gonflé, déployant le stent dans l'artère. Le petit ressort bien ouvert, l'artère ayant retrouvé son aspect normal, on retire le ballon, laissant le stent imbriqué dans l'artère. Il sera progressivement intégré dans la paroi de l'artère. Pendant la cicatrisation, le stent se recouvre d'une fine couche de cellules et devient partie intégrante de la paroi artérielle. Comme l'armature de métal du béton armé.

Il a fallu attendre 1994 pour que la *Food and Drug Administration* (FDA) et Santé Canada en approuvent l'usage, après des années de mise au point chez les modèles animaux et les premières études sur des centaines de patients.

Charles E. Stent

Le mot «stent» n'est pas un anglicisme mais un éponyme. Charles E. Stent est un dentiste britannique de la fin du 19e siècle. Il a mis au point une technique de support pour faciliter la guérison d'organes malades. Par extension, tout ce qui est maintenant développé pour maintenir ouverte une structure (voies biliaires, bronches, œsophage, artère, etc.) s'appelle un «stent». Les autres noms du stent coronarien sont «endoprothèse intracoronarienne» ou «tuteur intracoronarien».

Le développement des stents fut si rapide que les premiers modèles des années 1990, si épatants et si attendus, sont maintenant des pièces d'archéologie. Au début, on soudait ensemble des filaments d'acier inoxydable médical, le «316 L», pour en faire une sorte de ressort. Ce ressort était compacté sur le ballon pour être ensuite déployé dans l'artère en gonflant le ballon. Encore aujourd'hui, les stents sont positionnés et déployés par des ballons, le concept d'Andreas Gruentzig restant bien vivant.

Puis, on a utilisé des tubes d'acier très fins, découpés au laser pour donner les formes des montants des stents. Les ingénieurs biomédicaux ont étudié et dessiné ces montants pour que le stent soit fin et flexible, facile à glisser dans l'artère; résistant et aéré, pour bien tenir l'artère sans en boucher les petites branches.

Les stents sont aujourd'hui de véritables chefs-d'œuvre de nano-orfèvrerie, des merveilles de microsidérurgie. La dernière génération aux designs optimaux est faite d'alliage de chrome et de cobalt. Cet alliage est deux fois plus résistant que l'acier et permet de construire des stents aux montants encore plus minces, d'une épaisseur de 60 microns ou six centièmes de millimètre. Pour donner la mesure de la finesse de ces stents, mentionnons qu'un globule rouge mesure huit microns. Maintenant, toute dilatation coronarienne inclut l'implantation d'un stent, sauf rare exception. Le ballon ouvre le blocage et implante le stent qui maintient définitivement l'artère bien ouverte.

Tube lance-torpille 3 : le stent médicamenté

Lorsqu'on ouvre une artère par dilatation, on crée de multiples fissures microscopiques dans la plaque d'athérosclérose et la paroi de l'artère. Ces fissures vont guérir comme toute coupure dans la peau. Toutefois, la cicatrice qui rebouche ces fissures peut devenir trop épaisse. Sur la peau, on appelle «chéloïde» (prononcer kéloïde) une vilaine cicatrice épaisse. Il est facile de comprendre qu'une vilaine cicatrice épaisse, qui ne serait qu'inesthétique sur la peau, pose problème dans une coronaire de 2,5 millimètres de diamètre. Elle peut boucher l'artère. C'est ce que nous appelons la «resténose» (sténoser ou bloquer de nouveau). C'est une «chéloïde coronarienne», une cicatrice trop grosse dans la petite coronaire, le talon d'Achille de la dilatation. De 20 à 40 % des patients dilatés, selon les caractéristiques de chacun, présentaient une resténose et nécessitaient une deuxième dilatation ou une chirurgie de pontage.

Plus de 350 médicaments ont été testés pour prévenir la resténose. Certains sont dérivés des traitements sur les cicatrices et des nouvelles connaissances en biologie moléculaire. Pour exemple, on sait que la radioactivité, utilisée pour traiter le cancer, empêche la formation de chéloïdes par le même principe : inhiber la prolifération des cellules. Des cathéters émettant de la radioactivité ont été développés à la fin de 1990. Plusieurs des études pionnières sous la direction du docteur Raoul Bonan, collègue de l'ICM, ont été faites dans les laboratoires de l'Institut de Cardiologie de Montréal et du CHUM, avec la contribution des radio-oncologues et des physiciens du CHUM.

Pendant quelques années, de 1995 à 2000, la radiothérapie intracoronarienne a été le meilleur traitement du reblocage après dilatation, évitant une chirurgie à cœur ouvert. Mais elle restait une technique délicate ayant plusieurs limitations, avec encore trop de reblocages.

D'autres pistes apparaissaient. On découvrait que des médicaments antirejet (pour la greffe d'organe comme le rein) et anticancer empêchaient aussi les cellules cicatricielles de trop proliférer. Le problème, c'est qu'il fallait en donner une grosse dose à l'organisme pour qu'il soit efficace sur une toute petite zone malade, notre bouton d'«acné cardiaque». C'est alors qu'est venue l'idée d'en mettre sur les stents qui en livreraient une grosse dose directement sur la zone malade, «là où ça fait mal…». Le stent médicamenté était né.

Aujourd'hui, il y a deux stents médicamentés disponibles en Amérique du Nord et deux autres en études cliniques avancées. Dix sont utilisés en Europe, qui a toujours été plus permissive ou plus rapide d'évaluation que les États-Unis.

Aux extrêmes: la Chine utilise une copie conforme et plagiée du CYPHER. Il semble y avoir en Chine les mêmes problèmes de piratage en stent qu'en DVD. Je l'ai appris à Washington, au congrès *Trans Catheter Therapeutics* ou TCT. Un collègue de Beijing, faisant en direct une procédure de dilatation devant nous à Washington, avouait très candidement implanter un «*House* CYPHER» à son patient, c'est-à-dire une imitation chinoise du stent américain, non homologuée et inconnue au niveau international. Ce qui a fait étouffer de rage un dirigeant de la compagnie Cordis assis près de moi, fabricant du CYPHER.

L'autre extrême: le Canada. Pratiquement toujours le *dernier* pays de la planète à approuver un nouveau médicament ou un nouvel outil médical. D'une part, les chercheurs-cliniciens canadiens savent que Santé Canada est extrêmement prudent, et nous le souhaitons tous: aucun de nous ne veut faire les frais d'études incomplètes, de vivre un nouveau Vioxx ou Thalidomide.

Toutefois, ces mêmes chercheurs-cliniciens savent très bien que la cause première de notre statut de bon dernier à l'accessibilité est la lenteur proverbiale de Santé Canada. Un sommet du fonctionnarisme avec des délais ahurissants, annihilant toute compétitivité des centres de recherche canadiens avec le reste du monde.

Pour exemple, après avoir collaboré avec le succès que l'on sait aux études de base sur le CYPHER et le TAXUS, le CHUM a été invité avec quelques autres grandes universités canadiennes à procéder aux premières études d'une technologie optimale: les deuxièmes générations de stents médicamentés. Ces études sont les séries SPIRIT de Abbott et ENDEAVOUR de Medtronic. Les Américains aiment bien l'ambiance «NASA» dans leurs nouvelles technologies...

Or, tandis que ces études battaient leur plein en Australie, en Nouvelle-Zélande, au Japon, aux États-Unis, en Europe, les chercheurs canadiens attendaient toujours l'approbation de Santé Canada pour utiliser ces stents dans le cadre rigoureux d'études d'évaluation. Approbation si lente que les études furent complétées et terminées dans tous les autres pays, avec pour conséquence l'exclusion du CHUM et des grands instituts de cardiologie du pays: perte de millions de dollars neufs pour notre économie, nos hôpitaux et nos universités; mise en péril d'équipes de recherche par perte de fonds; un savoir qui nous glisse entre les doigts; une notoriété perdue pour les publications internationales, base et jauge du c.v. des scientifiques; et surtout, un délai d'accès à de nouvelles technologies pour nos patients.

Santé Canada est pratiquement toujours le dernier organisme du monde à remettre ses devoirs. Au vu des impacts négatifs majeurs que ce retard scientifique entraîne sur notre économie, notre savoir et notre accessibilité aux nouveaux outils médicaux, un questionnement très sérieux doit avoir lieu au ministère de la Santé.

Revenons à la science. Les stents médicamentés ont réduit à moins de 5% le risque du reblocage d'une artère dilatée et semblent à long terme aussi fiables que les pontages.

Le premier stent médicamenté a été le CYPHER qui a fait date grâce à l'étude Ravel que nous avons évoquée au chapitre précédent. Conçu aux États-Unis, il est enduit du sirolimus. Le sirolimus est un médicament antirejet que prennent les greffés du rein depuis plusieurs années. C'est un des rares médicaments efficaces pour prévenir la mauvaise cicatrisation d'une artère. On s'en doutait parce que les greffés sous sirolimus ont comme effet secondaire de cicatriser difficilement. Le docteur Gilles Saint-Louis, expert de l'Hôpital Notre-Dame en greffe rénale, m'en avait fait la suggestion des années avant la toute première expérimentation d'un stent médicamenté : «Vous devriez mettre du sirolimus sur vos stents, m'avait-il dit, ça bloque la cicatrice.» Quel anticipateur !

L'étude C-SIRIUS sur le CYPHER a été dirigée par Erick Schampaert, de l'hôpital Sacré-Cœur, en collaboration avec le CHUM et six autres hôpitaux canadiens. Cette étude a fait date, notamment parce qu'elle confirmait les résultats de l'étude précédente faite en Europe, l'étude RAVEL, dirigée par Marie-Claude Morice. Mieux, nous avions obtenu de meilleurs résultats que dans l'étude faite aux États-Unis, nommée US-SIRIUS. Notre taux de reblocage était de 2,9% contre 8,9% dans l'étude américaine. Les Canadiens ont utilisé avec les stents médicamentés une méthode recouvrant le plus largement possible la zone malade, d'une zone saine de l'artère à l'autre zone saine, technique inspirée de la pratique de nos chirurgiens avec les cancers. Notre méthode était à l'opposé de ce que la communauté internationale préconisait alors comme technique, le *spot stenting* ou le plus petit stent possible. Ceci nous a valu dans *Circulation*, la revue la plus cotée en cardiologie, un éditorial louangeur de Joseph Carrozza, chef d'hémodynamique de l'Hôpital Beth Israel de Boston, affilié à Harvard. Depuis, la technique canadienne a fait école. Elle est la méthode recommandée internationalement pour les stents médicamentés : couvrir l'artère malade de zone saine à zone saine.

L'autre stent est le TAXUS, couvert du paclitaxel. Le CHUM a participé à quatre études pionnières sur le stent TAXUS, pour le bénéfice de nos patients qui furent parmi les premiers au monde à recevoir ce traitement. Ces études, comme la série SIRIUS, ont permis l'approbation de ce stent par les autorités gouvernementales, FDA et Santé Canada.

Le TAXUS a une belle histoire. Le paclitaxel est extrait des aiguilles d'un joli conifère très abondant chez nous, le *Taxus canadensis* ou if du Canada. Une autre preuve qu'il faut préserver notre planète et sa biodiversité : on ne saura jamais quand une composante animale ou végétale sera utile, voire indispensable pour la médecine. Nous estimons qu'il y a encore des centaines de médicaments potentiels dans les plantes et les animaux, dont les espèces s'éteignent à une cadence effarante. Protégeons nos ressources.

On a découvert dans les années 1980 que le paclitaxel est efficace contre les cancers du sein, de l'ovaire et du poumon en bloquant la multiplication des cellules. D'où des études sur la resténose, qui résulte aussi d'une multiplication cellulaire, cette fois due à la cicatrisation. Le paclitaxel s'est avéré très efficace pour empêcher le reblocage des artères. La beauté de la chose, c'est que, sur un stent, il suffit d'une dose infime de paclitaxel, le trois millième de la dose habituelle pour le cancer. D'où le trois millième de risque d'effets secondaires, souvent liés à la dose. À l'échelle du patient, la dose est pratiquement nulle, si bien qu'il n'y a pratiquement aucun effet détectable. Mais le médicament est bien concentré au niveau de la zone malade et très efficace.

Les stents médicamentés sont une belle illustration du mouvement d'avant-garde de la médecine. Vers une plus grande précision et un minimum d'effets secondaires : administrer un médicament au milieu du cœur, sur quelques millimètres malades, sans que le corps n'en ressente d'effets. En passant par un trou de piqûre.

En comparaison, lorsque l'on reçoit un médicament par la bouche ou dans les veines, il va imbiber tout notre corps, des cheveux aux orteils, pour une action qui est nécessaire seulement sur une toute petite partie de notre organisme. Prendre une douche pour se nettoyer un ongle… Effectuer un pontage coronarien nécessite d'endormir le patient, scier le sternum, ouvrir la cage thoracique et une jambe, dériver la circulation, tout ça pour quelques milligrammes de gras fort mal placés et dangereux. Une tronçonneuse pour soigner un bouton.

Pour une découverte, il existe des répercussions scientifiques de tout ordre. L'effet papillon de la technologie sur la nature. L'engouement des compagnies pharmaceutiques pour l'if, notre *Taxus canadensis*, a fait naître des craintes. Il faut jusqu'à six ifs pour fournir la dose d'un traitement pour le cancer. Or, l'if pousse très lentement : jusqu'à 100 ans pour être mature. Il y a eu scandale environnemental aux États-Unis : on a abattu 12 000 taxus pour obtenir les deux kilos de médicaments nécessaires aux premiers essais cliniques sur le cancer. Nouveau dilemme : combien de taxus pour traiter tous les cancers ?

Heureusement, le gouvernement canadien a pris des mesures de préservation de l'if qui est soumis à une collecte de plus en plus intensive en raison de ses applications en médecine. C'est d'autant plus important que le Canada a la plus grande réserve naturelle d'ifs au monde. Les «taxo-dollars». Des directives strictes de culture et de développement durable ont été émises. Souhaitons qu'elles soient rigoureusement appliquées. L'if est un bel exemple de l'importance d'un environnement préservé et exploité intelligemment. Nous devrions considérer toute plante comme un taxus potentiel.

Par ailleurs, il est possible que ce malheureux effet de la technologie sur la nature soit corrigé par cette même technologie. En confiant la production du paclitaxel à une bactérie. Faire un élevage de bactéries qui fabriquent le paclitaxel, comme des vaches laitières. Le génie génétique est capable d'insérer dans une bactérie le gène nécessaire pour produire une molécule. Nous le faisons déjà pour l'insuline humaine, l'érythropoïétine et plusieurs autres médicaments dont les fibrinolytiques décrits plus haut. Les bactéries sont nos nouveaux animaux d'élevage; mieux, nos «usines bio» de synthèse de médicaments. Comme les vaches donnent le lait, ces bactéries peuvent produire des molécules essentielles, en étant inépuisables et reproductibles à l'infini. Les ifs, qui nous ont fait le cadeau du paclitaxel, pourraient alors croître en paix tout en conservant la recette éternellement.

Nouvelle controverse : thrombose tardive des stents médicamentés

Une bombe circule depuis l'automne 2006 dans la communauté cardiologique, faisant polémique à la *Food and Drug Administration*, dont la crédibilité se remet à peine de l'affaire Vioxx.

On vient de noter dans les registres du suivi des patients porteurs de stent médicamentés un phénomène rare, mais inquiétant : la thrombose tardive du stent, pouvant survenir jusqu'à quatre ans après la pose d'un stent médicamenté, et peut-être plus. La thrombose de stent est une complication bien connue, tout comme la thrombose d'un pontage coronarien. Elle survient chez moins de 1% des patients, et se passe surtout dans le premier mois après l'intervention. Elle a beaucoup diminué depuis l'ère des premiers stents, en raison des formidables avancées de la nanotechnologie et grâce à de meilleurs médicaments empêchant la thrombose. Avec les stents simples et 15 ans de recul, nous savons que le risque de thrombose disparaît quelques mois après la pose, la guérison de l'artère étant complétée. À six mois, le stent est complètement tapissé d'une couche de cellules artérielles, isolant les mailles métalliques des éléments thrombotiques du sang.

Fin 2006, on note dans les registres de suivi des patients porteurs de stents médicamentés que cette rare complication de thrombose persiste plus longtemps, jusqu'à au moins quatre ans après la pose d'un stent. S'ensuivit un intense débat que l'on peut suivre en direct sur le site de la FDA. Après des dizaines d'audits, de révision de rapports et d'études, la FDA a émis (mars 2007) les constats suivants : le risque de thrombose d'un stent médicamenté (CYPHER et TAXUS en Amérique du Nord) est de cinq sur mille par an ou un demi de 1%, jusqu'à quatre ans, le plus long recul que l'on ait. Heureusement, on n'a pas noté de différence en mortalité et en infarctus chez les patients pour qui le stent médicamenté a été mis en observance des indications de base émises par les compagnies. Toutefois, les cardiologues débordent souvent les indications de base, très conservatrices, en alternative à une chirurgie à cœur ouvert à leur patient. Cette notion nouvelle et préoccupante de thrombose tardive amène toute la communauté cardiologique à une révision en règle des indications de la pose de stents médicamentés.

Même si l'évaluation de ce problème n'est pas encore complète, il y a eu un impact immédiat sur les pratiques : baisse du taux d'implantation de stents médicamentés aux États-Unis (de 92 à 72%) et en Suède (de 70 à 35%). Le *Wall Street Journal* en a fait sa une, le marché des stents médicamentés étant une florissante affaire de six milliards de dollars en 2005. Aucun changement n'a été noté au Canada, celui-ci traînant de la patte sur l'accessibilité aux technologies. Au Québec, malgré les plus bas prix de l'Amérique du Nord, les budgets alloués autorisaient l'implantation de 25% de stents médicamentés sur l'ensemble des stents, le taux le plus bas de l'OCDE avec l'Allemagne. Grâce aux négociations des médecins canadiens avec l'industrie, nous avons vu monter le taux d'implantation à 40%.

Ce pour quoi il n'y a pas eu de changement perceptible dans l'implantation de stents médicamentés au Québec, qui rattrape simplement son retard.

Ce risque très préoccupant de thrombose tardive d'un stent médicamenté, de l'ordre de 0,5 % par an (1 sur 200) et persistant au moins jusqu'à quatre ans est à évaluer dans un contexte historique global.

Lorsque j'ai commencé ma pratique en 1989, seulement 5 % des patients ayant eu une coronarographie étaient éligibles à une dilatation. Aujourd'hui, 50 % des coronariens peuvent en bénéficier. Dix fois plus en moins de 20 ans. Nous reconstruisons avec succès des vaisseaux complètement délabrés, faisant quotidiennement des procédures impensables il y a 10 ans. Ce sont certainement les stents qui ont ouvert cette frontière.

Aujourd'hui, la dilatation avec stent est clairement reconnue comme le premier choix de traitement de l'infarctus et de l'angine à haut risque, avec diminution de la mortalité et des complications cardiaques. À tel point qu'un vétéran de 25 ans en greffe cardiaque au CHUM, le docteur Martin Morissette, me faisait la remarque suivante : le besoin en greffe cardiaque pour les patients coronariens est aujourd'hui presque disparu. Tout comme on ne fait pratiquement plus d'anévrisectomie, une autre chirurgie invasive délicate qui consiste à enlever l'anévrisme du cœur, séquelle d'un infarctus massif. Courante dans les années 1970 et 1980, l'anévrisectomie est rarissime aujourd'hui. En 1970, l'insuffisance cardiaque due à l'infarctus était la première cause de greffe. En 2000, il est rare de devoir greffer un patient en post-infarctus. D'où la forte baisse du besoin en greffe cardiaque au cours des dernières années. La revascularisation coronarienne moderne et de meilleurs médicaments ont amené une quasi-disparition de la maladie coronarienne dans la liste des maladies amenant à une greffe cardiaque. La greffe est un exploit. Mais le plus bel exploit est de l'éviter.

Toutefois, malgré ces avancées, le recul de quatre ans nous démontre qu'avec les stents médicamentés actuels, le risque de thrombose persiste.

Verrons-nous les stents médicamentés disparaître? Au moment d'écrire ces lignes, il y a gros à parier qu'un équilibre se fera en fonction des nouvelles données. Il est clair aujourd'hui que le stent médicamenté est une avancée remarquable sur le ballon et le stent simple. Toutefois, il faut que l'indication de sa pose soit largement justifiée par la diminution de la resténose ou par l'évitement du risque chirurgical. L'impression générale est que, dans l'ensemble, les bienfaits du stent médicamenté surpassent ses effets secondaires. Tous les indices tendent plutôt vers un choix plus judicieux du stent médicamenté *versus* le stent simple, alors qu'il y a à peine six mois, tous pensaient que le stent médicamenté était invariablement le meilleur choix. Du côté de la chirurgie coronarienne, la thrombose est une complication reconnue depuis plus de 20 ans. Les études de suivi rigoureux ont démontré qu'au congé de l'hôpital, de 2 à 5% des pontages sont thrombosés. Dix ans après une chirurgie coronarienne, la moitié des pontages effectués avec des veines sont thrombosés.

Par ailleurs, plusieurs aspects ont été scrutés pour améliorer la fiabilité et éliminer cette épée de Damoclès qu'est la thrombose tardive de stent.

À court terme, plusieurs proposent l'usage prolongé d'un double traitement antiplaquettaire, soit Aspirine et Plavix pour plus d'un an, voire plusieurs années. Deux problèmes. Le gouvernement ne rembourse le Plavix que pour un an. D'où un problème financier chez les prestataires de l'assurance-médicament publique québécoise où sont inscrits les moins fortunés de nos concitoyens. D'un autre côté, recevoir du Plavix pendant des années n'est pas aussi bénin qu'être sous Aspirine toute sa vie durant. Cela augmente le risque d'hémorragie, soit spontanée, soit déclenchée par une maladie (un ulcère en formation, par exemple) ou une intervention. Pratiquement toute chirurgie nécessite l'arrêt du Plavix, le saignement opératoire étant significativement augmenté. D'où la crainte du risque de thrombose de stent, faible mais réel, si on doit cesser le Plavix pour avoir par exemple une chirurgie de la prostate. Son arrêt même temporaire doit être bien motivé.

L'autre aspect problématique du stent touche l'assurance de son déploiement parfait. On sait que les thromboses de stents se passent surtout sur des mailles de stents qui restent dénudées et non recouvertes par une couche de cellule de réparation. Pour être fiable, le stent doit se faire discret et se dissimuler complètement dans la paroi de l'artère. Plus que jamais, l'hémodynamicien doit s'assurer d'un déploiement tout simplement impeccable. La technique ne cesse de s'affiner.

À moyen terme, plusieurs développements sont déjà très actifs. Viser l'équilibre entre resténose et thrombose. Obtenir juste ce qu'il faut de cicatrice dans l'artère : que le stent soit complètement recouvert d'une mince couche de cellules, mais sans reblocage de l'artère. Certains modèles de stents en évaluation n'ont pratiquement aucune thrombose tardive à ce jour.

À long terme, une nouvelle génération rendue en première phase humaine : les stents biodégradables qui disparaissent comme des points fondants. Un stent disparu ne peut causer de thrombose. C'est un domaine de la recherche à suivre, mais la science, comme un chat, retombe rapidement sur ses pattes.

Nous y reviendrons dans le chapitre portant sur la «science-fiction de la cardiologie».

Arsenal high-tech

Jusque-là, notre sous-marin offre des capacités remarquables : les meilleurs instruments de pilotage sur un tableau de bord de combat, qui affiche aussi tous les paramètres vitaux et la cartographie micrométrique de notre patient, des outils d'une haute précision pour réparer efficacement des artères en détresse et plusieurs autres applications en perpétuelle évolution. Nous traitons aujourd'hui quotidiennement par cathéter des cas impensables pour la technologie il y a 10 voire 5 ans. D'autres outils se sont développés pour des applications très spécifiques : athérectomie, embolisation, thrombectomie, étude de la physiologie coronarienne, etc. De plus en plus d'informations et de possibilités pour éviter les chirurgies.

Les progrès de l'angioplastie sont tels que le Québec voit depuis trois ans une baisse historique des pontages coronariens, avec disparition de leurs listes d'attente. Nuançons. Comme nous le verrons au chapitre suivant, la chirurgie conventionnelle a aussi fait des bonds de géants vers une approche de moins en moins invasive et de plus en plus efficace. La chirurgie coronarienne reste la référence à laquelle se jaugent les techniques par cathéters. Les améliorations techniques de tout ordre, particulièrement les technologies des matériaux médicaux, de l'imagerie et de l'informatique, ont multiplié nos capacités thérapeutiques. Les nouveaux plastiques, alliages et composites permettent d'obtenir des formes et des profils d'une finesse microscopique, qu'il aurait été impossible d'obtenir il y a quelques années.

C'est d'ailleurs une autre raison pour laquelle la médecine se préoccupe de la préservation de notre écosystème. Les plastiques sont essentiels aux outils de la médecine moderne, particulièrement de la cardiologie d'intervention. Nous avons brûlé la moitié du pétrole de notre planète, source des plastiques. Pour combien de temps en reste-t-il? Si on continue de le brûler à cette cadence, on peut se demander en quoi seront faits les cathéters et les outils médicaux de nos petits enfants. En silex?

Pourtant, d'innombrables possibilités existent pour diminuer cette consommation du pétrole: voitures hybrides, diesel, transport en commun, vélo, énergie hydro ou éolo-électrique, etc. La liste est longue.

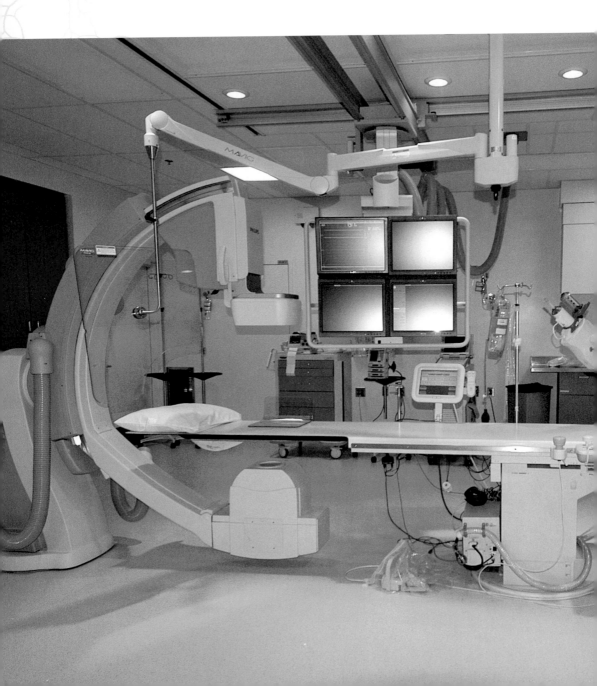

Le Voyage fantastique : bienvenue à bord !

On pourrait voir le *cathlab* comme l'hélicoptère garde-côte du vaisseau cardiaque naufragé. Le cardiologue d'intervention devient un *PC Gamer*, non virtuel et très concret. Cette salle de haute technologie est le résultat du métissage des salles d'opération, de radiologie et de soins intensifs, appuyées des plus performants logiciels. Nous y diagnostiquons, soignons, réanimons, tout en réparant les vaisseaux coronariens et d'autres structures, telles les valves cardiaques. La somme des connaissances humaines s'y retrouve : images numériques haute définition à 2000 lignes, images en temps réel jusqu'à 60 cadres/seconde, logiciels d'analyse de coronarographie quantitative exécutant des mesures de fraction de millimètres.

Annonciateurs des futurs « R2D2 » de la médecine, une multitude de petits robots nous assistent dans notre rôle de Jedi en guerre contre les forces du mal : injecteur paramétrique, ballon intra-aortique, échographie

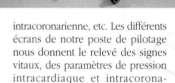

intracoronarienne, etc. Les différents écrans de notre poste de pilotage nous donnent le relevé des signes vitaux, des paramètres de pression intracardiaque et intracoronarienne, du débit cardiaque, du flot coronarien, des électrocardiogrammes, du rythme cardiaque, des saturations d'oxygène. Chaque seconde, cette imagerie doublée d'une évaluation physiologique sophistiquée donne le tableau précis de la maladie et de l'intervention. L'appareil de combat optimal de la guerre contre l'infarctus.

Salle de contrôle : la NASA du cœur

La vie de tous les jours illustre les prouesses de la numérisation dans l'essor des multimédias. L'engouement planétaire pour l'infographie a fait développer à une cadence effrénée des logiciels d'imagerie dont bénéficient maintenant le coronarien et le cardiologue. Les gestes de réparation de la cardiologie d'intervention bénéficient des meilleurs outils informatiques. Le numérique au service du cœur.

Mission infarctus : avant et après

On voit clairement à gauche le rétrécissement qui, en se thrombosant, obstrue l'artère et cause la crise de cœur. Quelques minutes plus tard, le résultat de l'intervention : le stent implanté pour la vie garde l'artère bien ouverte, permettant ainsi un « second début ». Ma vieille boutade : « Vous avez retrouvé le cœur de votre nuit de noce. » Voyons comment.

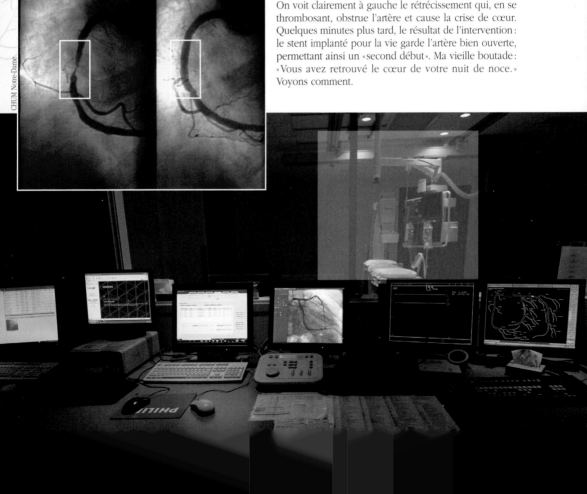

CHUM Notre-Dame.

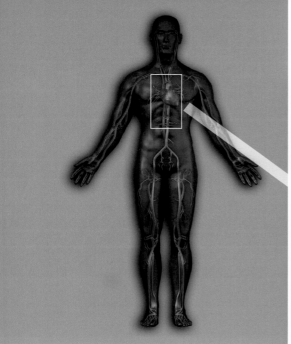

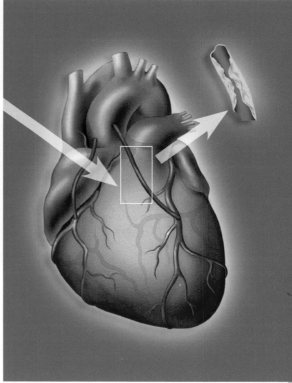

Objectif cœur

Le volcan est éveillé et provoque la tempête : une plaque d'athérosclérose a explosé et provoqué la formation d'un caillot. Cette obstruction brutale coupe en une fraction de seconde le vital approvisionnement en sang de notre cœur.

À partir du poignet ou de l'aine, le cardiologue pilote le cathéter (tube bleu) vers l'origine de l'aorte pour ensuite plonger à l'intérieur de la coronaire pour y rejoindre la lésion coupable. Le tout en conversant amicalement avec son patient. Une sédation appropriée permet de détendre et sécuriser les plus inquiets, en plus de la grande sollicitude du personnel.

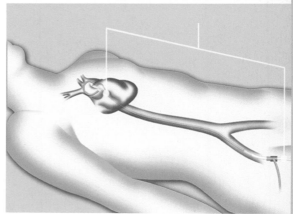

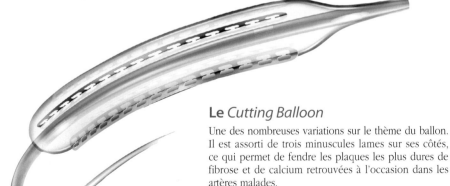

Le POBA

Le ballon de dilatation coronarienne a été initialement conçu par Andreas Gruentzig sur sa table de cuisine. Depuis ces temps héroïques, le ballon de dilatation a connu de nombreux raffinements. Il y a maintenant un choix presque infini de ballons (de diamètre, de longueur et de «compliance» différents) pour s'adapter parfaitement à notre petite protégée, comme ce ballon QUANTUM de la compagnie *Boston Scientific*. Il peut se gonfler à plus de 30 atmosphères de pression en toute sécurité pour écraser les plaques athérosclérotiques les plus dures et calcifiées. En comparaison, nos pneus d'automobiles sont gonflés à moins de deux atmosphères de pression. Les Américains, très imagés, ont «inventé» l'anagramme internationale POBA qui signifie «Plain Old Balloon Angioplasty».

Le *Cutting Balloon*

Une des nombreuses variations sur le thème du ballon. Il est assorti de trois minuscules lames sur ses côtés, ce qui permet de fendre les plaques les plus dures de fibrose et de calcium retrouvées à l'occasion dans les artères malades.

La dilatation en quatre étapes

1. Franchir le blocage avec le fil guide.
2. Passer le ballon dans la plaque.
3. Gonfler le ballon et écraser la plaque.
4. Retirer le ballon : l'artère est ouverte.

L'athérectomie

Athérectomie : ôter la plaque d'athérome. Deux types : la rotationnelle (driller la plaque) et la directionnelle (retirer par couches), néologismes techniques empruntés de l'américain. Cette micro-fraise de dentiste a été développée pour traverser les plaques les plus dures et calcifiées. Cette olive de métal incrustée de poussières de diamants tourne à une révolution de 100 000 à 190 000 tours/minute. Illustrée ci-dessous, l'athérectomie directionnelle qui enlève la plaque d'athérome par couches, coupées par une lame dans la capsule. La question classique et logique : ne vaut-il pas mieux enlever toujours les plaques par ce moyen plutôt que de l'écraser dans la paroi ? En théorie oui, en pratique non. Dans l'obtention d'un bon résultat plastique et clinique, le ballon et le stent restent les plus rapides, les plus simples, les plus efficaces et les plus sécuritaires, avec d'excellents résultats à long terme. L'athérectomie est utilisée dans des cas très spécifiques où le ballon/ stent s'avère insuffisant. Moins de 1 % des angioplasties du monde se font par athérectomie.

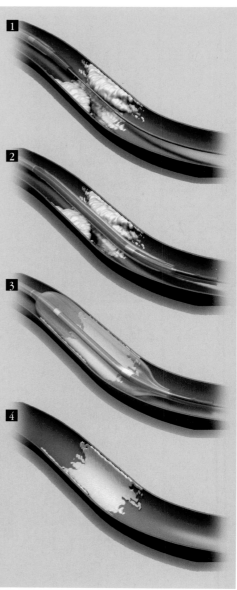

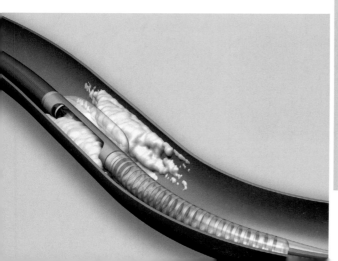

Le stent

Le stent coronarien est l'expression concrète de la nano-technologie médicale. Les stents, utilisés comme support à l'artère malade et défaillante, sont aujourd'hui des alliages sophistiqués de chrome et de cobalt, deux fois plus résistant que l'acier médical, le «316L». Les diamètres vont de 2,25 mm à 5 mm, les longueurs de 8 à 38 mm. Sa structure permet de le découper au laser jusqu'à obtenir des montants de 60 microns. À titre de comparaison, le globule rouge a un diamètre de 8 à 10 microns. La nano-orfèvrerie pour la couronne du roi de cœur. Avec les matériaux de l'espace.

Boston Scientific Corporation

Le stent en trois étapes

Passage du stent

Déploiement du stent

Ballon retiré, stent en place

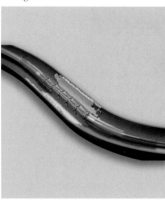

Un stent déployé dans une artère malade. Une question courante : que devient la plaque d'athérosclérose ? Prenons l'exemple du chasse-neige, bien connu dans les pays nordiques : la plaque est écrasée sur les côtés, comme la neige est entassée sur le bord de la route. Puis, les mécanismes de guérison de l'artère entrent en œuvre pour intégrer cette plaque à la paroi, laissant la lumière interne de l'artère libre d'amener le sang au cœur.

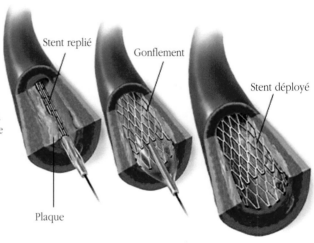

Stent replié

Gonflement

Stent déployé

Plaque

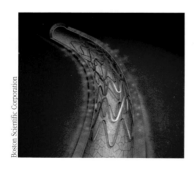

Boston Scientific Corporation

L'if ou *Taxus Canadensis*

Les aiguilles de ce conifère contiennent le paclitaxel, connu de longue date pour ses vertus thérapeutiques contre le cancer du sein et de l'ovaire. Il est l'un des deux principaux agents contre le reblocage des artères, l'autre étant la famille du *sirolimus*. Le *taxus* est un symbole de la nécessité de préserver notre biodiversité. Les médicaments du passé et à venir sont là, quelque part, dans notre flore et notre faune. Précieux trésor!

Le stent médicamenté

Vue au microscope des montants d'un stent médicamenté. L'échelle (ligne blanche au bas à droite) est de 100 microns ou un dixième de millimètre. Ce stent, le TAXUS, est enduit d'un polymère qui contient le médicament actif contre la resténose, le paclitaxel issu du conifère *Taxus Canadensis* ou if. Cette vue au microscope permet de montrer que l'application du polymère est uniforme à une échelle moléculaire, comme une couche de peinture. Cette «couche de peinture» est d'une grande précision pour administrer des médicaments «là où ça fait mal». La science des polymères permet non seulement une application uniforme du médicament sur la surface traitée, mais permet aussi d'ajuster le débit et la durée de la relâche du médicament. Il s'agit donc d'une micro-pompe à médicament. Les études précliniques et cliniques, dont le Québec est chef de file et qui se font notamment aux laboratoires Accel LAB dirigés par mon collègue Guy Leclerc, permettent de choisir et de raffiner les meilleures modalités de relâche et d'application du médicament actif. On envisage d'autres applications pour ces «micro-pompes à médicaments», notamment pour administrer un anticancéreux sélectivement dans une tumeur, diminuant ainsi la dose pour l'organisme.

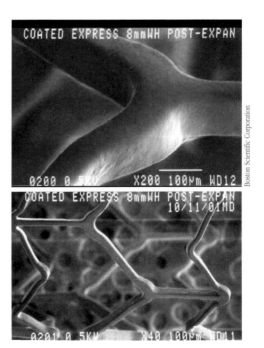

Échographie intracoronarienne : microscope du vivant

L'échographie a atteint un tel niveau de miniaturisation que l'on a construit des sondes d'échographie de 1 mm de diamètre, connectées à de petits robots dont les logiciels exécutent la reconstruction d'images en deux et en trois dimensions. Authentiques sonars de notre sous-marin miniature, les cathéters d'ultrasonographie coronarienne pulsent des ondes sonores de 40 mégahertz (40 millions de hertz) pour atteindre une résolution avoisinant les 50 microns. Ces ondes sonores sont semblables à celles que nous entendons, qui vont de 20 à 20 000 hertz. Imitant la chauve-souris et le dauphin, les cardiologues font de la localisation avec les ultrasons, aussi appelée écholocation. Il y a 15 ans, le seul médecin qui pouvait voir ces images agrandies de l'intérieur des artères était le pathologiste, avec un microscope sur des segments d'artères extraites lors d'une autopsie. *Terra incognita* du début 90, la microscopie d'une artère vivante nous est aujourd'hui quotidiennement accessible. Nous voyons distinctement les trois couches de l'artère : l'intima, la média et l'adventice, et toute trace de maladie. Mieux, nous validons rapidement l'effet des médicaments et des stents sur l'artère, bien vivante. Toujours en conversant amicalement avec son propriétaire.

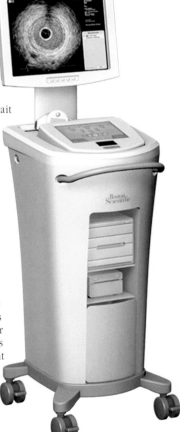

Boston Scientific Corporation

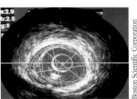

Boston Scientific Corporation

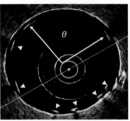

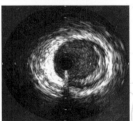

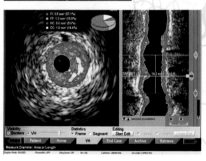

À la poursuite du tueur numéro un de la planète : la thrombose coronarienne

Faire disparaître le caillot ou thrombus coronarien qui bouche la coronaire est une quête qui dure depuis plusieurs siècles. Les médicaments pour faire fondre le caillot et injectés par une veine sont en usage depuis 20 ans.

Nouvelles variations sur le thème du cathéter : nous pouvons aspirer ou attraper les caillots qui obstruent les artères en quelques minutes et voir immédiatement le résultat. Ce cathéter de thrombectomie aspire les caillots sur sa route.

Autre variante de la thrombectomie, un minuscule panier qui attrape les thrombus fragmentés. En bas, le visage du tueur au grand jour : ce thrombus de 2 millimètres par 11 millimètres, minuscule et meurtrier, repéré, capturé et retiré de la coronaire.

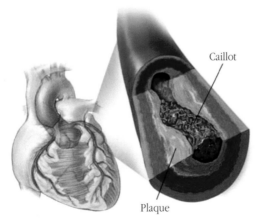

Caillot

Plaque

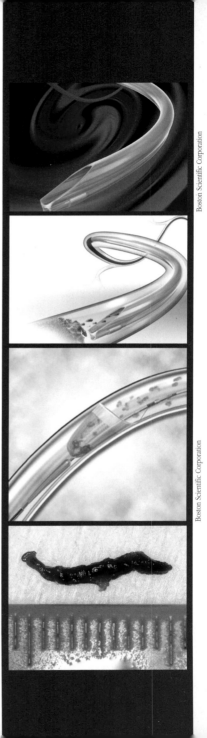

Boston Scientific Corporation

Boston Scientific Corporation

Les garde-côtes du cœur

Le traitement de l'infarctus en salle de cathétérisme

Arrivée de l'ambulance à l'urgence (A). Il transporte un patient chez qui l'ECG fait à domicile a démontré un infarctus aigu. Dans une architecture hospitalière optimisée pour un «door-to-balloon» rapide, le laboratoire d'hémodynamie est situé immédiatement sous l'urgence avec ascenseur porte à porte.

Par cette banale double porte (B), on passe directement de l'ambulance à cette unité optimale de soins critiques: la salle de réanimation de l'urgence (C), le champ de bataille high-tech pour la survie menée par nos urgentologues. En pleine action, son atmosphère rappelle les paddocks de Formule 1 lors de l'entrée des bolides aux puits. On y soigne le moteur quatre valves le plus précieux de l'humanité: notre cœur.

A

C

B

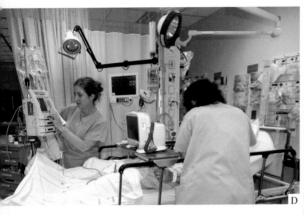

D

Dans les 10 minutes de l'arrivée du patient, l'ECG est fait, l'infarctus est confirmé. Les médicaments sont immédiatement administrés pour préparer le patient à sa procédure de dilatation d'urgence (D).

L'équipe d'hémodynamie, disponible 24/7 comme les garde-côtes, est sur place. Les moteurs chauffent et l'appareil de sauvetage décolle (E).

Transfert de l'urgence à l'hémodynamie (F).

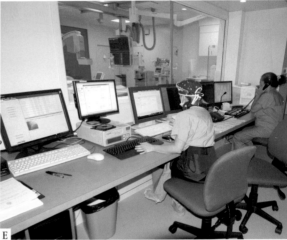

E

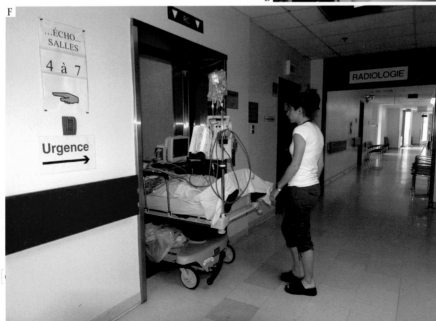

F

...ÉCHO...
SALLES

4 à 7

Urgence

RADIOLOGIE

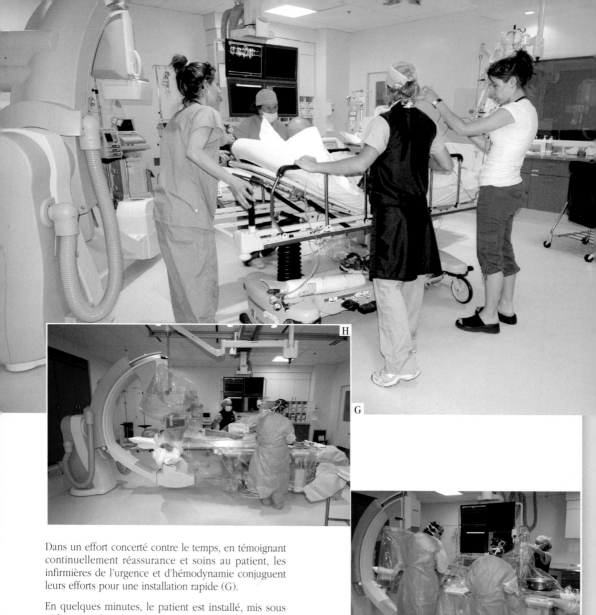

Dans un effort concerté contre le temps, en témoignant continuellement réassurance et soins au patient, les infirmières de l'urgence et d'hémodynamie conjuguent leurs efforts pour une installation rapide (G).

En quelques minutes, le patient est installé, mis sous sédation, et le *Voyage fantastique* vers l'artère malade commence (H). Par une piqûre au poignet, à peine ressentie (I).

La technologie ouvre les portes du cœur. Le tueur est débusqué : plein éclairage sur le drame cardiaque, avec une résolution de quelques fractions de millimètres. La réparation de l'artère commence. Record du «door-to-balloon» battu : 23 minutes.

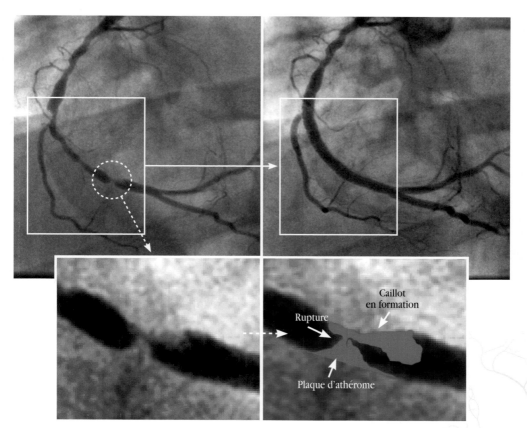

Caillot
en formation

Rupture

Plaque d'athérome

Avant et après l'implantation du stent

Les stents permettent des procédures autrefois impensables pour le ballon seul. Réparer presque à neuf une artère très diffusément malade; donner une deuxième chance au vaisseau cœur qui se dirigeait tout droit vers l'iceberg de l'infarctus.

Le Vésuve coronarien

Cette petite plaque d'athérosclérose est de la taille d'un bouton d'acné. Ridicule, mais elle demeure la première meurtrière d'Occident. Lors de la rupture de ce bouton athérosclérotique, éruption de notre petit volcan coronarien, la thrombose se crée et obstrue l'artère, provoquant l'infarctus. La thrombose est un mécanisme de survie d'une évolution de centaines de millions d'années. Elle est destinée à protéger l'organisme, sinon chaque coupure amènerait une hémorragie mortelle. Notre mécanisme de protection se retourne contre nous. L'aspirine prévient cette thrombose inappropriée.

CHAPITRE 5

Nanocircuits et bioplomberie

Biorythmes : perpétuelle recherche de l'équilibre

Que l'on dorme ou que l'on coure à perdre haleine, le travail du cœur est de débiter de 5 à 30 litres de sang à la minute, selon nos besoins, rythme et pression toujours précisément dosés sans manquer un battement. Le rythme et la pression pour maintenir le flot sanguin nécessaire sont ajustés par des senseurs localisés à différents endroits vitaux, comme les différents senseurs d'une voiture amènent plusieurs paramètres au tableau de bord. Nos biosenseurs sont situés au cerveau, dans les artères du cou, dans le rein, dans le poumon et dans le cœur lui-même. Il y a des senseurs de pression (barorécepteurs), de volume (volorécepteurs) et des senseurs chimiques (chémorécepteurs) pour l'oxygène, le gaz carbonique, le pH. Toute la chimie de notre corps est un incroyable ensemble de fins équilibres, des millions de Yin et de Yang.

Les senseurs sont des neurones aussi spécialisés que ceux du goût ou de l'ouie, intégrés aux cycles chimiques de notre corps. Sauf qu'au lieu de goûter le salé, ils perçoivent nos composantes chimiques. De façon tellement fine que si le corps devient très légèrement acide, passant de 7,4, la normale, à 7,3, soit un dixième seulement de variation, indétectable par les plus grands palais de la gastronomie, toute notre chimie humaine se met en branle pour le ramener à 7,4, tel le pilote automatique d'un avion qui corrige sa route instantanément et imperceptiblement.

C'est le *feed-back*, grand principe de biologie dérivé tout droit de la physique d'Isaac Newton : action, réaction.

Donc, dès que le pH de notre corps bouge d'aussi peu que de un dixième, nos biosenseurs nous ramènent immédiatement à la normale, imperceptiblement et en douceur. Prouesse fantastique. En sont témoins tous ceux qui se tapent l'entretien d'une piscine. Le cœur est au milieu de cette prouesse d'équilibre, adaptant à la seconde le débit à toutes ces demandes. Ce qui signifie qu'il est au centre de l'interrelation de notre «écosystème» personnel. L'interdépendance équilibrée de nos organes est une leçon d'équilibre pour nos sociétés.

Si la nature avait pu contrecarrer la baisse de pH de nos pluies et autres dérives physico-chimiques comme le fait si bien notre corps, nous ne connaîtrions pas les catastrophes actuelles. Mais elle reçoit des *overdoses* comme le *junkie*. Il y a une limite à ce que tout organisme peut tolérer. Exemple, la contamination aux algues bleues obligeant la fermeture du lac Massawipi et de ses voisins. Nous en sommes à plus de 100 lacs contaminés au Québec. Sans coup de barre significatif, d'ici 10 ans, ces lacs seront fermés toute l'année parce que nous sommes seulement au début du processus.

Pourtant, la nature a d'excellents biosenseurs pour nos géomasses de l'air et de l'eau. Plus performants que notre corps : des millénaires d'expérience à notre service! Les pH de l'air et de l'eau sont stables, finement maintenus et ils favorisent la vie depuis des millions d'années. C'est heureux : respirer de l'air acide brûlerait toutes les membranes respiratoires existantes. Exemple, le syndrome de détresse respiratoire du pompier : inspirer une fumée à pH hyper acide (*stampede* de radicaux libres) avec des microparticules incandescentes de carbone (ou charbon) en train de brûler.

Pinson des mines, MPOC des villes

Nous respirons un nouvel air de plus en plus acide. Cet air est très semblable, en hausse constante sans que cela paraisse trop, à la fumée qu'a respirée notre pompier. On l'appelle le smog. Ceux qui en souffrent les premiers sont les pulmonaires les plus fragiles. Ils sont les pinsons des mines d'autrefois. Petit rappel historique : les mineurs de charbon emmènent dans leur descente un pinson ou un canari en cage. Le grisou est un des dangers qui guette le mineur : gaz toxique émanant de la mine, surtout constitué de méthane pouvant empoisonner ou exploser, le fameux «coup de grisou» tant redouté. À défaut des senseurs électroniques d'aujourd'hui, les mineurs du 19e siècle utilisaient le pinson comme biosenseur naturel. Les petits oiseaux étaient intoxiqués au grisou plus vite que les humains. Si le pinson mourait dans sa cage, ceci alertait les mineurs qui évacuaient l'endroit. Les enfants travaillant dans les mines étaient aussi les premières victimes, car ce gaz lourd restait au niveau du sol et les plus petits étaient les premiers intoxiqués.

Dans nos villes, le patient pulmonaire chronique est notre pinson. MPOC : maladie pulmonaire obstructive chronique, tels l'emphysème ou la bronchite chronique. Étant le plus fragile, il est le premier à décompenser, nous signalant qu'il y a péril pour tous. Les enfants sont aussi les plus sensibles : allergies, crises d'asthme et décompensations respiratoires en hausse.

Pourquoi ces phénomènes environnementaux intéressent-ils le cardiologue? Lorsque les insuffisants respiratoires décompensent pendant un épisode de smog, ils font presque invariablement des complications cardiaques, et c'est la course à la consultation à nos urgences. Montréal 2006 : nous notons une hausse de 7% des hospitalisations par épisode de smog. Le nombre de ces décompensations ira en augmentant, suivant la hausse de smog prévue par nos climatologues. Les mêmes qui ont prévu Katrina et le réchauffement climatique. La personne affligée d'une décompensation respiratoire doit tout arrêter, car elle suffoque et doit venir faire un petit séjour à l'urgence.

Le centre-ville de Montréal subit maintenant le smog en hiver. Comme catastrophe écologique, c'est plus près de nous que la fonte des glaciers et nous devrions nous en alarmer. Le nombre de jours avec smog a doublé de 1999 à 2005. La Direction de la santé publique du Québec prône d'ailleurs un virage radical, réagissant aux 1 500 décès prématurés annuels au Québec dont 400 sont dus aux pics de pollution et 1 140 à une exposition chronique à cette pollution. Excès de mortalité de 6,4% au centre-ville quand les particules dépassent 12,5 parties par million. C'est le «bienfait» de notre prétendu modernisme, rendu possible par le pétrole, que subissent les plus faibles de notre société : enfants, malades et vieillards. Les combustibles fossiles sont en voie de tuer plus de Canadiens que la fumée secondaire du tabac!

Pour revenir à l'équilibre millénaire de Mère Nature, tel un organisme géant, elle maintient le pH de son sang, l'eau et l'air, et assure la stabilité indispensable à la vie. Démonstration intéressante de notre filiation primitive à la mer : notre sang a le même pH que celui de l'océan. Trop de changements rapides peuvent venir à bout de n'importe quel organisme. Si on nous infusait un soluté de vinaigre, un acide, dépassant notre capacité de maintenir notre pH à sa normale de 7,4, nous ferions une fibrillation mortelle dès que le pH descendrait plus bas que 7. Voilà pourquoi le pH de notre air et de notre eau intéresse le cardiologue. Sortir de la marge de sécurité tue, règle générale du cœur.

La biosphère peut assez bien se comprendre et se modéliser comme un corps humain. L'humain est un condensé de notre univers, partageant et vivant de toutes ses lois. Bizarrement, l'humain est seul à avoir conscience de cet univers et il est le seul qui le menace. C'est aussi le seul qui est conscient de cette menace. Tant mieux, car c'est moins gênant devant les autres animaux de la création. Il serait humiliant d'être traité de con par un cochon sauvage ou une limace, nous, sommet de l'évolution. Imaginons-les nous demander : «Voyant ce que l'humain fait de notre seul habitat, à quoi sert l'intelligence?»

Chaque matin, les humains démarrent un demi-milliard de véhicules à essence. C'est comme s'administrer au petit-déjeuner une infusion de vinaigre dans les veines avec une solide baisse de pH. La planète doit avoir de la difficulté à faire ses journées. Lorsque chaque Chinois et chaque Indien auront une voiture à essence devant leur porte, et ce jour ne saurait tarder, la dose de vinaigre va doubler. La fibrillation planétaire s'en vient, il suffit d'être patient. En plus des produits toxiques et des acides émanant des combustibles fossiles, le réchauffement est malheureusement encore plus rapide que ne l'avaient annoncé les plus pessimistes prédictions des années 1990. Les démographes appellent cela la sixième extinction. Ils ont observé minutieusement les cinq dernières (la cinquième étant celle de l'extinction des dinosaures) et font de la modélisation à partir de ces observations. Tous les ingrédients sont là et la sixième s'en vient à grands pas. Ce sera la première de la race humaine. Donc la dernière. En quelle année ? Le problème n'est pas le réveil. Tout le monde est au courant. Le problème, c'est de prolonger la grasse matinée.

Biorythmes et conservation d'énergie

Le rythme cardiaque humain oscille de 70 à 200 selon la demande, le maximum étant approximativement de « 220 moins l'âge » selon la formule classique. En comparaison, le cœur de l'oiseau-mouche bat à 1 260 battements à la minute (21 par seconde, cadence de cinéma) et celui de la baleine bleue bat 4 fois par minute. Tout est évidemment proportionnel : le cœur humain pèse 500 grammes, celui de l'oiseau-mouche, 75 milligrammes et celui de la « grande bleue », fantasme de cardiologue, 1 tonne. Avec Pierre Lacombe, brillant arythmologue du service, nous nous amusions à développer la cardiologie baleinière : masque de soudeur et scaphandrier, torche à l'acétylène pour les fulgurations, clôture Frost pour les stents. Le *Voyage fantastique* d'un Cousteau cardiologue.

Au repos, le cœur humain bat normalement entre 60 à 100. Au-dessous de 60, c'est la bradycardie, au-dessus de 100, c'est la tachycardie. Il y a des écarts restant dans les limites physiologiques. Pour exemple, l'athlète d'endurance dont le cœur peut rouler à 35 battements à la minute au repos.

Un mot sur le cœur d'athlète. S'il va à 35 à la minute au repos, on croit que c'est parce que ce cœur est bien entraîné, ce qui est vrai. Mais ce n'est pas suffisant pour tout comprendre. Nous avons transplanté des cœurs d'athlètes décédés subitement (accident d'auto) à des patients en attente de greffe. Malheur pour l'athlète, bénédiction pour le patient de recevoir un tel joyau. Ce cœur d'athlète, une fois greffé, roulait à une fréquence normale. Parce qu'il arrivait dans un corps « normal ».

Pour bien expliquer le cœur lent de l'athlète, il faut référer à *l'ensemble de son corps* qui est bien entraîné. Un corps bien entraîné nécessite moins d'énergie pour faire la même action. Comme une mécanique bien entretenue et bien huilée demande moins au moteur. Il y a plusieurs raisons, mais l'une des plus importantes est que les organes entraînés, surtout les muscles, extraient mieux l'oxygène. Les usines d'énergie de notre corps sont les mitochondries, qui transforment l'oxygène en énergie. Ce sont surtout elles qui déterminent si l'on peut courir aisément 1 000 mètres ou difficilement 100 mètres. Plus on a de mitochondries, plus on produit de l'énergie. Ce serait bien d'avoir plus de mitochondries. Bonne nouvelle : on peut facilement augmenter leur nombre et leur capacité. Tout simplement en s'entraînant. La fonction crée l'organe.

Par l'entraînement, l'athlète augmente le nombre et la capacité des mitochondries. Comme cumuler des «forces» ou des «vies» dans un jeu vidéo. Une fois le corps entraîné, la demande de sang pour une même activité baisse parce que les organes extraient mieux l'oxygène que le cœur nous débite par le sang.

Un calcul simple et arrondi, mais très physiologique : des muscles non entraînés extraient 50% de l'oxygène du sang. Le cœur doit pomper cinq litres de sang à la minute pour assurer les besoins de base. Si les muscles peuvent extraire 100% de l'oxygène du sang, le cœur n'a plus qu'à pomper 2,5 litres à la minute. C'est pourquoi le cœur de l'athlète d'endurance roule à 35 au repos alors que le nôtre est à 70. Les biosenseurs émettant le signal qu'il y a assez d'oxygène, le cœur se met sur un ralenti physiologique. En opposition, les gens sédentaires ont des cœurs au repos plutôt rapides, de l'ordre de 85 à 100. Nuance immédiate pour tous ceux qui se mettraient à comparer leur pouls sur cette affirmation. Elle est vraie de façon générale, statistique sur un grand nombre. Autre constante, chacun verra son pouls diminuer avec un solide entraînement. Toutefois, il y a beaucoup de variations individuelles dues à d'autres causes. Bref, le niveau d'entraînement n'est pas la seule raison pour avoir un pouls lent ou rapide.

Par contre, vérifiable à chaque tapis roulant que je supervise depuis 20 ans, le cœur accélère très vite chez le sédentaire et monte à son maximum dès la moindre demande, son extraction d'oxygène étant beaucoup moins efficace, ses muscles non entraînés, pauvres en mitochondries. À l'opposé, le pouls de la personne en forme monte doucement, sans excitation. En somme, être entraîné, c'est assurer une meilleure gestion d'une ressource, l'oxygène de notre sang. C'est comme éviter le gaspillage. Être entraîné, c'est chauffer une maison bien isolée ; être sédentaire, c'est chauffer une maison aux fenêtres ouvertes. Être entraîné, c'est rouler avec une voiture diesel, hybride, voire électrique ; être sédentaire c'est rouler en Hummer. Deux à trois fois l'énergie pour le même besoin.

On serait tenté de croire que le cœur d'athlète, que l'on imagine gonflé comme ses biceps, pompe beaucoup plus que la personne moyenne. En fait, pris isolément et quoique plus musclé, le cœur d'athlète n'est pas très différent du cœur normal. Même chez le sédentaire, le cœur est déjà passablement entraîné. Pour une raison simple : il n'a pas le choix ! Il doit pomper continuellement, contrairement aux abdominaux de son propriétaire, qui sont au neutre 95 % du temps.

L'activité physique contribue *à préserver et à maintenir* la capacité cardiovasculaire globale donnée à la naissance. On pourrait appeler cela retarder le vieillissement. Avez-vous déjà essayé de faire tous les mouvements d'enfants de 3 à 7 ans en train de jouer activement ? Épuisement garanti au bout de dix minutes, sauf pour quelqu'un de très en forme. Depuis leur tout jeune âge, j'emmène mes enfants faire de la randonnée en forêt et montagne, une de mes activités préférées. Tout petits, ils étaient déjà increvables. Notre dernière sortie au magnifique parc du Bic m'a rassuré sur leur excellente forme d'adolescents. C'est moi qui avais de la difficulté à les suivre !

J'ai compris cette capacité d'enfant il y a plusieurs années lors d'un voyage de randonnée dans les Rocheuses. Après une marche exténuante de 10 kilomètres en grimpant 1 500 mètres, nous sommes arrivés à une aire sauvage de camping dominant les montagnes, offrant une vue à couper le souffle. Il y avait une petite famille installée en campement, parents et deux enfants de 3 et 4 ans. Juste à voir les sacs à dos et les bagages, il était évident que ces enfants n'avaient pas été transportés par leurs parents. J'étais époumoné à l'arrivée au sommet et j'ai réalisé que ces deux bouts de choux venaient de faire le même trajet en rigolant. Et je me suis promis d'emmener mes enfants, alors bien petits, à la prochaine expédition.

Un cœur d'enfant a une ahurissante capacité de traverser de grands stress physiologiques. Pensons aux cas spectaculaires et bien réels d'enfants qui se noient et que l'on peut réanimer jusqu'après une heure passée sous l'eau froide. Leur cœur réussit à traverser avec une performance incroyable de graves maladies, de dures opérations durant jusqu'à 20 heures, comme séparer des siamois. De fait, les cardiologues pédiatriques ne font jamais de bilan préopératoire avant une grande chirurgie, sauf chez les enfants avec malformation congénitale. Dans les hôpitaux adultes, le bilan préopératoire accapare un cardiologue à temps plein.

Nous voulons tous retrouver notre cœur d'enfant. L'entraînement en est un excellent moyen.

Récemment, les biologistes ont fait un constat intrigant : nos mito-chondries, nos usines d'énergie, ont un ADN très différent du reste de notre corps. Explication de la différence : les mitochondries proviendraient de bactéries qui se sont incorporées il y a des millions d'années aux eucaryotes, c'est-à-dire des organismes à plusieurs cellules comme nous. Plus précisément, la mitochondrie aurait évolué d'une bactérie qui aurait été phagocytée (avalée) par une cellule eucaryote. Toutefois, la phagocytose n'aurait pas été suivie de la dégradation de la mitochondrie. L'ancêtre de la mitochondrie a été préservée dans l'organisme qui l'a engloutie sans la détruire, parce qu'elle apportait un avantage à ce dernier : celui de lui fournir de l'énergie. La symbiose totale. L'immigrant bien intégré et indispensable dans un organisme en évolution.

Pour des raisons génétiques, certaines personnes ont beaucoup de mitochondries à la naissance. Le docteur Michel Maheu est un exemple de ces surdoués. Il était le talentueux chef d'hématologie de Notre-Dame et pratique maintenant à Legardeur. Michel est un athlète né qui court des marathons avec une facilité déconcertante. Il me disait très modestement que c'était simplement génétique. Dans sa famille, plusieurs pouvaient aisément faire des courses d'endurance. Nuançons son humilité : à ce niveau, même les surdoués doivent s'entraîner, comme les premiers de classe doivent étudier.

Le bagage de mitochondries à la naissance peut en partie expliquer pourquoi à la petite école certains enfants, comme Michel, courent plus vite et plus longtemps que d'autres sans entraînement particulier. Ce sont souvent ces personnes, au talent inné, qui deviendront des athlètes, comme les gens ayant beaucoup d'oreille deviennent musiciens. Le talent et la valorisation stimulent la vocation. Heureusement, l'activité physique améliore tout le monde et est démocratique : à la portée de tous.

Athlète et mitochondrie, Jedi et « midi-chloriens »

La saga *Star Wars* est incontestablement un succès, sinon intellectuel, du moins populaire et planétaire, référant à plusieurs valeurs universelles retrouvées dans la *Tétralogie de l'Anneau* de Richard Wagner ou le *Seigneur des Anneaux*, de Richard Tolkien.

Dans l'Épisode I de *Star Wars*, le Jedi Qui-Gon Jinn fait une prise de sang au jeune Anakin Skywalker, futur Darth Vador. Il envoie le prélèvement sanguin d'Anakin à son apprenti, le Jedi Obi-Wan Kenobi. Qui-Gon Jing se fait confirmer ce qu'il suspecte : Anakin a un taux incroyablement élevé de « midi-chloriens ». Dans la fable *Star Wars*, les « midi-chloriens » sont des micro-organismes, des bactéries qui vivent en nous. Ils sont la cause des différentes possibilités et prouesses des Jedi, les vecteurs de la « Force ». Plus le taux de « midi-chloriens » est élevé, plus le Jedi est talentueux.

Cette allégorie des « midi-chloriens » des Jedi de *Star Wars* m'a interloqué.

Le parallèle est frappant avec les vraies mitochondries, organismes issus de bactéries qui, au cours de l'évolution, se sont intégrés à nos cellules. Leur nombre et capacité sont directement liés aux prouesses du corps humain. Le talent athlétique est lié aux mitochondries que l'on a. De façon générale, une œuvre devient planétaire lorsqu'elle comporte des éléments universels. Parmi plusieurs éléments de *Star Wars*, Lucas aurait-il perçu intuitivement la réalité des mitochondries dans l'allégorie des « midi-chloriens » ? La réalité rejoint encore une fois la fiction et les méandres de la pensée humaine n'ont pas fini de nous étonner.

Bonne nouvelle pour les candidats Jedi : à défaut de « midi-chloriens », nous pouvons augmenter nos mitochondries. De la façon la plus simple qui soit : en s'entraînant. Que la Force soit avec vous !

Roi de cœur, valet de cœur

Le cœur est finement ajusté aux besoins de notre vie. Valet et roi. Valet, car il doit obligatoirement et instantanément répondre à la moindre demande de son capricieux royaume, notre corps. Roi, car s'il tombe, le royaume s'écroule. Échec et mat. Les principales composantes de ce chef-d'œuvre de biomécanique au sens propre sont : quatre chambres musculaires, les oreillettes et ventricules ; quatre valves, une par chambre ; trois artères principales irriguant ces muscles et un système de conduction électrique assurant le synchronisme de ces muscles cavitaires.

Braveheart : deux milliards huit cents millions de battements pour pomper deux cents millions de litres de sang, de quoi remplir quelques superpétroliers. Ce n'est pas tant le volume qui impressionne. Une simple pompe remplit aussi un pétrolier. C'est la précision de chacun de ces coups sur tant de coups. Une réponse ajustée au centième de seconde. Le joueur de tennis parfait qui retourne à la perfection près de trois milliards de balles d'affilée. C'est en bonne partie grâce au système de conduction électrique cardiaque, analysée sur les électrocardiogrammes. Lire un électrocardiogramme, c'est comme lire une portée de musique ou un roman en espagnol : après apprentissage, le langage du cœur est à nous.

Le fin ajustement de la fréquence cardiaque peut faire défaut. Avec l'âge, il y a usure du système de conduction électrique, comme nos cheveux blanchissent et nos articulations s'usent. Le fin synchronisme se perd et c'est l'une des causes de la syncope de la personne âgée. Il suffit que son cœur «oublie» de battre quelques secondes et grand-papa tombe au sol. Parfois avec une très vilaine blessure. Lorsque je fais le tour de l'urgence le matin, il y a régulièrement des vieillards couchés en civière avec les deux yeux au beurre noir. Je sais que j'aurai à les voir. Motif de consultation : syncope avec trauma. Arythmie jusqu'à preuve du contraire. Il n'y a pas que le vieillissement qui peut amener cette situation. Votre chat peut vous conduire à un pacemaker. Par l'arthrite de Lyme.

De l'insecte au pacemaker : l'histoire de Lyme

Novembre 1975. Une curieuse épidémie frappa la petite ville d'Old Lyme, communauté rurale du Connecticut. Une arthrite rhumatoïde juvénile affligea 12 enfants. Dans une petite communauté de 12 000 habitants, c'était un fait alarmant. Grâce au bouche à oreille, on réalisa que dans les régions avoisinantes, plusieurs autres personnes avaient subi une crise d'arthrite. Un système de surveillance de la maladie fut mis en œuvre, chef-d'œuvre d'organisation typiquement américain. On découvrit que 51 personnes vivant dans cette région avaient eu la même maladie, à la même époque de l'année. Étonnant et dramatique, certains furent plus affectés par une inflammation du cœur, une myocardite, et eurent besoin d'un pacemaker. La plupart avaient subi des crises brèves d'arthrite caractérisées par de la douleur et de l'enflure au niveau de quelques-unes des grosses articulations, genou ou coude ; bon nombre avaient remarqué plusieurs semaines auparavant l'apparition de rougeurs inhabituelles sur la peau, s'étendant progressivement. Une personne se rappela avoir été mordue par une tique là où siégeaient les lésions cutanées. Des recherches permirent de découvrir que cette forme d'éruption cutanée était identique à une autre éruption bien connue en Europe, reliée à la morsure de la tique du mouton. Les connaissances de l'Europe allaient accélérer le processus de diagnostic et de traitement, soutenu par la redoutable efficacité de l'Amérique.

La tique décortiquée

La maladie de Lyme est causée par une bactérie en forme de spirale (spirochète), appelée *Borrelia burgdorferi*, l'un des 15 000 termes médicaux expliquant la longueur de nos études. Cette bactérie est présente dans l'intestin de la tique, et elle est transmise par la peau au moment où la tique mord son hôte. Dans la plupart des cas de la ville de Lyme, ces tiques ont été transportées par le chevreuil et se sont nourries de son sang. Elles peuvent mordre d'autres mammifères, chat, chiens, humains, et s'incruster dans leur peau.

On a donc découvert que la bactérie *Borrelia* était transmise par les tiques, petits insectes semblables à une grosse puce de un à quelques millimètres. Avec ses mandibules, la tique creuse la peau et incruste sa tête dans la chair de l'animal, chevreuil, chat ou chien, y plonge ses trompes et s'abreuve de son sang. Un *Alien* se gorgeant de sang, laissant grossir son protubérant postérieur hors de la peau de l'hôte, de plus en plus énorme avec le sang aspiré. Un *mooning* animal. Heureusement. Ça permet de le détecter avant qu'il ne sorte de la poitrine.

Un humain piqué par une tique infectée du parasite peut contracter l'arthrite de Lyme. Grande plaque rouge sur la peau, douleurs articulaires et parfois myocardite avec inflammation du système électrique du cœur, pouvant causer des problèmes de rythme. En cas avancé, le pacemaker devient indispensable. C'est un syndrome rare au Québec, trop froid pour cette tique. Mais avec le réchauffement climatique, nous voyons des animaux et des insectes du Sud s'installer de plus en plus chez nous. Nouvelles conséquences des gaz à effets de serre. À quand la malaria au Québec? Ne rions pas, elle vient d'être dépistée à Toronto. Le virus du Nil occidental, *a priori* aussi exotique que le temple d'Abou Simbel, est déjà chez nous. C'est une autre raison pour laquelle le réchauffement climatique intéresse le cardiologue. De nouvelles maladies à impact cardiaque apparaissent ça et là avec le réchauffement climatique. Lesquelles? Pour faire un boulot intelligent comme médecin, il nous faut anticiper. De plus en plus de médecins et de responsables de santé publique écoutent attentivement les experts, tels David Suzuki, Laure Waridel, Steven Guilbeault. Ils ne cherchent pas à nous dégoûter de nos habitudes de vie. Ils nous font réaliser ce qui vient.

Il nous faut chercher dans les propos de ces personnes quels sont les impacts médicaux, particulièrement cardiaques, à anticiper des changements climatiques. Créer une médecine environnementale et anticipatrice. Faire le lien entre les compétences de nos experts. Les experts ont prédit le désastre de Katrina dans un rapport ignoré de l'administration centrale. Une autre cause «Science contre Politique». Nous reviendrons plus loin sur l'été meurtrier de 2003 à Paris.

L'arthrite de Lyme peut abîmer de façon irréversible le système de conduction électrique du cœur et rendre obligatoire la pose d'un pacemaker. Mais contrairement à la maladie dégénérative de grand-papa, résultante de l'inéluctable vieillissement, l'arthrite de Lyme se prévient. Son traitement passe d'abord par la prévention : surveillance de nos animaux domestiques colporteurs de tiques dans nos maisons, précautions en marchant dans les bois. Si, malgré tout, on attrape la bactérie, les antibiotiques peuvent prévenir les dommages, d'où une consultation rapide en cas d'arthrite subite avec des plaques rouges sur la peau, surtout après une morsure d'insecte.

Du rhumatisme au cœur

Une autre arthrite est associée à la maladie cardiaque. La fièvre rhumatismale ou rhumatisme articulaire aigu (RAA). Étonnamment, elle a pratiquement disparu au Canada sans qu'on ne cherche vraiment à l'éradiquer. Je n'ai vu aucun document expliquant de façon convaincante ce succès de la médecine. C'était une maladie cardiaque très courante jusqu'en 1950 et le dernier pic date de 1970. Cette maladie était épidémique et nombre de nos parents et grands-parents racontent cet épisode pénible et douloureux d'arthrite très invalidante qu'ils ont attrapée entre l'âge de 5 et 10 ans, les confinant parfois au lit pendant des mois. Ce devait être une terrible épreuve pour un petit enfant, à une époque où il n'y avait ni antibiotiques ni anti-inflammatoires. Il faut parfois prendre conscience des souffrances que nous avons évitées, de notre chance par rapport à nos parents et grands-parents, et leur signifier notre reconnaissance, eux qui ont œuvré pour éviter que cela nous arrive. Un bel héritage, à donner au suivant.

Le RAA est causé par une bactérie plus que banale : le streptocoque, un locataire chronique de notre corps, surtout dans la bouche. C'est la variété de streptocoques du groupe A qui cause le RAA. Il n'a pas complètement disparu ; on s'attend à environ 250 nouveaux cas par an au Canada, infiniment mieux que les milliers de cas annuels d'autrefois qui nous ont amenés à remplacer des milliers de valves cardiaques de 1960 à 2000. Le besoin de chirurgie valvulaire a ensuite beaucoup diminué avec la quasi-disparition du RAA. La Russie n'a pas cette chance : plus de 8 000 morts du RAA en 2002. La Chine, 97 000 morts et l'Inde, 103 000 ! Les principales complications du RAA sont la lente destruction, sur des dizaines d'années, des valves cardiaques et du tissu de conduction. C'est une réaction bizarre où nos mécanismes de défense se tournent contre nous. Une sorte de maladie auto-immune. Nos anticorps contre nous. La réaction immunitaire confond la bactérie et certains de nos organes, qui deviennent la cible de nos anticorps. Un peu comme nos soldats tombés sous le «feu ami», abattus par erreur par leurs alliés.

Curiosité : parmi des milliers de conditions cardiaques dont certaines très exotiques, je n'ai vu qu'un seul cas probable et non définitif de rhumatisme articulaire aigu. Avant 1950, les médecins de familles et les cardiologues en suivaient des dizaines. On présume que c'est un effet bénéfique de l'apparition de la pénicilline et autres antibiotiques dans les années 1940, qui aurait amené la quasi-disparition de cette plaie cardiaque. Toutefois, l'immigration de ressortissants du Tiers-monde, où la maladie est endémique, nous oblige à rester vigilants.

La maladie coronarienne – le blocage des artères –, qui correspond à 80 % de l'occupation du cardiologue nord-américain, est une autre nécessité beaucoup plus fréquente de pacemaker. Les fibres de conduction du cœur, coordonnant le rythme cardiaque, peuvent être détruites par le manque d'oxygène lors d'un infarctus. Les autres maladies ont presque disparu, alors qu'au Tiers-monde il en existe encore beaucoup qui, pour nous, appartiennent dorénavant à notre Moyen-Âge.

L'horloge biologique, l'horloge électronique

Le pacemaker est sans conteste une avancée médicale majeure, plus puissant et efficace que la majorité sinon la totalité des médicaments utilisés en cardio. À ses débuts dans les années 1960, le pacemaker était gros comme une rondelle de hockey. Pas précisément un chef-d'œuvre d'esthétisme. Pulsé par une horloge électronique, il entraînait le cœur de façon fixe à 70 coups/minute, en envoyant une microdécharge électrique de quelques milliampères, sans sensation pour son porteur. Ainsi le cœur ne baissait pas à moins de 70, même s'il «oubliait» de battre. Résurrection pour les personnes qui avaient un ralentissement extrême du cœur et qui mouraient au bout de quelques jours d'insuffisance cardiaque.

Le pacemaker est à la fois simple et compliqué. Simple pour son utilisateur. Rien à faire si ce n'est la visite deux fois par an pour inspection. Cette inspection se fait par le cardiologue arythmologue avec un petit appareil qui en fait la lecture et la programmation par électromagnétisme. D'où la seule précaution pour les porteurs de pacemakers : éviter les champs électromagnétiques puissants. Quelques exemples : les détecteurs de métal des aéroports, les aimants surpuissants comme ceux de la résonance magnétique de la radiologie, les génératrices des centrales hydroélectriques.

À l'époque du signal analogique, on mettait en garde afin de ne pas utiliser le téléphone du côté du pacemaker, habituellement placé sous la clavicule gauche du porteur. Une consigne semblable interdit d'utiliser les téléphones portables dans les hôpitaux pour qu'ils n'interfèrent pas avec nos équipements, particulièrement nos respirateurs artificiels. Toutefois, avec le virage des téléphones au signal numérique, cette recommandation ne s'applique plus.

Depuis la «rondelle de hockey» pulsant aveuglément 70 battements à la minute, l'informatique et le raffinement des logiciels ont rendu les pacemakers infiniment plus petits et physiologiques, adaptés aux besoins de leur propriétaire. Les batteries au lithium, issues de la technologie de l'espace, en ont augmenté la durabilité. Les pacemakers ont rapetissé à la taille d'une grosse montre alors que leurs possibilités se sont décuplées, voire «centuplées». On peut ajuster le pacemaker précisément selon le besoin du patient, avec des sondes électroniques imitant les senseurs biologiques de mère nature. On peut ajuster les pacemakers selon l'amplitude respiratoire, la fréquence respiratoire, l'activité du corps, le contenu en CO_2, le pH de notre sang. La fréquence peut être adaptée de 50 au repos jusqu'à 180 à l'effort selon toutes les gradations possibles. On peut stimuler les oreillettes et les ventricules pour reproduire le synchronisme naturel du cœur, optimiser le *timing* du moteur que les mécaniciens comprennent bien. Les possibilités de programmation se comptent par millions, selon les besoins et particularités de chacun.

Cœur sur la main, cardiologue sous l'épaule

Plusieurs Québécois se rappellent de l'incident dramatique du réalisateur Richard Martin qui, lors d'un gala transmis en direct à la télévision, perdit connaissance en allant chercher son prix. Plusieurs manchettes affirmaient que son pacemaker avait mal fonctionné, causant sa syncope. En fait, son pacemaker a parfaitement fonctionné. Au moment où il montait les marches de la scène, son cœur a fait une arythmie maligne. Martin a perdu connaissance, le cœur en convulsion. Son défibrillateur s'active, lit l'arythmie, l'interprète et applique les directives de sa mémoire électronique:

Arythmie: fibrillation ventriculaire;

cardioversion interne activée;

amplitude 10 watts/seconde;

durée 50 millisecondes;

initiation: 10 secondes après le début de la FV.

Top. Décharge.

Récupération du rythme normal.

Fin de l'épisode.

Désarmement du défibrillateur.

Retour au mode surveillance.

Aujourd'hui, le nec plus ultra en arythmologie est le défibrillateur, le pacemaker qui peut réanimer. Le cardiologue dans une montre, placé sous l'épaule. Avec André Merlot, on a vu que la mort subite est causée par la fibrillation ventriculaire, l'épilepsie du cœur. Le traitement d'extrême urgence est la défibrillation ou choc électrique qui cesse toute activité chaotique, suivie d'une pause et de la reprise du rythme normal du cœur. «Stop, on efface tout et on recommence». Le «redémarrage» myocardique. Si un médecin voit quelqu'un faire un arrêt cardiaque, comme Mireille lors de l'arrêt cardiaque de Merlot, il doit 1) reconnaître l'arythmie, 2) donner un choc électrique approprié. C'est ce que le défibrillateur fait aujourd'hui grâce à ses performants logiciels de décision issus de l'aéronautique et du vol dans l'espace. Le défibrillateur, c'est le cardiologue portatif ou l'équipe de réanimation *on board*. Le pilote automatique du cœur.

Le défibrillateur lit, enregistre et interprète chacun des battements comme un moniteur cardiaque permanent avec interprétation informatisée. À chaque visite, le cardiologue «interroge» le défibrillateur qui a enregistré le rythme cardiaque des six derniers mois. Non seulement le défibrillateur enregistre tous les battements, mais les logiciels inclus dans le boîtier savent interpréter les arythmies. Ils font la différence entre les rythmes normaux et les anormaux. Surtout, ils savent détecter les arythmies mortelles : tachycardie et fibrillation ventriculaire.

Si une arythmie ventriculaire maligne survient, le défibrillateur fait exactement ce que Mireille a fait pour sauver la vie d'André Merlot : reconnaître l'anomalie, diagnostiquer le problème, donner un choc électrique pour arrêter la tempête électrique et s'assurer de la reprise d'un rythme normal. Casser l'épilepsie du cœur, sortir le bateau de la tempête en quelques secondes. Réanimer plus vite que n'importe quelle équipe d'Urgence-Santé.

La différence entre la décharge du défibrillateur pour casser l'arythmie et la décharge du pacemaker qui entraîne le cœur est la force du choc électrique. Sur le mode pacemaker, il envoie des micro-impulsions (une fraction de milliampères) que l'on ne sent pas. En mode défibrillateur, c'est l'équivalent d'un bon coup de poing (10 watts/seconde) dans le thorax, que sent trop bien le patient. Ce qui est très anxiogène. Les arythmologues doivent prendre beaucoup de temps pour expliquer à leur patient ce qui peut survenir, du coup que peut donner le défibrillateur, que c'est tout à fait normal et recherché. En tout état de cause, le choc donné par un défibrillateur est beaucoup plus faible, moins du vingtième, que la défibrillation externe (360 watts/seconde) qu'a reçue André Merlot et pour lequel nous devons anesthésier le patient s'il n'est pas inconscient.

Pierre de Guise, hémodynamicien de l'Institut de Cardiologie de Montréal et l'un de mes excellents professeurs, m'a relaté avoir reçu une telle décharge par accident. Lors de la réanimation d'un patient, la personne qui a appliqué la décharge n'a pas lancé le signal «Clear!» annonçant le choc, le «Fore!» de la réanimation. Pierre, qui avait les deux mains sur le patient, a été projeté au mur. Il me disait que c'était comme une ruade de cheval. Les palettes appliquées sur la poitrine doivent appliquer un fort choc sur le thorax pour que suffisamment d'énergie arrive au cœur. La cardioversion externe est une authentique électrocution contrôlée. Les cardiologues font de l'homéopathie : traiter le mal par le mal. L'électrocution contre la tempête électrique. Au contraire, le choc du défibrillateur est faible, la sonde étant directement dans le muscle du cœur. Mais assez fort pour être pénible.

Nous expliquons au patient, pour qui il est indiqué de poser un défibrillateur, qu'un tel choc est prévisible et modérément douloureux. C'est le compromis pour avoir une réanimation extrêmement précoce et à très haut taux de succès. Contrairement au taux de succès des défibrillations faites par Urgence-Santé : certes aussi bien faites, mais avec un délai de plusieurs minutes. Mauvais pour le cerveau, un patron qui ne tolère aucun retard.

Les prouesses en arythmologie ne se limitent pas au défibrillateur. Une grande partie des arythmies, autrefois létales à court ou moyen terme, se contrôlent bien avec les médicaments modernes. Comme l'hémodynamie, naguère une science uniquement diagnostique, est aujourd'hui invasive, l'arythmologie d'intervention pratique des interventions autrefois uniquement réalisables par chirurgie à cœur ouvert. La constante poussée de la médecine vers le moins invasif, le moins traumatisant, le moins douloureux. Les hémodynamiciens sont les plombiers, les arythmologues sont les électriciens. Comme l'hémodynamicien, l'arythmologue a des cathéters spéciaux par lesquels il enregistre les potentiels électriques. Il fait un électrocardiogramme de l'intérieur du cœur, lecture hyper précise de nos vagues électriques, comme la coronarographie détecte la moindre anomalie de nos fines coronaires. Des logiciels enregistrent dans l'espace chacune des lectures des cathéters dans plusieurs zones du cœur et reconstruisent en 3D la cartographie électrique du cœur, sorte de super électrocardiogramme holographique dont la lecture par nos pros permet une localisation précise du problème.

Comme en hémodynamie d'intervention, l'arythmologue fait de la microchirurgie. Cette technique s'appelle fulguration endocavitaire. Il peut brûler les fibres électriques anormales, source des arythmies, avec ses cathéters hyperspécialisés introduits par une piqûre dans l'aine. Après plusieurs développements, l'énergie aujourd'hui utilisée pour détruire les fibres anormales est la radio fréquence, un scalpel biophysique. Par le cathéter qui a repéré l'anomalie ou la structure à soigner, on émet un flot d'ondes radio qui brûlent une minuscule parcelle de fibres cardiaques anormales, éliminant la cause de l'arythmie. Le lance-torpille de l'arythmologue. Le grand avantage de cette technique est qu'aujourd'hui de nombreux patients porteurs d'arythmies peuvent être guéris par cette technique, au lieu de prendre des médicaments pendant des dizaines d'années. Un des rares domaines de la cardiologie où l'on guérit le patient.

Plombiers, électriciens… et Carpentier

Parabole de la voile. Le catamaran, qui date de plusieurs siècles, avait peu la cote chez les plaisanciers dans les années 1970 et 1980, notamment à cause d'une technique plus extrême et que l'on y est plus mouillé qu'en monocoque. Le «monocoquiste» est réticent à perdre le confort d'un environnement sec, alors que le «catamariste» exulte quand il reçoit une bonne giclée due à sa vitesse, comme le skieur nautique s'amuse à pulvériser l'eau dans un beau virage serré. L'ivresse de la glisse pure et propre, eau, vent et soleil, doit accepter le compromis de se faire mouiller, difficile pour ceux habitués au sec. La perte du «confort» est un obstacle majeur au changement. L'engouement pour le catamaran est venu avec la planche à voile. Le véliplanchiste qui revient à la voile classique n'a pas peur de se mouiller et recherche un engin rapide et performant qui lui donnera les mêmes ivresses qu'en planche à voile. Surtout la vitesse, la sensation de galoper sur un cheval à bride abattue au milieu de ce que le Québec a en abondance, et parmi les plus beaux du monde : un merveilleux lac. Le catamaran est tout indiqué pour cette chevauchée et le véliplanchiste, qui n'a pas peur de se mouiller, a stimulé la popularité du cata.

C'est un peu l'histoire récente de la chirurgie cardiaque. Cette discipline, l'une des plus invasives qui soient, a vu l'hémodynamie ne pas craindre de se mouiller et faire des interventions à un cœur battant. Soigner un cheval blessé en plein galop. Et on a reconnu qu'il y a moins de complications après une dilatation qu'après une chirurgie. Pas besoin de grande plaidoirie : moins on touche à des organes, plus le risque de complications diminue. Restons objectifs. Il y a encore de grands débats sur les places respectives de la chirurgie et de la dilatation et, dans bien des cas – les plus complexes en tout cas –, le long terme favorise encore la chirurgie. Seule méthode pour trancher : la recherche scientifique et les études se poursuivent. Ce pourquoi l'an dernier au Québec, il y a eu 14 000 angioplasties et 6 000 pontages. C'est un bénéfice pour nos patients : nous avons plusieurs choix de stratégies alors que tant d'autres maladies sont simplement incurables. Ces études se poursuivent et sont un sujet chaud en maladie coronarienne. Le Graal du médecin : le meilleur traitement pour chaque condition.

Aujourd'hui, pour de nombreuses chirurgies cardiaques, on n'arrête plus le cœur pour le réparer, grâce à la rencontre de plusieurs avancées.

Nous avons la pharmacologie fine de l'anesthésiste qui veille sur les paramètres du cœur avec nos biosenseurs électroniques, nos neurones informatiques : oxygène, température, pH, rythme cardiaque, etc. L'anesthésiste de chirurgie cardiaque amène délicatement le cœur à la plus basse fréquence possible, sans compromettre son travail, et le maintient ainsi tout au long de la manipulation du cœur par le chirurgien. C'est une semi-paralysie du cœur toute en nuances, une semi-cardioplégie. La cardioplégie, c'est la paralysie complète du cœur que l'on fait en infusant dans ses artères un soluté de potassium : le cœur s'arrête en quelques instants et il faut le préserver en hibernation sans l'endommager tout en faisant une circulation artificielle pour le patient. Aucun besoin de cette technique pour une chirurgie à cœur battant.

De nouveaux outils chirurgicaux permettent d'immobiliser la petite zone du cœur à opérer. La dextérité de nos chirurgiens cardiaques est phénoménale : manipuler des sutures invisibles à l'œil nu, dont les plus fines ont un diamètre de 10 microns. En comparaison, le globule rouge mesure sept à huit microns de diamètre. Broder patiemment comme nos grands-mères le fil de vie de leur patient, entreprise répétée mille fois tels des artisans, patient après patient. Recoudre les cœurs brisés. Ils sont 26 au Québec et abattent l'incroyable boulot de 6 000 chirurgies annuellement.

La dureté de leur condition ne vient pas tant de leur travail. Comme pour nous, c'est un métier qui s'apprend et se gère. Cela devient très passionnant, presque facile et une agréable source de distraction des conditions déplorables de travail de notre milieu hospitalier. La pratique des chirurgiens cardiaques est continuellement bloquée par tous les avatars qui peuvent arriver à une salle d'opération du Québec : manque d'anesthésistes, manque d'inhalothérapeutes, pas de sang à Héma-Québec, pas de lits aux soins intensifs ou à l'étage par manque d'infirmières ; problèmes auxquels s'ajoutent invariablement des cas d'urgence qui bouleversent l'horaire de tout le département tant l'horaire et le personnel sont surchargés.

On est irrité d'être retardé 20 minutes à cause d'un embouteillage sur un pont. Imaginons-nous à jeun depuis la veille, après une nuit dans une chambre mixte où le malheureux voisin en délire a tenu en haleine tout le personnel de nuit. Le lendemain à 15 heures, on vous dit que la plus grande chirurgie de votre vie, que vous avez mis des jours à accepter, pour laquelle vous étiez prêt, est remise. Bloqué sur le pont le plus important de votre vie, qui pourrait atteindre la rive de la guérison.

En chirurgie cardiaque seulement, il y a eu l'an dernier des centaines d'annulations au CHUM sur un total de 1 200 opérations. La crise est en hausse, puisqu'on prévoit en 2010 le déficit record de 4 000 infirmières au Québec. La situation des chirurgies de toute la province est du même ordre. Imaginons une compagnie aérienne avec le même score de vols prévus et annulés.

La chirurgie cardiaque, c'est comme le départ d'un Boeing : elle nécessite tant d'intervenants que le moindre maillon qui bloque arrête toute la machine. Aux dépens de patients qui se font reporter malgré la présence de chirurgiens disponibles et capables de les opérer dès que demandé.

L'hémodynamie connaît moins de complications, car elle minimise l'effraction et la récupération du patient. Et pourquoi pas en chirurgie cardiaque ? Limiter l'ouverture pour accéder à l'organe malade, comme l'hémodynamicien avec son trou de piqûre minimaliste. Restreindre chaque geste colportant inévitablement un risque supplémentaire, même faible, limitera les complications potentielles. Accélérer la récupération et augmenter la disponibilité de la rareté : le lit d'hôpital. Le principe du ALARA, issu de la radiothérapie : *As Low As Reasonably Achievable*, la plus faible intervention pour un résultat optimal.

C'est le début de l'ère de la chirurgie minimalement invasive. Intervenir avec un minimum d'effraction à notre corps. Se développent la chirurgie à cœur battant, la minithoracotomie, la laparascopie thoracique. De plus en plus, on ne remplace plus les valves, on les préserve et les répare, véritable travail artistique d'une grande méticulosité, nécessitant un grand sens de la physiologie et de la plastie. Après un accomplissement historique dans les valves artificielles, dont plusieurs portent son nom, le professeur Alain Carpentier, de Paris, fut le père de la plastie valvulaire et enseigne de longue date sa technique à la planète. Autrefois à l'Hôpital Broussais, il est aujourd'hui chef de chirurgie cardiaque de l'Hôpital Georges-Pompidou, bâtiment moderne résultant de la fusion de trois grands hôpitaux de Paris.

Le CHU d'Europe

Il n'y a pas que Montréal qui a vécu les difficultés des fusions hospitalières. L'Hôpital Européen Georges-Pompidou est l'aboutissement d'une des plus grandes réorganisations jamais conduites à l'Assistance Publique-Hôpitaux de Paris et dans les hôpitaux publics français. Ce nouvel espace moderne, confortable, adapté à une médecine hospitalière du 21e siècle, rassemble les Hôpitaux Boucicaut (Paris 15e), Broussais (Paris 14e), Laennec (Paris 7e) et l'équipe du service d'orthopédie-traumatologie de Rothschild. En janvier 1993, le Conseil d'administration de l'Assistance Publique – Hôpitaux de Paris adopte pour le futur hôpital le nom d'Hôpital Européen Georges-Pompidou et lui trouve un emplacement neuf adapté à sa mission. La première pierre est posée le 15 novembre 1993. Les travaux de gros œuvre commencent au mois de mai 1995, alors que le projet médical est arrêté définitivement le 5 janvier 1996. Le bâtiment est réceptionné fin 1999 et les premiers malades sont accueillis à l'Hôpital Européen Georges-Pompidou au cours de l'an 2000, après le démarrage des plateaux techniques.

Plusieurs problèmes d'implantation ont été décriés dans les médias, faites confiance à l'esprit critique de nos cousins français. Néanmoins, il a fallu 7 ans entre la décision et l'hôpital fonctionnel. Huit cent soixante-dix lits sur 11 étages totalisant 120 000 mètres carrés. Coût de 1,8 milliard de francs ou 450 millions de dollars canadiens, pour desservir 570 000 personnes au milieu des quartiers résidentiels de trois grands arrondissements de Paris. Et Carpentier y opère! Maudits Français!

Réparation du cœur : inlassable perfectionnement

La chirurgie sort d'une ère effractive au maximum et est résolument orientée vers une approche moins lourde et plus préservatrice du milieu où elle opère. Mais il y a encore des preuves à faire, à savoir quelles approches ont effectivement les meilleurs taux de succès, à court et long terme. Éternelle et salutaire remise en question de la médecine scientifique. Encore aujourd'hui, dans les meilleurs hôpitaux, 90% des pontages se font par sternotomie classique en implantant une artère mammaire et deux veines prélevées de la jambe. Environ la moitié se fait à cœur battant. La plastie valvulaire est réalisable dans 40% des cas de chirurgie de valves, les autres se faisant par remplacement, par une valve artificielle.

Dans cette mouvance vers le moins invasif, la revue des 15 dernières années de la cardiologie au Québec est très révélatrice. En 1990, sur 100 patients ayant une coronarographie, 5% allaient en dilatation et 40% en pontages. Maintenant, sur 100 coronarographies, 50% des patients auront une dilatation et 20% un pontage. Les trois dernières années ont vu une baisse significative des pontages, virage historique au Québec qui s'inscrit dans la tendance occidentale, et surtout disparition des listes d'attente de la chirurgie cardiaque, autrefois catastrophiques, avec sévère morbidité pendant l'attente. Il n'y a pas que le virage vers le moins invasif qui y a contribué. Les politiques de santé de Pauline Marois, ministre de la Santé du Québec de 1998 à 2001, ont mis bon ordre dans l'ancienne situation vécue en santé. La mortalité cardiovasculaire de nos concitoyens a baissé, de façon mesurable et indiscutable, grâce à ses décisions.

Les pacemakers et défibrillateurs sont le symbole de l'évolution stupéfiante des microprocesseurs.

Ce boîtier de la taille d'une grosse montre lit chaque battement cardiaque, l'analyse, l'enregistre et agit immédiatement en fonction du rythme, avec des temps de réaction se mesurant en millisecondes. Si le cœur arrête de battre, le stimulateur l'entraîne sans que son propriétaire ne s'en doute. Si le cœur est irrégulier, le stimulateur en enregistre toutes les anomalies et nous pouvons les relire jusqu'à des mois après. S'il tombe en épilepsie cardiaque, la fibrillation ventriculaire, il décharge un choc électrique le ramenant à un rythme normal. Batteries au lithium issues de l'espace, autonomie de plusieurs années. Le cardiologue personnel qui ne dort jamais.

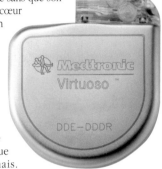

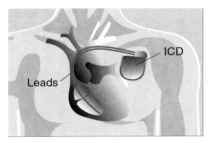

Le pacemaker et le défibrillateur sont extérieurement très semblables.

Ils s'implantent par une intervention simple sous anesthésie locale, en pratiquant une petite incision sous la clavicule et en piquant la veine pour y insérer les fils jusqu'au cœur.

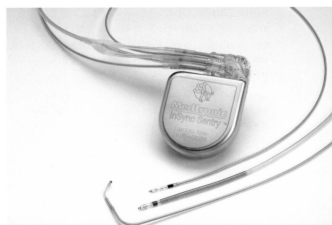

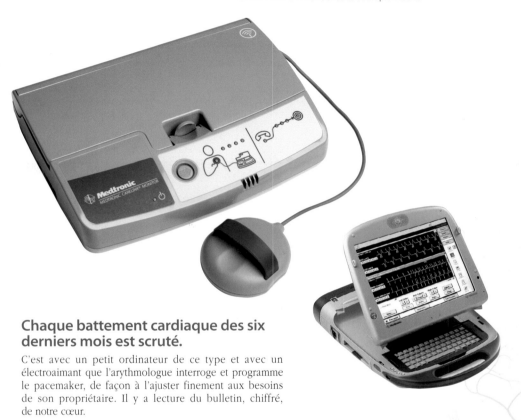

Chaque battement cardiaque des six derniers mois est scruté.

C'est avec un petit ordinateur de ce type et avec un électroaimant que l'arythmologue interroge et programme le pacemaker, de façon à l'ajuster finement aux besoins de son propriétaire. Il y a lecture du bulletin, chiffré, de notre cœur.

Navigation dans les champs magnétiques du coeur

En parallèle avec l'hémodynamie, l'arythmologie, une science très mathématique, a développé des outils d'une technique sophistiquée et d'une grande précision. Avec ces écrans, l'arythmologue pilote son cathéter au moyen d'un puissant champ magnétique et constitue une carte tridimensionnelle du rythme cardiaque pour y identifier, provoquer et traiter les vagues d'arythmie.

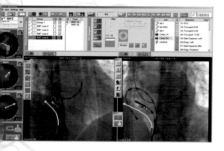

Cartographie cardiaque

Sur ces cartes (les arythmologues disent *mapping*), les positions du cathéter et des ondes cardiaques sont enregistrées pour reconstituer une image tridimensionnelle des ondes électriques cardiaques (l'oreillette droite ci-dessous). Les couleurs correspondent aux temps et sites de passage des vagues d'ondes cardiaques. Rouge au début, mauve à la fin. Les plus fines anomalies sont détectées et corrigées.

Scalpels biologiques

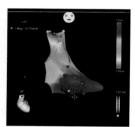

Comme l'hémodynamie, l'arythmologie est passée de diagnostique à thérapeutique. Au moyen de ses cathéters se conformant à volonté, elle peut faire des ablations extrêmement précises de fibres électriques anormales, sources d'arythmie, ou isoler des zones malades, les empêchant de propager leurs arythmies à tout le coeur. Les scalpels biologiques aujourd'hui utilisés sont la radiofréquence, brûlant les fibres anormales, et la cryothérapie, utilisant le froid intense.

Ablation guidée par cartographie

Dans la cartographie tridimensionnelle de l'oreillette (bleu pâle), les points rouges indiquent les zones traitées par cathéter, guidant la progression de l'intervention.

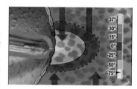

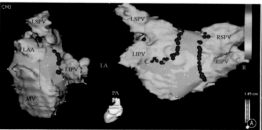

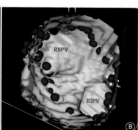

CHAPITRE 6

La fleur et le cœur
Aspirine ou ail « cryogénik » ?

Milieu des années 1980. Il est prouvé que l'un des meilleurs médicaments pour stabiliser l'angine et prévenir sa redoutable évolution en infarctus est l'aspirine. Le docteur Pierre Théroux, de l'Institut de Cardiologie de Montréal, est un expert mondial en maladie coronarienne et un pionnier dans ce domaine. Il a été l'un des premiers à démontrer, dans une étude publiée dans le *New England Journal of Medicine* que l'aspirine est un médicament efficace pour éviter que l'angine instable (douleurs thoraciques répétées comme un signal d'alarme) ne se transforme en infarctus (crise cardiaque due à l'obstruction complète de la coronaire). J'étais en stage à Paris lors de la publication de cet article. Je me rappelle l'incrédulité de quelques collègues français qui m'apostrophaient, l'œil gouailleur : «Alors les Canadiens, vous traitez l'angine instable avec deux z-aspirines?»

Ils le font tous maintenant, grâce à des études bien faites et reconnues par la communauté internationale.

C'était la deuxième fois qu'un Canadien démontrait à un Français les bienfaits de l'aspirine. Jacques Cartier relate que son équipage décimé par le scorbut fut sauvé par les Innus (autochtones de l'est du Canada). Ceux-ci leur préparaient des infusions de l'écorce de l'arbre nommé *annedda* en langue innue, probablement le cèdre blanc, et qui contient de la vitamine C. Les «primitifs» à la rescousse du monde «civilisé». Les contemporains de Cartier ont aussi appris que les Innus utilisaient des infusions d'écorce de saule pour soulager couramment, et avec succès, plusieurs maux, incluant douleur et fièvre.

En fait, l'écorce de saule est utilisée à cette fin depuis l'Antiquité. La première mention en est faite par les Sumériens plus de 500 ans avant Jésus-Christ, et Hippocrate en décrit l'usage. Dans cette écorce, on retrouve la saliciline, venant du *salix*, ou saule en latin. En 1899, le chimiste allemand Felix Hoffman, employé de la compagnie Bayer, en tirera l'acide acétylsalicylique ou Aspirine. L'Aspirine tire son nom de la Spirée, ou Herbes-des-Prés, plante contenant aussi des salicylés. Le chimiste britannique John Vane a élucidé en 1971 le mécanisme d'action de l'aspirine qui agit sur les prostaglandines, les protéines qui gèrent l'équilibre de plusieurs fonctions dont la coagulation. Ses travaux lui vaudront en 1982 le prix Nobel de médecine avec les Suédois Sune Bergström et Bengt Samuelsson. Autre cycle d'une molécule symbolique, ayant accompagné la médecine tout au long de son histoire, d'Hippocrate à Nobel. L'industrie pharmaceutique a facilité et sécurisé la prise de l'élément actif du saule bienfaisant, nous évitant, au prochain mal de tête, d'aller chercher de l'écorce à préparation artisanale et à dosage approximatif.

Que sait-on de l'aspirine? Pourquoi dit-on qu'elle est efficace en maladie vasculaire au point d'être devenue un traitement universel?

Ce qu'en disent 212 000 personnes

Le *British Medical Journal* a publié en 2002 une synthèse des 287 études faites dans le monde sur l'aspirine. Elles comparaient l'aspirine au placebo (la pilule de sucre) chez 135 000 personnes à haut risque vasculaire et comparaient l'aspirine à différents médicaments chez 77 000 patients du même type. L'article a présenté l'analyse globale, ou méta-analyse, de ces 287 études au nombre record de 212 000 participants. Le critère d'étude, aussi appelé point d'aboutissement ou *end-point*, était la survenue d'un événement vasculaire majeur. Un événement vasculaire majeur, c'est un infarctus du myocarde (IDM), un accident vasculaire cérébral (AVC) ou une mort de cause vasculaire. Les gros problèmes que chacun veut éviter, ceux qui cassent nos vies.

Les auteurs en ont tiré les conclusions suivantes :

1. Lorsque l'aspirine est utilisée, des posologies quotidiennes de 75 à 150 mg par jour sont au moins aussi efficaces que des doses plus élevées, et des posologies inférieures à 75 mg ont des résultats incertains.

2. Le risque d'infarctus est réduit *d'un tiers*, celui d'AVC *d'un quart* et la mortalité vasculaire globale *d'un sixième*, sans aggravation de la mortalité d'autres causes.

3. Globalement, la prescription d'aspirine chez les sujets à haut risque *diminue d'un quart* le risque d'événement vasculaire majeur, cardiaque et neurologique.

Haut risque signifie un accident cardiovasculaire aigu et ancien, ou des conditions prédisposantes : diabète, cholestérol, hypertension. Autrement dit, si l'on prévoyait que 40 000 Québécois devaient faire un accident cardiovasculaire cette année, estimé près de la réalité, la prise quotidienne d'une aspirine par les personnes à haut risque ramènerait ce chiffre à 30 000. Ou encore, la prise d'aspirine préviendra que 10 000 personnes aient un accident cardiovasculaire cette année (mort, infarctus ou AVC). Bref, cette sacrée petite pilule évite 10 000 drames majeurs par an. Déduction basée sur des études en béton. Meilleure performance que tous les sacs gonflables et ceintures de sécurité des véhicules du Québec pour un coût infiniment plus bas : quelques sous par jour par personne. Le meilleur rapport coût-efficacité. Cela semble compliqué, mais c'est très simple : avoir mieux pour moins cher.

Coût-efficacité

Le rapport coût-efficacité est un critère de plus en plus important dans la gestion des soins de santé. Des chiffres pour comprendre. On établit le coût-efficacité de la façon suivante : combien cela coûte-t-il pour sauver une vie dans telle situation ? Des calculs ont été faits par des biostatisticiens guidés par des épidémiologistes.

Ces chiffres, *a priori* d'une infâme platitude, sont très révélateurs et d'intérêt public.

1. L'obligation d'équiper les autos de ceintures coûte à notre société *150 000 dollars par an pour prévenir une mort.*

Pour faire cet estimé, on a additionné le prix de toutes les ceintures, on l'a divisé par le nombre de morts en moins par rapport à l'époque où la ceinture n'était pas obligatoire. Il nous coûte annuellement 150 000 dollars en ceintures pour sauver une vie.

2. L'installation de sacs gonflables (les *air-bags*) coûte un *million et demi de dollars par an pour sauver une vie.*

3. La prise d'aspirine coûte *onze mille sept cents dollars par an par vie sauvée.*

La médaille d'or du coût-efficacité pour sauver une vie. Pierre Théroux a posé l'hypothèse de l'efficacité et en a fait la preuve. Le propre des grands chercheurs, des visionnaires.

Nuance importante : ces études ont recruté des patients *à risque cardiovasculaire.* Il n'est donc pas suggéré de mettre de l'aspirine dans l'eau du robinet ou d'en prendre sans discernement. Les patients de ces études étaient à risque, c'est-à-dire qu'ils avaient déjà vécu un événement cardiovasculaire ou avaient des facteurs de risque : hypertension, diabète, tabac, haut cholestérol. C'est à ce type de personnes que s'adressent ces conclusions.

Une dure réalité émerge derrière ces chiffres : combien vaut une vie ? Et combien sommes-nous prêts à dépenser pour en sauver une de plus ? Nouvelle boîte de Pandore. Le lieu commun est que la vie n'a pas de prix. Or, les progrès fulgurants en sciences (économie, épidémiologie, démographie, biostatistique, etc.) nous permettent maintenant de faire de tels calculs, comme les climatologues ont prévu le réchauffement de la planète, comme des experts ont prévu l'inondation de la Nouvelle-Orléans.

De plus en plus, notre société aura à affronter la question : combien en coûte-il pour sauver une vie ? Et combien en coûte-t-il pour sauver une vie de plus ? Pour une raison simple : la capacité de payer. De fait, ces critères de coût-efficacité sont de plus en plus utilisés par les organismes payeurs publics et privés, les sociétés d'assurance étant les pionnières pour d'évidentes questions de rentabilité. Dans notre société démocratique, le public a droit à ces chiffres. Tout le monde s'inquiète, à juste titre, de la flambée des coûts de santé. Sait-on au juste combien coûte quoi ?

Pour exemple : réfection ou reconstruction d'un hôpital? L'histoire des hôpitaux Legardeur (région de Lanaudière) et Honoré Mercier (Montérégie) est intéressante. À Legardeur, l'hôpital était devenu vétuste et trop petit. Décision : reconstruction à neuf sur un vaste terrain vacant, laissant toute possibilité aux aménagements futurs que commandera invariablement l'évolution de la médecine. Aucune tracasserie pour les malades et le personnel, l'hôpital continuant paisiblement sa mission loin du chantier. Achevé en quatre ans au coût de 150 millions de dollars, le nouveau Legardeur est un hôpital flambant neuf de 280 lits, à la pointe des aménagements modernes, faisant l'envie du Québec médical. À visiter !

D'un autre côté, l'Hôpital Honoré-Mercier, également 250 lits. Travaux de rénovation depuis des années en raison de la présence de champignons dans ses murs, due à un mauvais choix à l'époque des matériaux de construction. Rénovation de l'hôpital avec pénible cohabitation du chantier et des unités de soins durant des années. Fermeture de lits, déplacement et réorganisation continuelle des unités de soins. Parmi d'autres séquelles, explosion de *Clostridium difficile* avec mortalités, justifiant une enquête. Coût des rénovations, 150 millions : le prix d'un Legardeur neuf construit en quatre ans, qui a bénéficié de surcroît de la quintessence d'une architecture médicale moderne, sans contingences donc, selon les besoins de ses usagers.

Dans le même ordre d'idées, les études, commissions et rapports sur la réorganisation du CHUM approchent maintenant 300 millions de dollars. En prenant Legardeur comme point de comparaison, cette somme équivaut à la construction d'un hôpital neuf de 560 lits.

Si on revient à la médecine proprement dite, la question se pose plutôt comme suit : quelle est la technique qui réussit à sauver le plus de vies pour le moins cher possible? Historiquement, le but du médecin est simplement de sauver cette vie qui se présente à lui, sans égard au coût. Parce que nous voyons chaque patient un par un et faisons nôtre son problème. Et si cela coûte cinquante mille dollars pour le sortir de son pétrin, *go*! On s'arrangera avec le ministère après. Il y a cinquante ans, la santé ne coûtait pas cher, car il n'y avait pas grand-chose à offrir. Il n'y avait donc pas grand problème moral.

Les succès de la médecine ont un effet secondaire : les attentes sont devenues très élevées et les prix sont du même ordre. Aujourd'hui, les vraies limites sont les budgets. Comme les gestionnaires, les médecins québécois sont sensibilisés au coût de la santé, et pour cause. Les Québécois paient les impôts les plus élevés des trois Amériques, desquels impôts 45 % vont à la Santé et Services sociaux. Nous avons au Canada le seul système hospitalier totalement public de tout l'Occident. Société distincte ! D'où une nouvelle discipline médicale : l'évaluation des technologies ; trouver la stratégie la plus efficace au meilleur prix. La pléthore des moyens techniques disponibles appelle à cette rationalisation qui doit se faire sur des données claires plutôt que sur des impulsions politiques floues ou glauques.

Une ville sous observation

Le cardiologue jauge toujours sa performance pour savoir combien de vies sont et seront sauvées par les différents outils à sa disposition. Une nouvelle méthode améliore-t-elle le taux de mortalité ou de complications ? Les études de cardiologie sont devenues des légendes de précision et de méthodologie, d'abord à cause du grand nombre de patients étudiés. Jusqu'à 160 000 pour une seule étude !

Sans parler du suivi de villes entières, telle la célèbre Framingham. Depuis 1948, près de 15 000 habitants sur trois générations de cette petite ville du Massachusetts ont été méthodiquement suivis sur le plan cardiovasculaire par le *National Heart, Lung and Blood Institute* (NHLBI). Mille deux cents publications scientifiques ont été produites sur ces données et publiées dans les meilleures revues scientifiques.

Les données sont limpides : 95 % des maladies coronariennes viennent de deux triades. La triade hérédité : hypertension, diabète, cholestérol. La triade habitudes de vie : sédentarité, obésité et tabagisme. Les deux triades s'influencent l'une l'autre. Quatre chapitres de cet ouvrage y sont consacrés. Le cœur du problème.

Framingham a été un point tournant de l'histoire de la médecine. Auparavant, la notion voulant que le scientifique pouvait identifier des facteurs de risque liés à la maladie cardiaque et que l'individu pouvait les modifier ne faisait pas partie de la pratique médicale. Framingham ouvrira des portes importantes sur une approche médicale révolutionnaire : l'identification et la correction des facteurs de risques.

Alarme de santé publique : la peste du 20ᵉ siècle

La maladie coronarienne était un phénomène marginal au début du 20ᵉ siècle. Rappelons-nous l'enthousiasme de William Osler qui présente à ses étudiants un infarctus, rare maladie ! Les années 1930 voient le début d'une montée épidémique et elle devient le tueur numéro un d'Amérique à la fin des années 1940. Cette situation alarmante incite le *United States Public Health Service* à débuter une étude à large échelle pour comprendre pourquoi la maladie cardiaque est devenue le plus grand ennemi public. Qu'est-ce qui distingue les individus qui subissent la maladie coronarienne de ceux qui l'évitent ? C'est l'approche épidémiologique, concept nouveau des années 1940. Les chercheurs désignent Framingham pour être ce laboratoire d'observation.

La collaboration exemplaire des citoyens de cette ville est à louanger. Chef-d'œuvre de civisme et de générosité pour le reste de la planète. Les données compilées pour chacun de ces citoyens, malades ou non, ont permis de voir clair dans les facteurs de risque et les impacts de la maladie coronarienne. Framingham est devenu un classique que l'on enseigne à nos futurs médecins. Et chaque citoyen du monde peut remercier les habitants de Framingham de l'avoir possiblement sauvé d'un infarctus ou d'une mort subite.

Le travail de clinicien-chercheur fait, les statisticiens de la santé prennent toutes nos données patiemment recueillies et examinent le groupe dans son ensemble. Nous examinons chaque goutte d'eau, les épidémiologistes regardent la mer. Le patient du biostatisticien médical, c'est la foule.

La recherche clinique des années 2000

Il faut se rendre compte de l'énorme effort de ces études. Pour établir la valeur de l'aspirine, les 287 groupes de recherche ont effectué un suivi personnalisé systématique de ces 212 000 personnes. Chaque groupe de recherche a un réseau de dizaines voire de centaines d'hôpitaux, chacun ayant une équipe de recherche locale. Tous sont coordonnés par un groupe central, le *Steering Committee*, constitué d'experts des grands hôpitaux universitaires, tels Harvard, Oxford, la Clinique Mayo ou les Cliniques Cleveland.

Dans le monde, des dizaines d'institutions universitaires, tel le CHUM, collaborent et travaillent étroitement avec ces *Top Guns* des facultés américaines et européennes, les machines à Nobel. Plusieurs études sont issues et dirigées du CHUM, positionnant l'Université de Montréal parmi les grandes facultés de médecine, un Cirque du Soleil universitaire, un Orchestre symphonique médical.

Au quotidien, chaque événement de santé des patients participant à la recherche est relevé et suivi étroitement par les infirmières de recherche et les chercheurs cliniciens. Même les rhumes et les entorses! Qu'un seul des 212 000 patients des études sur l'aspirine ait saigné du nez ou dans sa tête, le fait est relevé, authentifié par un vérificateur indépendant, puis envoyé dans la banque de données centrale. Tous les événements bénéfiques et indésirables sont analysés par un groupe indépendant de contrôle de la qualité, appelé *Data Safety Monitoring Board*. Tous sont soumis à l'autorité et à la vérification de leurs organismes gouvernementaux, comme Santé Canada et la puissante FDA. C'est la méthode incontournable d'une recherche de qualité, exigée par la communauté scientifique internationale.

Les équipes de recherche clinique suivent et recueillent méthodiquement tout symptôme ou anomalie de laboratoire de nos patients participant aux protocoles de recherche. Tout en commençant immédiatement le traitement de l'anomalie détectée, ces informations sont envoyées confidentiellement au groupe directeur et au comité d'éthique de la recherche. Au CHUM, il y a plus de 200 équipes de recherche dans 27 spécialités médicales et les secteurs connexes comme la physique biomédicale et la biochimie clinique. Notre comité d'éthique est dirigé par une juge et un médecin spécialisé en éthique, toutes deux passionarias du droit humain et de la protection des citoyens.

Ces groupes dynamiques représentent bien le savoir-faire de la compétence médico-scientifique québécoise. Ils représentent un moteur économique suscitant une importante création d'emplois et une entrée massive de fonds de l'étranger. Dans un marché hyper compétitif, le centre de recherche du CHUM a su obtenir l'an dernier 50 millions en investissements étrangers et canadiens, autant d'argent neuf pour la balance commerciale du Québec et la création d'emplois de haut niveau. Succès sociétal équivalant à la vente d'avions par Bombardier, nouvelle faisant habituellement la une. C'est l'exploitation peu connue d'une de nos ressources naturelles – et renouvelables –, la matière grise. L'expertise des médecins et chercheurs québécois est très respectée dans le monde. Ces partenariats internationaux nous amènent à visiter régulièrement les grands CHU du monde, acquérant multitude de bagages utiles pour la qualité de nos soins au Québec. Les bonnes idées observées en Finlande, en France, aux États-Unis, en Italie, ou au Japon sont ramenées tous les ans au CHUM par ses 1 000 médecins universitaires.

Un des avantages du suivi rigoureux en recherche est de dépister précocement plusieurs problèmes cardiaques et non cardiaques chez nos patients, permettant une prise en charge rapide. Nous avons même dépisté très précocement quelques cancers chez nos patients, avant la survenue de tout symptôme. Le terroriste débusqué avant son attentat. L'équipe d'oncologie (autrefois appelée cancérologie) du CHUM a immédiatement pris en charge nos patients, très tôt dans leur maladie. Les meilleures retombées pour la personne participante à une étude clinique sont l'examen optimal de sa condition de santé, en plus d'un suivi personnalisé avec disponibilité complète du personnel de recherche, sans liste d'attente.

Mais, surtout, nos patients ont ainsi rapidement accès aux techniques de demain, amenant de meilleurs traitements que ceux en usage. Dans le cadre de ces projets de recherche, les patients du CHUM et de ses hôpitaux référents sont parmi les premiers au Canada à bénéficier des nouveaux modes de traitement dans toutes les sphères médicales. En cardiologie, nos patients ont été parmi les premiers à bénéficier des plus récents développements de stents, d'échographie et de radiothérapie intracoronarienne, de médicaments pour réduire le cholestérol et diminuer les plaques de gras dans les artères, de défibrillateurs, de nouvelles stratégies pour améliorer nos succès dans l'infarctus.

Du début de mon cours de médecine en 1977 à aujourd'hui, j'ai vu baisser la mortalité d'un infarctus «transmural» aigu de plus de 30% à moins de 5%. Le CHUM y a fortement contribué avec des méthodes novatrices et efficaces. Les survivants s'en tirent aujourd'hui avec beaucoup moins de complications permanentes, voire reviennent à des vies tout à fait normales. Je ne compte plus d'exemples où des vies se sont arrêtées alors qu'une intervention rapide et adéquate a changé la ligne de leur destin.

Grâce aux fonds de recherche, nous avons pu introduire rapidement les outils de traitement, qui n'auraient été disponibles par les voies habituelles que plusieurs années plus tard. Le Canada étant le seul pays de l'OCDE avec un régime hospitalier exclusivement public, les contraintes budgétaires ont peine à suffire aux besoins courants. Quatre-vingt-cinq pour cent du budget du CHUM est consacré aux salaires des employés. Il reste 15% pour payer tout le reste. Les démarches se faisant au rythme du fonctionnarisme, tout développement est empreint de lourdeur. Dans le cadre de la recherche, l'industrie médico-pharmaceutique fournit gratuitement les nouveaux outils, soulageant d'autant un trésor public à l'équilibre précaire en introduisant dès que disponibles les nouveaux traitements.

Est-ce important? En 1992, notre laboratoire a fait la demande d'une «console de ballon intra-aortique», support cardiaque mécanique de 50 000 dollars, très conventionnel et essentiel pour soutenir un cœur en choc. L'inexpérience et la naïveté nous ont fait utiliser la procédure ministérielle habituelle. *Go fight City Hall.* Il a fallu plus de deux ans de procédures pour voir arriver au laboratoire cet outil qui sauve des vies. Nous avons eu notre leçon et, depuis, nous utilisons d'autres voies pour offrir plus efficacement et plus rapidement à nos patients les soins auxquels ils ont droit.

C'est pourquoi nous faisons un énorme effort pour obtenir ces outils par la voie de la recherche. Cultiver la recherche clinique dans un centre augmente la qualité des soins par adhésion aux méthodes dictées par les meilleures institutions. L'entrée de fonds de l'extérieur augmente la richesse collective, augmente les emplois de haute qualité et améliore l'accessibilité aux nouveaux traitements. Lorsqu'un patient nous dit: «J'ai vu sur Internet qu'il y a un nouveau traitement «X» aux États-Unis», nous pouvons habituellement le lui offrir.

Impact sociétal d'un CHU

Il y a une compétition amicale, faite aussi de collaboration entre le CHUM et McGill, l'autre fleuron de Montréal, l'université canadienne la plus réputée dans le monde. Renommée encore confirmée en octobre 2006 à Londres après un sondage auprès de 3000 universitaires, sorte de *Oscar Academy* ou de classement de *L'actualité* des universités. L'Université McGill est classée 21e au monde, le podium allant à Harvard, Cambridge et Oxford. Groupe très sélect! Plusieurs considèrent l'Orchestre symphonique de Montréal comme étant parmi les 20 meilleurs au monde. Pour McGill, c'est un panel de 3000 sommités qui en ont ainsi décidé. McGill est bonne première canadienne pour l'ensemble de son œuvre, incluant sa faculté de médecine. Le Harvard du Canada : ses étudiants de médecine viennent de partout sur la planète, incluant la suprême Harvard elle-même. McGill a vu sept prix Nobel travailler dans ses murs. Deux seules autres universités canadiennes ont produit des Nobel : Toronto (huit) et McMaster (trois). Si l'on prête attention, il ne se passe pas un mois sans que McGill communique une nouvelle scientifique d'envergure.

Les carabins de Montréal : la Coupe Vanier de la médecine sept ans de file

Fait peu connu du grand public, ces sept dernières années, les étudiants en médecine de l'Université de Montréal ont fini bons premiers aux examens canadiens, en tête des facultés de médecine du Canada : reflet de l'importance et de la qualité de notre éducation, valeur forte de notre province. Tous les carabins de Montréal ont été formés, en partie ou en totalité, au CHUM. Plusieurs ignorent que la signification originale de «carabin» est «étudiant en médecine», du vieux français *escharabin*, signifiant «fossoyeur de pestiférés», une des tâches dévolues aux étudiants d'alors… Le sens de «carabin» s'est étendu à tous les étudiants universitaires, et les équipes de sport de l'Université de Montréal nous ont fait le flatteur emprunt de ce surnom.

C'est pourquoi être agrégé de cette faculté de médecine est si important pour moi : c'est un honneur d'être professeur de cette grande faculté. Une faculté performante, c'est comme un chœur, chaque voix s'unit pour faire un tout plus grand que la simple somme des individus. Une très jolie phrase décrivant les choristes vient de la comédienne montréalaise Pascale Montpetit : les choristes, ce sont comme des bâtisseurs de cathédrale. On ne sait pas qui ils sont. Mais de grandes réalisations émergent de leurs efforts anonymes et concertés. Image que j'appliquerais à notre sphère. Il n'y a pas qu'au hockey ou en chanson que les Québécois peuvent être fiers.

La dualité Université de Montréal-McGill

Il est vrai que bon nombre des étudiants en médecine de McGill ne restent pas au Québec ou même au Canada. Situation similaire pour les trois grands, Harvard, Cambridge et Oxford. La majorité des étudiants de ces trois universités sont aujourd'hui aux quatre coins du monde. Sur ce seul constat, il est hasardeux de retirer à McGill son hôpital universitaire sous prétexte que les anglophones représentent une petite partie de notre population et que plusieurs étudiants de McGill ne restent pas au Québec. Poser un tel geste serait détruire un *patrimoine québécois* exemplaire et abaisser la cote de McGill ; retirer à la meilleure université canadienne un CHU au prestige séculaire, héritage d'Osler et de Penfield. Ce serait une erreur historique aussi grave, sinon plus grave, que de fermer l'Hôpital de Montfort d'Ottawa.

Deux CHU sont-ils de trop à Montréal? À Boston, il y a plus de 10 hôpitaux universitaires : *c'est la deuxième ressource économique* de la ville. On n'imagine pas les Bostoniens fermer le centre hospitalier universitaire de Harvard parce que leurs étudiants ne restent pas au Massachusetts ou aux États-Unis. Bien au contraire, les Américains supportent massivement Harvard de leur patriotisme et de leur mécénat. Cette faculté de médecine et ses centres hospitaliers sont des mines d'or. Ces complexes médico-universitaires leur assurent d'immenses investissements de partout dans le monde en recherche et haute technologie. C'est l'application du principe des « grappes industrielles » du maire de Montréal, Gérald Tremblay, alors qu'il était ministre de l'Industrie et du Commerce du Québec. Ces complexes assurent le leadership de l'éducation, la valeur primordiale dont dépend la santé, tout en faisant entrer massivement des fonds. Montréal a tout pour être la Boston du Nord.

Le problème de la médecine américaine, ce n'est pas la qualité (elle est la référence mondiale qui inspire la planète), c'est l'équité de son accessibilité.

McGill amasse une fortune en argent neuf : la planète vient acheter un de nos meilleurs produits, notre éducation et notre science. La force scientifique de McGill et sa réputation sont un critère majeur pour les investisseurs. McGill reçoit des fonds de recherche en grande partie hors Québec à hauteur de 350 millions de dollars par an. Autant d'entrées nettes pour l'économie québécoise qui ferme à la chaîne ses scieries, ses usines de textiles et ses industries. Bonne réplique à la vente à des intérêts étrangers des Châteaux Frontenac, du Domaine du lac Louise, du club de hockey Canadien de Montréal, de nos brasseries et marchés d'alimentation, ainsi qu'à la fermeture des usines de Huntingdon, et de Whirlpool à Montmagny.

La dualité McGill-Université de Montréal a comme bénéfice que nous sommes deux gros centres reconnus mondialement à attirer des fonds de l'étranger. D'autant plus d'argent, de science, d'éducation et d'emplois de haut niveau pour notre communauté, dans une saine compétitivité qui pousse l'autre à faire mieux.

En quoi cela intéresse-t-il le cardiologue ? Nos moyens ne sont pas à la hauteur de ce que nous pouvons offrir en éducation et santé. De façon chronique, nos systèmes de santé et d'éducation sont sous-financés, et nos citoyens surtaxés. Pour les investissements en 2006 en santé, le Québec est bon dernier au Canada avec 2 581 dollars par habitant, contre 2 937 en Ontario et 2 941 en Colombie Britannique. Nos outils et installations ont peine à se maintenir au niveau de nos connaissances et possibilités. Une tendance qui s'accroît.

Optimiser nos ressources en étant compétitif et en attirant des fonds internationaux dans un domaine où les pays émergents ne peuvent (encore) rivaliser est un moyen efficace d'améliorer notre niveau de soins et notre trésor public. Il ne faudrait pas trop tarder. Il faut savoir que la Chine est à planifier plus de *cent* cités médico-universitaires optimales, des plateaux hôpital/université/recherche du type de Harvard, Cambridge ou l'Université de Chicago, le merveilleux legs de Rockefeller à la science, à la médecine et surtout à sa communauté. Rockefeller disait à la fin de sa vie que l'Universityé de Chicago avait été son meilleur investissement. En 75 ans, depuis sa fondation, l'Université de Chicago a produit 74 prix Nobel. Un par an, potentialisés par un complexe hôpital/université/recherche optimal d'efficacité et sur un site adapté. Attirant des milliards de dollars et créant des milliers d'emplois de qualité.

L'esprit et le cœur du sénateur David

La cardiologie universitaire québécoise est reconnue inter-nationalement. La qualité de la pratique des cardiologues québécois est devenue une référence, l'Institut de Cardiologie de Montréal traçant la voie depuis 50 ans.

Il est regrettable que le défunt docteur Paul David, fondateur de l'ICM, n'ait pas vu l'expansion récente de la cardiologie de Montréal en particulier et du Québec en général. Sa vision se déployant à l'échelle d'une ville, d'une province. Comme si l'ICM était rendu dans chaque grand centre du Québec : même passion, même implication. Nous avons été les enfants de l'ICM pour ensuite aller chercher une expertise nouvelle ou *Fellowship* dans les grands centres étrangers. Le *Fellowship*, c'est le Tour de France original du Moyen-Âge : les apprentis ouvriers partaient faire le tour de la France pendant un an ou plus, travaillant avec les meilleurs maîtres de leur art pour ensuite s'établir comme compagnon-ouvrier reconnu. Compléter sa formation avec les meilleurs experts et devenir un *Fellow*. Acquérir un *Fellowship* est l'équivalent médical des études post-doctorales, prérequis à une pratique universitaire de haut niveau. Les médecins du CHUM ont le plus grand score de *Fellowship* du Québec.

Joliment présentée, la section histoire du portail de la faculté de médecine de l'UdeM relate les développements remarquables dans ses institutions. Le record québécois de *Fellowship* en cardiologie appartient à une collègue, Michèle de Guise. Après sa formation en cardiologie générale (cinq ans de médecine générale, trois ans de médecine interne, trois ans de cardiologie, six examens nationaux pour une triple certification), Michèle a fait quatre années de *Fellowship* dans trois «mecques» de la cardio, les Cliniques Cleveland, le Royal Brompton de Londres et l'hôpital de l'Université de Philadelphie, pour devenir une autorité en défaillance et rééducation cardiaque. Le but : ramener à nos concitoyens la meilleure expertise et maintenir le service à la pointe. De retour avec nous, elle a fondé et dirige le Centre de Cardiologie Préventive du CHUM ou CCP-CHUM. Elle vient d'être nommée à la tête de la toute nouvelle Direction de la promotion de la santé du CHUM, retour de la science vers la communauté.

«Produits naturels»: méthode scientifique pour tous?

Chacun des médicaments utilisés en médecine a eu le même type d'évaluation que l'aspirine par les grands centres universitaires internationaux. Nous l'avons vu, la médecine a aussi eu sa part d'errances, heureusement sans cesse réévaluées. La plus récente est certes celle du Vioxx. Heureusement, l'histoire de l'humanité démontre que cette dernière a toujours le dernier mot, tôt ou tard. «Et pourtant elle tourne!», aurait dit Galilée à la fin de son procès intenté en 1633 par le pape Urbain VIII. Galilée avait osé dire que la Terre n'était plus le centre du monde, au contraire de l'interprétation littérale de la Bible faite par le clergé de l'époque. Imaginez son procès en pleine Inquisition. Une des nombreuses causes Science contre Politique de l'Histoire.

Galilée a été jugé coupable, a dû abjurer ses erreurs (dont «La terre tourne autour du soleil») sous la menace de torture et fut assigné à résidence, évitant de justesse la prison à vie. Emmuré vivant. Mort en 1642, Galilée ne sera réhabilité qu'en 1757 et est aujourd'hui reconnu comme l'un des grands esprits de l'humanité. Il semble heureusement toujours y avoir une justice immanente pour la vérité scientifique.

Il est à souhaiter qu'un jour les médecines dites «alternatives» ou «naturelles» soient l'objet d'études comme celles faites sur l'aspirine pour prouver leurs prétentions. Sinon, c'est le maintien du charlatanisme et de l'obscurantisme au 21e siècle. En quoi cela concerne-t-il la cardiologie?

Pour ceci: chaque Canadien dépense en moyenne 1 600 dollars par an en «produits naturels» et médecines alternatives de tout ordre, ce qui représente la coquette somme de 45 milliards de dollars pour le Canada. Aucune étude du rapport coût-efficacité dans ce domaine. Devant le manque de financement en santé et prévention, il est difficile d'admettre que les producteurs de «produits naturels» peuvent s'en tirer avec des fortunes semblables. Pourquoi notre argent serait-il dérivé vers des entreprises exploitant la crédulité et vendant des produits sous des affirmations non fondées, voire inventées de toutes pièces? Une fortune collective investie en simulacre de soins de santé.

Le succès public des médecines alternatives oblige notre société à y jeter un regard critique et lucide. En 2000 au Canada, jusqu'à 70% des gens ont eu recours aux médecines alternatives. Au cours de la dernière décennie aux États-Unis, le nombre de consultations de praticiens de ces médecines alternatives a augmenté de 47%, pour dépasser le nombre de médecins de première ligne. À Toronto, plus de 35% des gens ont utilisé des «plantes médicinales» dans la dernière année.

C'est au nom de l'honnêteté intellectuelle et scientifique, au nom des artisans de la santé qui manquent d'outils pour donner leur pleine efficacité à soigner leurs proches, que cette situation doit être réévaluée en toute objectivité. Être chroniquement inefficace (mauvais coût-efficacité) devient plus cher que toute nouvelle technologie ou approche préventive. C'est à la limite du détournement de fonds ou l'équivalent du récent scandale des commandites au Canada. Payer le gros prix pour un granule aux vertus imaginaires et qui ne vaut pas plus qu'un bonbon ou une fine herbe, c'est tout comme payer des rapports factices et des emballeurs au taux horaire de 250 dollars.

Dans la même société, des centaines de patients sont entassés dans les corridors des urgences et les hôpitaux sont sous-équipés, faute de financement. Les fonds pour la prévention manquent cruellement. J'aimerais décrire cette situation de façon «politiquement correcte», mais j'aime trop mes patients (présents et futurs…) pour rester froid. On ferme des services et des hôpitaux complets par rationalisation sauvage. Pas de «privé» en santé, mais le pactole du privé grand ouvert à la santé «naturelle». Il est probable que toutes les listes d'attente disparaîtraient si l'argent consacré en «santé naturelle» allait à la promotion vigoureuse de la santé et au financement de cliniques bien pourvues en humains et en ressources.

Notre société devrait-elle exiger que les protagonistes et commerçants de «produits naturels» fassent leurs preuves? Du côté médical, qu'ils soient sans crainte: tout traitement validé et améliorant effectivement la santé sera immédiatement prescrit par les médecins, comme tout le reste de l'arsenal dont nous disposons. Il nous est totalement égal de prescrire de l'ail ou de l'aspirine. Les médecins n'y ont aucun intérêt financier, contrairement au conseiller en produits naturels dont le revenu dépend de la vente. Les médecins ne prescrivent que ce qui est indiscutablement efficace, en suivant les recommandations des sociétés médicales, tirées des études comme celles de l'aspirine. C'est la base de l'éthique médicale. Que ce soit en prévention ou en traitement, tout doit être documenté selon la méthode scientifique: observation – théorie – expérimentation – preuve. À l'inverse, ce qui est démontré inutile devrait être décrié comme tel et abandonné. La médecine traditionnelle a reconnu plusieurs errances. Par exemple, elle ne fait pratiquement plus d'amygdalectomie, en raison d'une réévaluation de cette pratique et, surtout, parce que les antibiotiques sont aujourd'hui beaucoup plus efficaces. La vérité doit être la même pour tous.

On s'indigne que Loto-Québec perçoive l'argent du joueur indigent et compulsif des machines de vidéopoker. À tout le moins, cet argent revient à l'État qui le redistribue en mesures sociales et qui parraine des événements culturels. En se retirant de cette activité commerciale, l'argent du joueur irait dans les activités de la mafia. Il est tout autant pathétique de voir des gens à faible revenu mettre leurs espoirs et leurs sous dans le ginseng de Corée ou autre *ginkgo biloba*, au profit (littéral) du fabricant et du détaillant. C'est une des raisons pour laquelle nous ne recommandons pas de «produits naturels» sauf en cas d'efficacité bien documentée. Il y en a quelques rares exemples, pour des maladies très spécifiques.

Fleur, cœur et Van Gogh

Il est très probable que certains de ces «produits naturels» fassent partie des traitements reconnus en cardiologie, une fois validés, comme l'aspirine issue de l'écorce de saule. Et tant mieux, car c'est pour le bien-être de tous. L'histoire de la digitale en est un touchant exemple. Au Musée du Quai d'Orsay, il y a le portrait du docteur Gachet par Vincent Van Gogh. Le bon docteur, médecin du peintre, est accoudé à une table sur laquelle une fleur est déposée dans un verre. C'est une fleur de digitale pourprée. Le docteur Gachet en faisait des infusions pour traiter la schizophrénie de Van Gogh. Les vertus cardiaques de la digitale étaient aussi pressenties à l'époque. La recherche et l'histoire ont tranché : aujourd'hui, la digoxine, ou Lanoxin, extraite de la digitale, fait partie du traitement classique de l'arythmie et de l'insuffisance cardiaque. Mais c'est totalement nul pour la schizophrénie !

À l'époque, les préparations de digitale étaient très approximatives. On forçait parfois la dose par manque d'information. La forte dose n'a pas sauvé son oreille, mais explique une partie du style de Van Gogh. Une intoxication chronique à la digitale donne de la xanthopsie : voir des halos jaunes ou vert-jaune autour des objets. Halos omniprésents dans la peinture de Van Gogh ; voyez ses fabuleux ciels et soleils. Sans s'en douter, son médecin a influencé son style. L'effet papillon à partir d'une fleur. Depuis, la médecine moderne a su distinguer les vrais des faux effets de la digitale, en ajuster le dosage avec précision pour des indications adéquates. Évoluer d'une médecine « naturelle » vers une médecine « scientifique ».

Lorsque l'on nous demande si les médicaments « naturels » posent problème, il manque plusieurs données, comme au temps du bon docteur Gachet, pour répondre à la question : certains de ces « produits naturels » pourraient être bénéfiques. Mais on n'en sait rien. Non testés, ils peuvent aussi être dommageables à long terme ou causer des interactions néfastes avec des médicaments reconnus.

La brume commence heureusement à se dissiper et il commence à y avoir plus d'informations pertinentes et vérifiables sur les « produits naturels ». Du côté de la cardiologie, aucun « produit naturel » n'a effectué de percée ni donné de preuve d'efficacité. Par contre, depuis toujours, la médecine exploite plusieurs médicaments issus de la nature : fleur de pavot pour les narcotiques, fleur de digitale pour les arythmies, aiguille d'if pour les stents et le cancer, moisissures pour les antibiotiques, protéines de bactéries pour éclaircir le sang, feuille de pervenche pour les agents anticancéreux qui ont guéri les étoiles de hockey, Saiku Koivu et Mario Lemieux.

Le docteur Paul Gachet, immortalisé par Van Gogh au musée d'Orsay de Paris. Il tient à la main une fleur de digitale pourpre, source de la digoxine, utilisée dans l'arythmie et l'insuffisance cardiaque.

Rencontre de la médecine et de l'art : la xanthopsie dans l'œuvre de Van Gogh

On attribue au surdosage chronique de digitale les halos jaunes-verts typiques d'une époque de Van Gogh.

En haut : *Le semeur au soleil couchant*. En bas : *Nuit étoilée (cyprès et village)*.

La liste est longue. Dans plusieurs cas, ce n'est plus la molécule d'origine, mais un dérivé développé et sélectionné pour une plus haute efficacité et une meilleure sécurité que le produit natif. La nitroglycérine du coronarien, c'est de la dynamite. Mais nos chimistes et biochimistes ont travaillé à la rendre consommable, sans arrière-pensée.

Il est particulièrement hérissant de voir à la télévision des matraquages publicitaires vantant les prétendues vertus de «l'ail cryogénik» ou du «cholestol» sur les maladies cardiaques. Vous pouvez conter ça à qui vous voulez, mais pas à moi. C'est le vide total d'informations sérieuses. Le comble: en cherchant des références et publications sur le «cholestol», j'ai trouvé un site américain d'aliments naturels, vantant et vendant un produit semblable. Après trois pages de prose ronflante et pseudoscientifique décrivant les bienfaits du produit contre le haut cholestérol, il était écrit en fin de texte en tout petits caractères:

Ces affirmations n'ont pas reçu l'approbation de la FDA. Ce produit n'est pas destiné à diagnostiquer, traiter, guérir ou prévenir une maladie. (traduit par l'auteur)

Plutôt intriguant comme déclaration finale sur un médicament «naturel». Mais probablement honnête.

Autre énoncé mystère sur un «produit naturel» semblable:

*Il n'existe aucune interaction médicamenteuse connue entre «X» et d'autres produits de santé ou médicaments. Toutefois, il est **évident** que l'on ne doit pas utiliser en même temps «X» avec un médicament d'ordonnance pour le cholestérol.*

Désolé. Je ne suis que professeur agrégé spécialiste du cœur et je ne saisis pas «l'évidence». Hormis la crainte de poursuites…

C'est d'autant plus navrant que les publicités de «produits naturels» sont souvent diffusées pendant les émissions du réseau public, confondant deux crédibilités. Une pub d'«ail sulfogénik» lors d'un reportage sur une chaîne publique, référence de crédibilité, est un curieux mélange des genres et envoie un message trouble, comme les athlètes olympiques subventionnés par les compagnies de *fast-food*.

Le bon point à retenir de ces publicités est qu'il est toujours fait mention que, «*avec une saine alimentation et de l'activité physique, le produit X contribue au maintien de la santé cardiovasculaire*». Accord unanime de tous les experts en santé sur les deux premiers items. Mais le troisième peut rester sur les tablettes, voire être banni des pharmacies. Il y a d'autres priorités considérant nos ressources financières.

Par contre, des interactions entre les «produits naturels» et les médicaments d'ordonnance commencent à être de plus en plus décrites. Certaines sont franchement inquiétantes. Le Collège des médecins du Québec a émis une mise en garde et a établi une liste de «produits naturels» susceptibles d'interférer avec les médicaments. Cette mise à jour doit se poursuivre pour éclairer notre pratique et protéger la population. De plus, les étiquettes des «produits naturels» ne révèlent pas nécessairement tous leurs ingrédients. Les effets indésirables ou les interactions attribués à un «produit naturel» peuvent, en réalité, être causés par une autre plante, un médicament ou un métal lourd présent dans la formulation, mais non mentionné. Où est notre droit à l'information? Enfin, plusieurs personnes ne mentionnent pas au médecin qu'ils prennent des «produits naturels», simplement parce qu'on ne sait pas que cela a de l'importance ou pour ne pas lui déplaire, augmentant ainsi la confusion.

En quoi cela importe-t-il au cardiologue et à ses patients? Le Collège des médecins du Québec fournit quelques exemples d'interactions:

Pour la griffe du diable, le dong quai, l'ail, le ginkgo, la glucosamine, le ginseng:

> *Risque hémorragique pour les patients utilisant la warfarine (Coumadin) utilisée pour anticoaguler ou «éclaircir» le sang. L'effet du Coumadin est amplifié entraînant un* **risque d'hémorragie, incluant l'hémorragie cérébrale**.

Vu récemment à la clinique d'anticoagulant: un patient dont l'effet du Coumadin, un puissant anticoagulant destiné à prévenir les embolies cérébrales, était élevé de façon dangereuse. Il était à haut risque d'hémorragie, alors qu'il était bien stable depuis des années. Questionné sur ce qui avait changé depuis la dernière visite, il relate qu'il avait récemment commencé de l'ail en comprimé. L'action du Coumadin s'en est vue amplifiée de façon dangereuse. Si sa visite avait eu lieu quelques semaines plus tard, il aurait pu faire une hémorragie mortelle.

En ce qui concerne le millepertuis :

Baisse de la concentration de digoxine mettant à risque les patients de **tachyarythmie** ;

Baisse de concentration de cyclosporine utilisée chez les greffés (cœur, rein, foie) mettant à risque les patients de **rejet de l'organe greffé**.

Une greffe d'organe, c'est le travail acharné d'une énorme équipe dévouée autour d'un miraculé, au coût de cinquante à cent mille dollars par an. Flambée par un granule ! Plus troublant : en Allemagne, le millepertuis est maintenant considéré comme un antidépresseur et est délivré sur ordonnance, c'est-à-dire sous surveillance médicale. Les Allemands ont été les premiers (des preuves restent à faire) à reconnaître le pouvoir thérapeutique de cette herbe. Le pouvoir thérapeutique pouvant être utile ou nuisible, ils encadrent son administration.

En ce qui concerne l'ail :

Crises d'hypoglycémie *chez les diabétiques par interaction avec les hypoglycémiants et l'insuline.*

En ce qui concerne le ginkgo biloba :

Saignements *dus à l'amplification de l'activité anticoagulante de l'aspirine.*

La palme revient à la récente alarme de Santé Canada faite en octobre 2006 :

Santé Canada déconseille l'utilisation de deux produits de santé naturels non homologués en raison de leur contamination par des métaux lourds. Santé Canada avise le consommateur de ne pas utiliser les produits de santé naturels non homologués

Emperor's Tea Pill *(Tian Huang Bu Xin Wan) et* Hepatico Extract *(Shu Gan Wan) parce que certains lots de ces produits ont une forte teneur en plomb et en mercure.*

Emperor's Tea Pill se vend pour traiter l'insomnie, l'épuisement, les palpitations et la constipation. Hepatico Extract se vend pour traiter les gaz abdominaux, le hoquet, les éructations, les selles molles et le manque d'appétit. Ces deux produits sont fabriqués par Lanzhou Traditional Chinese Herbs of China.

La consommation de métaux lourds comme le plomb et le mercure peut compromettre sérieusement la santé, car ces substances s'accumulent dans les organes vitaux. Les nourrissons, les enfants et les femmes enceintes sont plus vulnérables aux effets toxiques des métaux lourds. L'intoxication par le plomb, appelée saturnisme, se manifeste par des douleurs abdominales, de l'anémie, une fluctuation de la pression artérielle, des effets génésiques, de la faiblesse, des problèmes de concentration, une perte de poids, de l'insomnie, des étourdissements, des lésions rénales et cérébrales, et même la mort. Quant au mercure, il peut causer de l'irritabilité, des tremblements, de l'amnésie, de l'insomnie, des problèmes de concentration, des lésions rénales et cérébrales permanentes, et la mort.

Le principe de précaution s'impose. Si nous ne sommes pas malades, ces produits sont inutiles jusqu'à preuve du contraire. Si nous sommes malades, ces produits sont inefficaces, sauf dans de très rares exceptions. Si nous prenons des médicaments, ces produits peuvent être nuisibles. En tout état de cause, ces produits devraient être évalués avec la même rigueur que tout traitement médical et non pas considérés comme de simples suppléments alimentaires. En fait, la même errance se voit avec les suppléments alimentaires qui ne sont pas si bénins sur notre santé. Pensons aux gras trans, aux huiles partiellement hydrogénées, initialement perçues comme un innocent supplément alimentaire, élément de base de l'huile Crisco. À eux seuls, les gras trans sont la cause de 25 % des maladies cardiaques en Amérique. Nous y reviendrons au chapitre 9, «Avoir le cœur gros».

Les suppléments alimentaires obtiennent la faveur du public lorsque l'on découvre une propriété bénéfique d'un aliment. On tente d'en isoler le secret. Par exemple, le poisson est reconnu pour être bénéfique pour le cœur, car il est riche en acide gras omega-3. Il est très bien documenté que les populations mangeant une part importante de poisson ont moins de maladie coronarienne. Mais il n'est pas prouvé que la prise de comprimés d'omega 3 diminue l'incidence de maladie coronarienne.

Une étude japonaise (*The Lancet*, mars 2007) a été incapable de documenter chez des personnes en bonne santé un bénéfice à prendre des suppléments d'omega-3 (1 800 mg d'EPA ou l'acide eicosapentenoic, un acide gras polyinsaturé à longue chaîne omega-3). Toutefois, on y trouvait un bénéfice chez les coronariens connus, soit une baisse de 19 % d'accidents cardiaques. Attention : cette baisse est très faible. On le réalise mieux avec les chiffres : 3,5 % d'accident chez les coronariens prenant un placebo contre 2,8 % chez ceux prenant des omega-3 : 1,3 % de différence. Autre nuance, il n'y avait pas de différence en mortalité, que l'on prenne de l'omega-3 ou non. De fait, il y avait même un tout petit peu plus de morts chez ceux prenant l'omega-3. L'omega-3 ne rend pas immortel. Ce que les études ont clairement établi, c'est que les aliments riches en omega-3 sont bénéfiques pour tout le monde. Ces aliments ont des propriétés croisées qui ne se limitent pas à un seul ingrédient. D'où l'intérêt pour des aliments aussi naturels que possible et pour la façon de les apprêter. Sur cette question, on peut se référer au Guide canadien de l'alimentation et au site de la Fondation des maladies du cœur.

Plus encore : on questionne très sérieusement la bénignité des multi-vitamines comme supplément sans indication médicale claire. Un groupe danois vient de publier des données dans le prestigieux *JAMA*, une revue exhaustive de 68 études internationales portant sur 232 606 patients. Ces études avaient comme point commun d'analyser l'effet d'ajout de vitamines à leur alimentation. Surprise : non seulement l'ajout de suppléments de bêta-carotène, de vitamine A, de vitamine C, de vitamine E et de sélénium n'apportait pas d'effet positif mesurable sur la santé mais *la mortalité était augmentée* de façon significative chez ceux prenant du bêta-carotène, de la vitamine A et de la vitamine E. On n'a noté aucun effet avec la vitamine C et le sélénium. Si on y pense bien, ces résultats ne sont pas surprenants. L'Occident, tout particulièrement l'Amérique du Nord, surconsomme la nourriture. Tous les éléments essentiels de type vitamine et oligo-élément se retrouvent en abondance dans notre nourriture. Il suffit de bien la choisir. L'excès de vitamines peut avoir des effets délétères, au même titre que l'abus d'eau (appelée potomanie) peut intoxiquer une personne, même s'il est évident que l'eau est une prémisse essentielle à toute vie. Tout est question d'équilibre.

La médecine traditionnelle s'est souvent interrogée sur l'engouement envers ces méthodes alternatives. Il est certain que la médecine traditionnelle n'a pas réponse à tout et qu'une autre approche est souvent tentée par les personnes non soulagées et laissées sans solution par la médecine classique. Particulièrement dans le champ des maladies incurables et chroniques. Il y a aussi des croyances frôlant le mysticisme, difficiles à rationaliser autrement que par l'éducation. Autre aspect problématique au Québec : la difficulté d'avoir accès à un médecin de famille, conséquence de plusieurs mauvaises décisions de politique de santé, la plus tristement fameuse étant la mise à la préretraite de milliers de médecins, de techniciens et d'infirmières par Jean Rochon, ministre de la Santé de l'époque.

Admettons l'efficacité de l'approche des représentants de produits naturels, empreints de disponibilité et d'écoute, ce qui semble manquer de plus en plus dans notre système. Évidemment, le revenu de ces représentants dépend de leurs ventes, d'où l'importance d'avoir une approche séduisante. L'ancien médecin de famille, disponible, affable et empressé, semble prendre le chemin des espèces en voie de disparition. Les errances politiques ajoutées à la charge de travail décuplée ont empiété sur le temps dévolu à la relation humaine. Pourtant, cette valeur est primordiale pour les médecins et il s'en faut de peu à plusieurs niveaux du système de santé pour qu'elle ressurgisse.

Réhabilitation des médecines alternatives

Un virage important s'effectue depuis 20 ans dans les organismes publics et les facultés de médecine. Il s'agit de la médecine intégrée. Ce n'est pas une nouvelle médecine mais, comme son adjectif le souligne, d'une meilleure intégration de nos connaissances. On y réaffirme l'importance de la relation médecinpatient, l'accent sur la totalité de la personne, l'utilisation sur des données probantes de toutes les approches thérapeutiques et des disciplines incluant les médecines alternatives et complémentaires pour atteindre une santé optimale et la guérison. Suite à une recommandation de l'*Institute of Medicine of the National Academies*, les écoles de médecine nord-américaines, incluant celles du Québec, réorientent leur formation.

Un médecin qui suivra cette voie pourra employer des approches et des techniques appartenant aux médecines alternatives et complémentaires *à la suite d'études bien faites, d'une évaluation et d'une indication favorable, répondant aux exigences de sécurité et d'efficacité.* L'oncologie voit l'émergence d'une approche intégrée : à la triade classique de chirurgie, chimiothérapie et radiothérapie s'ajoutent des modalités de médecine alternative tels la massothérapie et le toucher thérapeutique avec des premiers résultats encourageants.

En maladie cardiaque, j'ai été récemment convié par le directeur du centre de recherche de l'ICM, Jean-Claude Tardif, à participer à une étude du NIH sur la *chélation* de l'athérosclérose, une sorte de «Drano» médicamenteux. La chélation est un traitement de médecine alternative qui a cours depuis des années sans que l'on en connaisse trop les effets. Le NIH a pris le taureau par les cornes et demande aux meilleures institutions nord-américaines de valider la place de ce traitement dans une étude rigoureuse et bien faite, selon toutes les normes scientifiques. Est-il possible que la chélation, autrefois source de risée du monde scientifique, devienne une pièce importante de notre arsenal? Oui, le NIH n'investit pas des dizaines de millions de dollars à la légère. L'étude peut aussi être négative. Chose certaine, elle a dû être faite bien avant d'introduire la pratique, subventionnées par ceux qui tirent aujourd'hui des fortunes de ces traitements sans preuve d'efficacité thérapeutique.

Plavix, paperasse et papelard

Revenons aux traitements cardiologiques classiques. Une mise en garde aux patients ayant reçu un stent doit être faite. Aujourd'hui, la pose d'un stent implique automatiquement la prise du clopidogrel (Plavix) avec de l'aspirine pour une durée de 1 à 12 mois, selon le type de stent et la condition du patient. Le Plavix associé à l'aspirine empêche les plaquettes d'adhérer au stent et le maintient bien perméable pendant la guérison de l'artère. Sinon, il y a risque élevé de thrombose du stent et d'infarctus aigu.

Le Plavix est coûteux, environ trois dollars canadiens le comprimé. Le ministère de la Santé en a fait un médicament d'exception pour en contrôler les coûts. Encore du papier. À chaque prescription de Plavix, il faut remplir un formulaire justifiant son usage et le faxer au ministère de la Santé. Celui-ci autorise alors le remboursement à la pharmacie, sinon le patient doit en payer le plein prix.

Si la pharmacie n'a pas reçu du Ministère l'autorisation du remboursement au cours du délai du processus d'autorisation, il arrive que des patients repartent de la pharmacie sans leur médicament, incapables de le payer. Danger de thrombose et d'infarctus dans les jours qui suivent. En raison de ce problème, le CHUM, comme plusieurs hôpitaux, a instauré une procédure de fax rapide et automatique au Ministère dès la sortie du patient du laboratoire. Heureusement, suite aux pressions, le Ministère vient tout récemment de simplifier le processus d'autorisation de médicaments d'exception. Réitérons l'importance de prendre le Plavix tel que prescrit, c'est d'une importance vitale. Un retard bureaucratique ou une négligence ne doit pas se solder par un infarctus.

Autre impact à encadrer : les médias. La médecine est toujours contente de voir ses hauts faits d'armes rapportés par les médias. Mais toute nouvelle d'ordre médical envoyée par les agences de presse devrait être certifiée ou interprétée par des experts. Sinon, c'est le cafouillage. En quoi cela importe-t-il au cardiologue?

En mars 2006, une étude a été présentée au congrès de l'*American College of Cardiology*, tenu à Chicago. Elle comparait l'usage de l'aspirine en *prévention primaire* chez des patients avec facteurs de risque, mais *sans maladie cardiaque*, à une combinaison d'Aspirine et de Plavix. L'étude était négative. Pire, il y avait plus d'événements négatifs, surtout saignements, dans le groupe avec Plavix. Donc la combinaison Aspirine/Plavix a été déconseillée en *prévention primaire chez les patients non cardiaques*. La nouvelle a été rapportée sans nuances et court-circuitée : il ne faut pas utiliser Aspirine et Plavix ensemble.

Bombe chez nos patients qui avaient reçu un stent dans l'année, soit 14 000 personnes au Québec en 2005. Commotion aux États-Unis, où un million de stents sont implantés annuellement. Ils étaient tous sous Aspirine *et* Plavix, tel qu'universellement recommandé!

Plusieurs ont immédiatement cessé de prendre le Plavix. D'innombrables coups de téléphone ont été reçus de patients inquiets qui voulaient revoir leur médecin. Déjà qu'au Québec les cliniques sont surchargées, imaginez avec une crise sans fondement. Ce n'était pas vraiment nécessaire. La combinaison Aspirine/Plavix est *essentielle* après la pose d'un stent, pour une période allant de 1 à 12 mois, selon les indications, ou c'est le risque d'une thrombose de stent résultant en infarctus aigu avec une mortalité de 15%.

C'est pour cette raison que le cardiologue se mêle de cette question. C'est lui qui est responsable de protéger son patient. C'est lui qui se fait réveiller en urgence à deux heures du matin pour dilater un patient en infarctus aigu à cause de l'arrêt inapproprié de son médicament. Le risque de mourir de ce patient est de un sur six parce que certains articles de journaux sont mal documentés. La roulette russe de l'information bâclée. Ce n'est pas une «précision» en bas de la page huit, l'acte de contrition suprême pour une première page erronée, qui va y changer quoi que ce soit.

L'exemple du Plavix est dramatique, mais tous les médicaments, particulièrement en cardiologie, doivent être pris avec rigueur. Et la liste bien tenue. Trop de patients consultent sans avoir une liste claire de leurs médicaments. La description «petite bleue» et «grosse jaune» sont de peu d'utilité sachant qu'il y a sept couleurs dans l'arc-en-ciel et plusieurs milliers de médicaments. J'ai une vieille boutade: «Ma voiture est bleue, de quelle marque est-elle?»

Les pharmacies ont innové de façon très utile en créant une liste des médicaments de chaque patient. Celle-ci est informatisée, précise, insérable dans le portefeuille avec la carte d'assurance-maladie. Heureuse initiative de nos collègues pharmaciens: cette liste est littéralement vitale pour toute personne prenant des médicaments. En cas de perte de conscience ou d'accident hors du domicile, le service d'urgence connaîtra immédiatement la médication du patient et prendra rapidement les bonnes décisions. Le bout de papier qui sauve des vies. En attendant le dossier informatisé.

Les baïonnettes et l'opium

La prise d'otages à l'Opéra de Moscou par les Tchétchènes en octobre 2002 fut durement gérée par les militaires russes, faisant cent vingt morts parmi les otages. Que s'est-il passé dans ce haut lieu de la culture, dans cet Opéra qui a vu les créations de grands esprits de l'humanité, les Stravinsky et autres Tchaïkovski? L'explication est arrivée quelques jours plus tard. Ces otages sont morts par surdose d'un narcotique utilisé par les militaires russes pour gazer le commando tchétchène. Stupeur: ce narcotique, nous l'utilisons tous les jours.

C'est le fentanyl, dérivé synthétique de la morphine. Comme l'aspirine et la nitroglycérine, les molécules que Mère Nature nous a données ne sont pas toujours parfaites, morphine incluse. La morphine fait chuter la pression et donne beaucoup de nausées, sans être très efficace pour la douleur vive. Trois mauvais points dans le traitement de l'infarctus. Nos sculpteurs de molécule, nos chimistes et biochimistes, savent aujourd'hui délicatement et précisément modifier la structure d'une molécule naturelle pour la rendre meilleure. De là est né le fentanyl, un opiacé raffiné permettant de soulager des douleurs extrêmes, particulièrement celle de l'infarctus, avec peu d'effets sur la pression, pas de nausées et une grande efficacité de soulagement. À utiliser avec doigté: 80 fois plus puissant que la morphine. Continuellement confronté à la douleur aiguë, le cardiologue devient par l'usage un expert de son contrôle. Tout particulièrement lorsqu'il doit faire une intervention délicate chez quelqu'un de très souffrant, tel une dilatation d'urgence pour infarctus aigu. Nous soulageons la douleur, le temps de corriger sa cause en ouvrant l'artère bloquée, amenant un soulagement définitif par le flot de sang frais dans le cœur asphyxié.

Un surdosage de narcotique provoque un arrêt respiratoire. Contre cela, il y a un excellent antidote : la naloxone ou Narcan, également issue du talent de nos sculpteurs de molécules. Un opiacé sans effet. Il prend la place du médicament surdosé au niveau des récepteurs d'endorphines du cerveau, les morphines humaines. Si un patient présente un surdosage aux narcotiques opiacés, il suffit de lui donner de la naloxone par son soluté, l'affaire de quelques secondes et il revient à lui.

J'étais ahuri que les médecins russes n'aient pas été avisés par l'armée que les otages étaient gazés au fentanyl. Impuissants, ils ont vu mourir cent vingt personnes, alors qu'il était si simple de les sauver. Plusieurs manœuvres ont été tentées au jugé, mais l'information vitale pour la réanimation a été gardée secrète et non transmise aux médecins. Je tiens cette information de deux médecins moscovites rencontrés à un congrès international.

Exemple dramatique, mais qui souligne l'importance de l'information au bon moment ; d'où la petite liste du pharmacien dans le portefeuille.

CHAPITRE 7

Stress et *stress test*

Les mythes ont la vie dure

O ctobre 2006. Le populaire chansonnier Jean-Pierre Ferland est terrassé par un AVC. Le journal titre à la une: «Trop de stress: Jean-Pierre Ferland fait un AVC la veille de son spectacle d'adieu».

Les cardiologues partagent entre eux la même réserve sur la manière des médias de traiter les causes des maladies vasculaires. La plupart du temps, ces derniers martèlent un lieu commun: les maladies cardiaques sont causées par le stress. Lorsqu'un patient entre à l'hôpital pour un infarctus ou un AVC, invariablement ses proches et lui évoquent le stress comme cause de sa maladie cardiaque. *Robert est trop stressé, c'est pour ça qu'il est cardiaque.* Nous devons lire les mêmes journaux.

De longue date dans l'opinion populaire, le stress est associé à la maladie coronarienne. À tel point que la majorité des gens, confortés dans leur opinion par les médias, le décrivent comme une importante cause de maladie cardiaque.

Parmi les causes de la maladie cardiaque, le stress a sa part de responsabilité, mais il faut la resituer dans son contexte.

Stress et cœur: les paradoxes

En science, la qualité de la mesure de ce que l'on observe est un élément majeur. Il est facile de déterminer qu'une personne est hypertendue ou pas: prise de tension directe. Toutefois, les variables psychosociales comme le stress sont difficiles à mesurer, encore plus d'une culture à l'autre. Nombre d'études établissent progressivement des liens entre les marqueurs de stress et la maladie coronarienne. Cependant, beaucoup de controverses persistent, surtout parce que la perception et la mesure du stress ne font pas l'unanimité.

L'étude *Interheart*, menée auprès de 25 000 personnes vivant sur tous les continents, a comparé le niveau de stress chez des survivants d'infarctus à celui de personnes de condition semblable, mais ne souffrant pas de maladie cardiaque. Les sujets répondaient à des questions sur la perception de leur stress dans quatre sphères d'activités : résidence, travail, finances et événements majeurs. Cette étude conclut que la présence de stress psychosocial est associée à un risque augmenté de faire un infarctus.

Toutefois, plusieurs experts estiment que l'étude comporte une faiblesse importante. C'est d'avoir fait une recherche *rétrospective* de la mesure du stress, c'est-à-dire *après* l'infarctus. On induit ainsi un élément biaisé : la perception qu'un stress ancien peut s'aggraver après une maladie grave, comme un infarctus. Pendant des années, on a dit aux femmes que les hormones de remplacement protégeaient de la maladie cardiaque, conclusions d'études rétrospectives. Les premières études prospectives ont découvert exactement l'inverse.

L'étude idéale sur le stress se fera de façon prospective dans une population générale. Sa tâche sera de savoir si l'on peut prévoir, en fonction du niveau de stress, les risques de développer la maladie. Certaines études prospectives y ont vu une association, d'autres non. À titre d'exemple, évoquons l'étude MRFIT, qui se prononce *Mister Fit*, avec l'éternel côté bon enfant américain. Cette étude qui a porté sur 12 000 sujets pendant neuf ans démontre que, chez les personnes accumulant plus de trois conditions majeures de stress, du type renvoi ou déclassement professionnel, le taux de mortalité cardiaque est augmenté de 26 %. Autant pour les divorcés chez qui la mortalité cardiovasculaire est 37 % plus élevée que ceux restant mariés. Cette observation est contredite par d'autres études dont l'étude *Job strain and coronary heart disease* portant sur des milliers de sujets et qui, comme d'autres études d'ailleurs, ne détectait pas de variation d'accidents cardiaques selon le niveau de stress.

Autre paradoxe : le dernier rapport de l'Institut canadien d'information sur la santé démontre que le Québec est la province où l'on rapporte le plus haut taux de stress et de divorce. Mais c'est aussi, selon ce même rapport, la province où l'espérance de vie est l'une des plus hautes du monde et où le taux de mortalité cardiaque a baissé de 300 % depuis 50 ans.

Autre questionnement. Les échelles et questionnaires sur le stress s'entendent pour mettre aux premiers rangs des stress la mort d'un conjoint, d'un enfant, d'un parent. Dans l'actuel conflit en Afghanistan, le Canada a perdu à ce jour plus de soixante soldats. Nous sommes témoins du niveau élevé de stress que vivent leurs familles et leur entourage. Reportons-nous en 1914-1918 : soixante mille de nos soldats (le dixième de nos troupes) sont morts au combat. On peut facilement présumer du formidable niveau de stress que nos grands-parents ont connu. Or, à l'époque, la maladie coronarienne était peu courante au Canada, beaucoup moindre qu'aujourd'hui. Situation plus dramatique pour la France qui a vu mourir 1,4 million d'hommes, un sur dix, un véritable génocide masculin avec sa cohorte de familles meurtries, vivant d'angoisse jusqu'à la fin de la guerre en 1918. Un pays complet en stress profond et chronique. Encore là, un faible taux de maladie coronarienne, beaucoup plus faible qu'aujourd'hui.

Dans les grandes études épidémiologiques, tel Framingham, le stress comme facteur de risque ressort souvent de façon marginale ou contradictoire. Les études se suivent et se contredisent, contrairement à celles portant sur le tabac, l'obésité, l'hypertension, le cholestérol, le diabète, la sédentarité, de plus en plus claires et affirmées depuis plus de 50 ans. À une époque, on nous enseignait que les personnalités de type «A», caractérisées par l'angoisse du temps, la promptitude à réagir et à la colère, étaient considérées comme à risque de maladie cardiaque. Cette notion est encore floue, controversée, et ne fait plus partie de l'histoire de cas de cardiologie.

Devant ces paradoxes, le docteur François Lespérance rappelle l'importante subjectivité dans la perception du stress, d'une population à l'autre.

Chef de la psychiatrie du CHUM, il est un expert international sur les relations entre la dépression et la maladie cardiaque. Nous savons que les survivants d'infarctus qui sont déprimés ont une morbidité plus élevée que les autres. Ses travaux portent sur l'efficacité des traitements pour la dépression dans le postinfarctus. Il est, entre autres, le premier auteur d'une importante étude, publiée dans le *JAMA*, portant sur le bénéfice des antidépresseurs chez les déprimés après un infarctus qui diminuent la morbidité cardiaque.

Pour illustrer la subjectivité dans ce domaine des études médicales, voici deux illustrations de stress «physique» et «psychologique» rapportées dans *Psychologie* de David Myers.

Physique

Marchant le long d'un sentier menant à son camp de vacances dans les montagnes, Karl entend un bruissement à ses pieds. Lorsqu'il aperçoit un serpent à sonnettes, son corps se mobilise pour le combat ou la fuite : ses muscles se contractent, l'adrénaline se répand, son cœur bat très fort et il s'élance vers la sécurité du camp. Une fois là-bas, les muscles de Karl se détendent progressivement, les battements de son cœur et sa respiration s'apaisent.

Psychologique

Karen quitte son appartement et, retardée par des travaux sur la route, arrive au parking de la gare pour voir le train de 8 h 05 démarrer sous son nez. Prenant le train suivant, elle arrive tard dans le centre-ville et doit se frayer un chemin à travers la foule de piétons pressés. Une fois à son bureau, à la banque, elle s'excuse auprès de son premier client, qui se demande où elle était et pourquoi son relevé trimestriel d'investissement n'est pas prêt. Elle remarque ensuite que ses muscles sont tendus, ses dents serrées et son estomac contracté.

La réponse de Karl au stress lui a sauvé la vie ; celle de Karen, si elle devient chronique, peut augmenter ses risques d'avoir une maladie de cœur, une hypertension ou d'autres problèmes de santé liés au stress.

Ces manifestations chez Karl et Karen s'expliquent par plusieurs sécrétions physiologiques à l'agression (cortisone, adrénaline, cytokine, interleukine, etc.) bien connues depuis longtemps et enseignées aux étudiants de première année en sciences de la santé. Cependant, l'affirmation «peut augmenter ses risques d'avoir une maladie du cœur» semble un raccourci questionnable. Où est la preuve? Voilà le classique lieu commun encore mal étayé. Par ailleurs, la rencontre avec un serpent à sonnettes est décrite comme un stress physique, ce qui est discutable: Karl a *vu* le serpent, mais n'a pas eu d'attaque *physique*. Toutefois, plus loin, l'auteur pointe un élément important de l'interaction stress-cœur : «*Se sentant sous pression, il se peut que Karen dorme moins, qu'elle fasse moins d'exercice, qu'elle fume et boive plus, mettant ainsi à long terme sa vie en danger*».

Ajoutons un autre exemple de stress, tiré d'un poignant article de Michèle Ouimet, journaliste au journal *La Presse*, sur un camp de réfugiés :

Je vous ai déjà parlé du jeune Youssef, de sa fuite affolée du camp de réfugiés dans un autobus de fortune, des tirs de mitrailleuses, de sa mère morte et de lui, touché au ventre et au dos. Blessé gravement, il flottait entre la vie et la mort. Pâle, souffrant, il semblait perdu dans l'immensité de ses draps blancs. Son corps va un peu mieux, mais son âme, elle, va mal.

Youssef ne savait pas encore que sa mère, enceinte, avait succombé à ses blessures, Il a fini par apprendre la vérité. Il a été blessé, meurtri. Il n'a que dix ans.

«Le traumatisme est très profond, constate sa psychologue. Il a des phobies. Il refuse de dormir, il pense que quelqu'un va le tuer dans son sommeil. Il fait des cauchemars, toujours le même. Il revoit les balles qui sifflent, la panique, les cris, le corps de sa mère qui s'affaisse et lui, blessé.»

On pourrait croire Youssef et ses proches plus stressés que Karen et les siens... Paradoxe: le faible taux de maladie coronarienne au Darfour, Soudan, Rwanda, Afghanistan, Palestine, chez ces populations soumises à des génocides, guerres, pandémies, déportations, etc. Si l'on se réfère à l'*Atlas of Cardiovascular Disease* de l'Organisation mondiale de la santé, ces populations soumises à des stress ahurissants ont des taux de maladies coronariennes de trois à cinq fois moindres que les nôtres. Cependant, l'étude *Interhearth* montre que de façon constante, d'un pays à l'autre, le stress chronique intense est associé à un risque plus élevé de faire un infarctus. Nuance encore : il faut pondérer ce risque avec tous les autres facteurs (tabac, obésité, cholestérol, etc.) qui ont un impact encore plus important sur la santé.

Il est intéressant de constater que *angor (angine) et angoisse* ont la même étymologie. Ce n'est probablement pas un hasard. Chez les grands anxieux, les manifestations d'angoisse sont souvent semblables aux crises cardiaques : serrement dans la poitrine, boule dans la gorge, souffle court. Toutefois, les personnes victimes d'angoisse chronique qui ont vécu une vraie crise cardiaque font facilement la différence, de manière rétrospective, entre leurs deux symptômes. Les gens victimes d'angoisse suscitent une réelle empathie. Une chose est frappante : les gens en crise d'angoisse, déroute psychologique temporaire, semblent exprimer une souffrance aussi intense que les patients en pleine crise cardiaque. La différence n'est pas toujours facile à établir et nécessite souvent un bilan pour faire la part des choses.

Stress et maladie cardiaque
Le stress peut causer de l'angine

Un violent stress entraîne une décharge d'adrénaline et autres hormones de combat avec poussée de pression et accélération du pouls. La réaction est bien décrite dans les travaux pionniers sur le stress d'Hans Selye, de l'Université de Montréal. Un classique : la dispute qui résulte en crise d'angine. On peut provoquer une crise d'angine chez un coronarien par un stress psychologique exactement comme nous la provoquons sur un tapis roulant : en accélérant le cœur et en élevant la pression. Les Américains appellent d'ailleurs l'épreuve sur tapis roulant le *stress test*.

Nuance d'importance : le stress ne bouche pas les artères. Mais il peut causer de l'angine chez la personne qui a une artère malade et rétrécie, tout comme un effort.

En 1775, le pathologiste écossais John Hunter décrit un patient qui, «dans un accès subit et violent de colère, tomba au sol et mourut sur le coup». L'histoire a de curieux cycles: après une violente dispute avec un collègue, Hunter lui-même fit une crise d'angine et mourut subitement... du syndrome qu'il avait été le premier à décrire. Rien que pour cela, on pourrait appeler la cause de sa mort, la mort subite due à l'infarctus, le Syndrome de Hunter. En s'emportant, Hunter s'est rompu une plaque d'athérosclérose, l'artère s'est thrombosée, le muscle a manqué d'oxygène et il est tombé en «épilepsie cardiaque», en fibrillation ventriculaire. Comme André Merlot devant l'ascenseur, au chapitre 1. Sauf que Merlot vivait un moment heureux auquel il était habitué, sa troisième paternité. Le stress de Merlot aurait-il rompu une plaque de gras? Possible, voire probable. Mais j'ai très bien vu cette plaque avant de la réparer en dilatant l'artère. Sans plaque d'athérosclérose, Merlot et moi ne nous serions pas connus. J'aurais préféré le rencontrer en d'autres circonstances.

C'est en 1775, avec Hunter, que la notion de stress causant la crise cardiaque est entrée dans le monde médical. Mais cette déduction faite par la médecine officielle d'alors restait superficielle. Si on recherche la «dispute» la plus stressante qui soit, la palme irait probablement aux jeunes soldats qui s'affrontent sur une ligne de feu. Aucune règle, sauf survivre. La rage du guerrier et la peur de mourir. Pourtant, aucune crise d'angine ou mort subite malgré ce stress hors du commun, parce que leur cœur est sain. Par contre, nous avons tiré d'autres leçons des jeunes soldats américains de 18 à 20 ans morts au Vietnam. Leurs autopsies ont démontré que les débuts de la maladie coronarienne existent chez les jeunes Nord-Américains de cet âge. Il y a apparition de ce que les Américains appellent *fatty streaks*, des stries graisseuses sur la paroi des artères, l'embryon de la plaque athérosclérotique. Anomalies peu ou pas documentées chez les soldats vietnamiens du même âge.

Voici une expérience intéressante. On a fait des électro-cardiogrammes à un groupe de coronariens pendant la rédaction de leur rapport d'impôt. On observait autant d'anomalies sur les électrocardiogrammes que lors d'un effort physique modéré sur un tapis roulant! Un de mes facétieux étudiants a proposé une dispense médicale pour les rapports d'impôt...

Le rapport d'impôt ne génère pas la maladie coronarienne, tout comme le stress ne cause pas directement l'athérosclérose. Les deux provoquent une manifestation de l'athérosclérose, l'angine. Causer un symptôme est bien différent de causer une maladie. Le stress est le détonateur, mais la bombe est déjà en place. La confusion s'installe si on se fie aux apparences et qu'on s'y arrête. Tout comme en psychologie, il est facile de lier un symptôme à un stress ponctuel. C'est superficiel. Il est beaucoup plus difficile de trouver la cause profonde de ce symptôme, raison d'être des psychologues qualifiés.

Le stress peut déclencher des arythmies

Vu lors de mon externat : notre équipe de médecine interne venait de sortir de la chambre d'un patient âgé et frêle. À peine le dernier étudiant venait-il de sortir de la chambre qu'un grand bruit de chute retentit de la chambre. Dans la seconde, le groupe opère un 180 degrés vers la chambre. Nous nous attendions à secourir le patient couché à terre, victime d'une chute brutale tant le bruit était violent. Au lieu de cela, notre patient était debout, stuporeux, bouche bée et tremblant de tout son corps. Expression la plus pure de la peur dans les yeux de ce pauvre homme, deux sphères au bleu délavé par des millions d'heures de regard sur le monde, exprimant sans filtre le désarroi de son âme. Devant lui, la cause de sa grande frayeur : la table d'appoint tombée au sol entraînant repas, couvert et ustensiles.

En l'aidant à se recoucher, nous finissons par comprendre qu'il a fait tomber la table accidentellement sans se faire mal, mais que le tintamarre lui a fait très peur. Tandis que nous l'examinons et tentons de le rassurer, nous réalisons qu'il était tombé en arythmie, la fibrillation auriculaire (ne pas confondre avec la fibrillation ventriculaire, mortelle instantanément) qu'il présentait de façon occasionnelle depuis deux ans. Quelques minutes avant l'incident, son cœur était bien régulier à l'examen. Pour nous, son arythmie semble bien avoir été déclenchée par sa peur. Mais il était connu pour être prédisposé à cette arythmie.

Toutes les spécialités s'entendent pour dire que, dans l'ensemble des maladies chroniques (sclérose en plaques, arthrite rhumatoïde, colite ulcéreuse ou angine), le niveau de stress peut influer sur la survenue et l'intensité des symptômes par l'intermédiaire d'un état inflammatoire biologique provoqué par le stress. Mais il n'a jamais été documenté que le stress soit l'agent causal unique d'une maladie physique, hormis des situations extrêmes comme la torture ou le syndrome post-traumatique. On peut tuer en torturant, mais il n'y a pas d'athérosclérose.

L'anticipation selon Suzuki

L'histoire nous rappelle qu'il y a eu beaucoup d'errances, certaines toutes récentes, dans l'approche du tandem stress-maladie. Comme dans toutes les sciences, si on n'applique pas rigoureusement le quatuor observation – théorie – expérimentation – preuve, on se trompe. La puissance de ces quatre mots résulte en ce que David Suzuki définit comme le propre de l'humain : l'anticipation.

Montréal, octobre 2005. Laure Waridel, fondatrice d'Équiterre, organise une conférence portant sur les effets climatiques devant 4 000 personnes enthousiastes. Dans son propos, David Suzuki démontre que la différence majeure entre l'humain et l'animal est la capacité d'anticiper. Prévoir avec le maximum de données pour faire le meilleur choix possible.

Pour exemple, il y a à peine 30 ans, les anxiolytiques et les barbituriques figuraient dans le traitement classique des ulcères avec les anti-acides. «Vous avez un ulcère parce que vous êtes stressé…» Aujourd'hui, on sait qu'un grand nombre de ces ulcères traités autrefois à grand coup de Valium sont en fait dus à une bactérie, l'*Helicobacter pilori*. Le Valium et les barbituriques sont aujourd'hui disparus du traitement anti-ulcéreux, remplacés de façon efficace par des antibiotiques lorsque cela est indiqué. C'est un autre exemple historique où le traitement basé sur une déduction non prouvée s'avère non seulement inutile mais même nuisible. Cette mauvaise anticipation, ce raccourci populaire, a entraîné dépendance et effets secondaires créés par les anxiolytiques et les barbituriques, sans parler de leur inutilité et de leur coût. Il n'y avait pas eu d'étude rigoureuse sur l'efficacité des anxiolytiques contre l'ulcère et la notion de stress était encore une fois galvaudée. L'ulcère de stress existe bel et bien. Mais il ne faut pas l'employer à toutes les sauces.

La vérité sur l'ulcère est venue d'Australie. Les docteurs Barry Marshall et J. Robin Warren avaient posé l'hypothèse qu'une infection chronique pouvait causer une maladie chronique, en apparence non reliée. Pendant des années, ils ont accumulé plusieurs coïncidences et liens entre l'ulcère d'estomac et l'*Helicobacter pylori*. Beaucoup de scepticisme, voire d'ironie, du monde scientifique. Jusqu'à ce que Marshall avale une culture pure de *H. pylori*! Gastrite presque immédiate et premier stade d'ulcère. Marshall et Warren ont reçu le prix Nobel de médecine en 2005 pour leur découverte. Décidément, l'obtention du Nobel nécessite un don de soi…

Le stress peut causer un infarctus

Le stress peut causer un infarctus mais, encore une fois, chez quelqu'un prédisposé à le faire. Par exemple, un vieillard doit se faire opérer d'urgence pour une crise d'appendicite. Il a des plaques de cholestérol dans les coronaires dont certaines sont des mines prêtes à sauter. Il peut faire un infarctus provoqué par le stress physiologique de sa maladie et le choc opératoire. Une bonne décharge d'hormones et de protéines de stress ainsi que l'adaptation nécessaire à ce stress peuvent dépasser les capacités de ce cœur âgé et malade. Cela peut provoquer l'étirement et la rupture d'une plaque de cholestérol fragile et vulnérable. Le bouton de notre «acné cardiaque» se rompt et allume un de nos petits volcans sur lequel un caillot se formera. Un infarctus s'ensuit, complication redoutée et dévastatrice des chirurgies du troisième âge. En contrepartie, la quasi-totalité des patients au cœur sain, jeunes ou vieux, n'aura aucune complication cardiaque. Le même stress intense a peu d'effet négatif sur leur cœur, lequel aura vaillamment travaillé pour franchir l'épreuve. Comme celui des soldats au front. C'est un modèle comparatif simple pour évacuer une bonne partie de ce que les croyances populaires attribuent au stress.

Nous savons aussi que la plaque vulnérable peut se rompre en tout temps, que ce soit en dormant ou en pelletant. Le risque statistique de rompre une plaque athérosclérotique en pelletant est *légèrement* plus élevé qu'au repos. Mais pas pour un cœur normal. Avec un cœur sain, vous pourrez pelleter la neige de toute une rue si vous le voulez. L'étude du biorythme des infarctus nous montre qu'ils surviennent assez également à toute heure du jour et de la nuit, avec une légère hausse au petit matin, heure où nos taux d'hormones de combat sont au plus haut, batteries rechargées la nuit, en particulier l'adrénaline que nous sécrétons naturellement. Nombre d'infarctus surviennent en dormant. Ce pourquoi les hémodynamiciens se lèvent souvent la nuit.

L'infarctus du pelletage survient en général dans ce contexte :

–   Robert, 53 ans, obèse et cholestérol élevé, hypertendu mal contrôlé et sédentaire ;

–   découverte au petit matin que sa voiture est enneigée jusqu'au pare-brise ;

–   réunion importante à 8 h.

Et allez sur la pelle ! À peine dégourdi de son sommeil, température de moins 15 degrés, muscles à froid dans une intense poussée à un niveau jamais atteint le reste de l'année, fâché d'être en retard. Explosion de la plaque de cholestérol : le volcan est réveillé ! La personne pour qui pelleter est semblable à ses activités physiques régulières tout au long de l'année a peu de risque de faire un infarctus, même si elle est coronarienne. Nous reviendrons à l'activité physique comme pierre angulaire du traitement de la maladie cardiaque.

Cinquante-quatre pour cent des Canadiens sont sédentaires selon l'*Atlas cardiovasculaire canadien* de la Fondation des maladies du cœur. C'est le facteur de risque le plus répandu au Canada : 3 Canadiens sur 5 ne bougent pas assez. Pelleter est aujourd'hui une des rares dépenses d'énergie significative pour la plupart des Canadiens. Si Robert n'avait pas pelleté ce matin-là, il aurait pu faire son infarctus la nuit suivante, sa plaque d'athérosclérose étant « mûre ».

Déneiger la voiture est devenu un détonateur classique de l'infarctus. Mais la bombe doit être en place.

Bref, le rôle du stress dans les variables de la maladie coronarienne reste limité. Son influence est réelle, mais marginale et peu ou pas causale des dépôts d'athérosclérose dans nos artères. Si nous n'étions affligés que de notre stress de Nord-Américain, *à l'exclusion des autres facteurs de risque*, il y aurait *très peu* de maladie coronarienne au Canada, comme à l'époque de William Osler à la fin du 19e siècle, avant la montée épidémique de la maladie coronarienne en Amérique du Nord dans les années 1930-40 et avant celle de la Chine actuelle.

L'autre aspect flou très véhiculé dans les campagnes de promotion pour la santé cardiaque est la notion de «gestion de son stress». En toute candeur, je me suis souvent demandé ce que cela voulait dire. Les pistes semblent trop simples ou trop compliquées. Je ne suis certes pas un expert en santé mentale. Mais à l'instar des solutions de santé pour le cœur, celles pour le stress pourraient être beaucoup plus simples qu'il n'y paraît. Rose-Marie Charest, présidente de l'Ordre des psychologues du Québec et chroniqueuse à Radio-Canada, a fait en avril 2006 une rubrique éclairante sur le *burn-out*. Un facteur préventif du *burn-out* serait simplement l'attitude que nous avons les uns envers les autres. Cultiver la courtoisie, le respect, la valorisation des proches pourrait diminuer de beaucoup les charges mutuelles de stress. Sans empêcher rigueur, performance et réussite. Une situation identique prend une tournure aigre ou agréable simplement par le contexte émotif où elle se déroule. Chacun de nous peut contribuer à rendre un contexte agréable ou détestable. Le stress est extrêmement subjectif. La même personne dans la même situation peut être enchantée ou enragée, selon l'ambiance. La conduite automobile en est un exemple quotidien. Le réel respect de l'autre et la courtoisie sont des facteurs de baisse du stress et de prévention du *burn-out*. En outre, la plupart des gens qui semblent bien gérer leur stress ont deux choses en commun : une passion bien cultivée et un bon niveau d'activité physique.

Par ailleurs, on ne peut sous-estimer l'influence du stress dans l'entretien des facteurs de risque cardiaque, et c'est probablement sur ce plan qu'il joue un rôle majeur. Le stress peut porter à fumer, à trop boire, à trop manger, à consommer des drogues dont la cocaïne, un nouveau et solide facteur de risque d'infarctus, présenté au chapitre 10 «On achève bien les chevaux». L'automédication par ces différents «anxiolytiques» pour baisser notre stress peut entretenir ces authentiques causes de l'athérosclérose et, de là, la maladie coronarienne.

Notre société doit poursuivre son débat sur ce qui provoque et entretient le stress, écouter collectivement les experts pour diminuer l'automédication toxicomane. Nous avons le privilège d'avoir de multiples experts, tels Boris Cyrulnik et Rose-Marie Charest. Revoir nos perceptions. Revoir l'éducation. Proposer des projets pilotes. Appliquer la méthode scientifique, notre meilleur outil d'anticipation, pour résoudre un problème générateur des facteurs de risque cardiovasculaire. Si on obtient une baisse du stress qui entretient les facteurs de risque coronariens, les suggestions de nos experts pourraient peut-être amener comme effet secondaire un sentiment collectif de mieux-être. Tant qu'à être sur la planète, autant bien s'y sentir. La cardiologie mènerait-elle à toucher le cœur du mal-être social, le stress?

En reprenant les données de l'étude *Interheart*, on réalise qu'une personne stressée qui est mince et en forme, qui n'a pas une mauvaise hérédité, qui ne fume pas, mange bien, qui n'est ni hypertendue ni diabétique, n'a pas beaucoup plus de risques de faire un infarctus que celle qui n'est pas stressée.

Ces nuances sont importantes pour se tourner vers les causes significatives de la maladie cardiovasculaire, l'ennemi public numéro un.

CHAPITRE 8

Le cœur a ses raisons

Les causes de la maladie cardiaque

U n sauveteur en poste sur le bord d'une rivière voit un homme tomber d'un pont et être emporté dans le courant. Il se jette à l'eau et rescape le malheureux. De retour sur la berge, il en voit un deuxième tomber du pont. Il saute à l'eau et le ramène sur la terre ferme. À peine revenu au bord, il en voit un troisième emporté par les flots. Il le repêche, s'arrête et se dit : «Il faudrait que j'aille voir ce qui se passe sur le pont.» (*Anecdote racontée par le Docteur Louis Biron, lors du cours d'épidémiologie de médecine à l'Université de Montréal, 1977.*)

L'histoire de la maladie coronarienne est toute à l'image de notre société. Des succès scientifiques et technologiques époustouflants, mais une avancée sociale plus hésitante. Les connaissances acquises ont bien identifié les causes de la maladie cardiaque, alors qu'on ne sait toujours pas pourquoi la sclérose en plaques tombe sur une amie ou que notre oncle fait une leucémie. Bref, côté cœur, il est habituellement facile d'identifier pourquoi telle personne a fait un infarctus, les causes sont dans l'ensemble bien caractérisées, grâce à *Framingham* et aux études internationales qui ont suivi.

Et la palme pour l'allongement de la vie va à…

Claude Lenfant, directeur sortant du *National Institute of Health* (NIH) des États-Unis, est aujourd'hui membre du conseil de l'Institut de Recherche Cliniques de Montréal. Pendant son mandat au NIH, le docteur Lenfant a démontré que l'espérance de vie aux États-Unis s'est améliorée de six ans en l'espace de vingt ans. Donner six ans supplémentaires de vie à 300 millions d'âmes en l'espace d'une génération est un succès remarquable. Quatre de ces six années de vie, les deux tiers de tous les gains, étaient dus à la diminution de la mortalité par maladie cardiaque.

Au Canada, l'espérance de vie est maintenant de 79,9 ans, la 5e meilleure moyenne sur la planète, le Japon étant bon premier avec 81,9 ans. À savoir : si un Canadien se rend à 50 ans, après avoir survécu aux maladies infantiles, accidents, suicides et SIDA, son espérance de vie devient d'environ 90 ans. Impact sociétal à anticiper avec sérieux : la moitié des Canadiens de 50 ans actuellement vivants dépasseront l'âge de 90 ans.

Dans la même période, le traitement du cancer a amélioré de trois mois l'espérance de vie des Nord-Américains. Pourtant, on alloue beaucoup plus d'argent et de ressources en cancer. Bon indicateur, le NIH y consacre 5,5 milliards de dollars contre 2,3 milliards pour la maladie cardiaque. Cela démontre que notre niveau de connaissance et de technologie est encore trop immature pour percer significativement les mystères du cancer dans son ensemble et avoir des solutions systématiquement efficaces au-delà de quelques mois. Néanmoins, grâce à ces recherches, il y a de belles percées dans plusieurs types de cancers : sein, col de l'utérus, prostate. Des étoiles de hockey, Saku Koivu et Mario Lemieux, sont revenues au sport, guéris après leurs traitements contre le lymphome. Comme Lance Armstrong, après une chimiothérapie… controversée. Nous y reviendrons au chapitre « Dope, dopage et cœur ».

Le réputé vulgarisateur scientifique Yannick Villedieu déclarait à l'émission *Les Années lumière* de Radio-Canada que le cœur est un organe plutôt simplet et facile à comprendre, une vulgaire pompe comparativement entre autres au cerveau. Étant un fidèle auditeur et un fier praticien, le commentaire m'a vexé sur le coup, mais il faut reconnaître qu'il a tout à fait raison. En fait, notre connaissance collective actuelle semble à niveau avec le défi scientifique des maladies cardiaques, contrairement aux maladies neurologiques en particulier. Mais pas avec le défi sociologique.

De fait, de 1950 à 1999, le taux annuel de mortalité par maladie cardiaque au Canada a passé de 702 à 288 par 100 000 habitants. Impressionnant succès des traitements cardiaques et du contrôle des facteurs de risque, chacun revendiquant la moitié des gains selon le *New England Journal of Medicine*. Victoire et espoir, comme les progrès avec la couche d'ozone. Toutefois, selon Statistique Canada, la maladie cardiovasculaire reste la première cause de décès : 37 % de toutes les mortalités, suivie du cancer avec 28 %. Plus de 5 % de notre population a un problème cardiaque diagnostiqué. Une personne sur vingt rencontrées dans la rue est un cardiaque *connu*, au milieu d'autres qui s'ignorent encore. Il y a 100 ans, la maladie coronarienne était une rareté.

Une des explications de la hausse de la maladie cardiaque est le vieillissement de la population. Il est évident que plus les gens atteignent un âge avancé, plus ils sont susceptibles d'avoir un problème cardiaque. Lorsqu'on élimine toutes les agressions extérieures, suicide, accident, SIDA, etc., il reste qu'on doit bien mourir de quelque chose, et on ne meurt généralement pas des oreilles... Notre cœur s'éteindra naturellement après ses trois milliards de clignotements, comme notre soleil dans cinq milliards d'années. C'est dire la beauté de l'organe, si simple soit-il.

Nos traitements repoussent la limite de l'âge. La meilleure illustration vient du génial Yvon Deschamps : *Mon mononcle de 85 ans a eu quatre pontages, ils y ont vrôlé les valves, posé un pacemaker. Prochain check-up : 110.*

De fait, nous sommes capables aujourd'hui de tenir en vie à peu près n'importe quelle condition physique. Mais dans quel état cérébral ? Cette poussée des limites pose de nouveaux défis. Nous y reviendrons au chapitre « Le cœur et la mort ».

Il y a plus que cette simple évidence du vieillissement si l'on considère toutes les strates d'âge : on a identifié plus de 300 facteurs de risque ou causes de la maladie cardiaque, lesquels sont très variables d'un pays à l'autre.

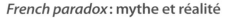
French paradox : mythe et réalité

Les Américains se demandent pourquoi les Français, avec leurs fromages renommés, leur foie gras et leurs pâtisseries, ont deux à trois fois moins de maladies coronariennes qu'eux. Probablement incapables de leur concéder de meilleures habitudes de vie et de table, ils ont cherché la potion magique des Gaulois. Bingo : c'est le vin rouge ! Effectivement, le vin rouge a des composés antioxydants, excellents pour le cœur. Comme tout aliment bien choisi. Ils sont très nombreux, le *Guide alimentaire canadien* en indique plusieurs. Mais le vin n'est sûrement pas la panacée universelle qui peut à lui seul expliquer une baisse de 300 % de mortalité coronarienne. Ce serait trop simple.

Le vrai *French paradox*, c'est la différence entre la France et le Québec, deux populations françaises issues des mêmes parents il y a 300 ans. Le Québec a plus du double de coronariens et de mortalité cardiovasculaire que la France. Mortalité cardiovasculaire de 0,7 pour 1 000 habitants en France contre 1,5 au Québec selon l'Organisation mondiale de la santé. Or, la France compte beaucoup plus de fumeurs que le Québec. Année 2003 : 43 % de fumeurs en France et 25 % au Québec. Par contre, il y a près de trois fois plus d'obèses au Québec qu'en France : 25 % contre 9 %. Le *French paradox* est-il une dérive des continents ou une dérive des environnements ?

Reprenons les deux triades du chapitre 6, leçons tirées de notre ville de cœur, Framingham : la triade hérédité « hypertension, cholestérol et diabète » et la triade mode de vie : « sédentarité, obésité et tabac ». Les données récentes viennent ajouter une troisième catégorie. Après celles qui me tombent du ciel (hérédité) et qui viennent de moi (mode de vie), nous découvrons celles qui viennent d'ailleurs (environnement).

« Comment je suis »

Cette expression regroupe l'hérédité, l'âge et le sexe. Aussi bien dire que l'on n'y peut rien ! On ne peut changer de parents, d'âge ou enlever le chromosome Y, masculin. Si tous nos parents et grands-parents sont morts jeunes de leur cœur, cela n'annonce rien de bon pour notre avenir. Mais le sachant, on peut anticiper et changer notre destin. Même s'il reste encore bien des inconnues, les facteurs héréditaires majeurs de la maladie cardiaque sont bien identifiables et contrôlables. Ce sont le cholestérol, l'hypertension et le diabète.

Le cholestérol

Tous les jours, je rencontre des personnes qui me disent : «Du côté de mon père, tous mes oncles sont morts du cœur avant 50 ans.» La transmission de la maladie coronarienne précoce passe presque toujours par un problème héréditaire de cholestérol. De façon intéressante, lorsque la maladie vient du côté de la mère, c'est souvent pire. Si la maladie réussit à vaincre les défenses de la femme encore jeune, c'est signe qu'elle est plus agressive. Les femmes ont une arme secrète : leurs hormones féminines, les œstrogènes qui protègent leurs artères. À l'inverse, une femme qui perd ses œstrogènes par ménopause va rattraper l'homme sur la pente de la maladie coronarienne et le taux d'infarctus des deux sexes devient semblable vers 70 ans. On observe le même phénomène plus précocement chez la femme qui a subi «la grande opération» (expression qui fait sourire le cardiologue…), soit enlever l'utérus et les ovaires, hystérectomie et ovariectomie.

Logique des années 50 et 60 : après le dernier enfant, les ovaires semblaient inutiles et représentaient une source de problèmes gynécologiques, dont le cancer. D'où la désinvolture avec laquelle on les enlevait et «castrait» les femmes par milliers dès le premier problème gynécologique. C'était également par manque d'autres traitements à l'époque. Nous avons fini par réaliser la kyrielle de problèmes entraînés par une ménopause artificielle précoce : bouffées de chaleur, vieillissement des organes sexuels, ostéoporose et maladie cardiovasculaire précoce. C'est la raison majeure pour laquelle on a freiné le taux d'hystérectomie complète. La protection de la fonction ovarienne est alors devenue le mot d'ordre.

Concernant les hormones de remplacement pour la ménopause, il y a eu une autre errance de la médecine, comme celle du pathologiste rencontré au chapitre 3, qui couchait les patients pendant trois mois après un infarctus. On sait que la ménopause, avec sa chute hormonale, accélère le vieillissement des artères.

D'où l'idée : donnons des suppléments hormonaux pour casser médicalement le cours du vieillissement. Effet déjà prouvé bénéfique sur les symptômes de la ménopause et sur l'ostéoporose. Longtemps, on a présumé que les suppléments hormonaux prévenaient la maladie cardiovasculaire, à partir d'observations rétrospectives et une logique acceptable. Faux. La méthode scientifique a encore dû mettre de l'ordre dans les bonnes intentions.

La récente étude *Women Health's Initiative*, publiée en 2002 dans le *Journal of the American Medical Association*, portait sur l'association œstrogène-progestine chez 16 000 femmes de 50 à 79 ans. L'étude a été interrompue à cause d'une petite augmentation du risque de cancer invasif du sein (8 cas sur 10 000 femmes). On observait un risque accru (7 cas sur 10 000) de crise cardiaque et de décès cardiovasculaires. On a aussi observé une augmentation des AVC (8 cas sur 10 000). On y suggère des bienfaits contre les fractures de la hanche ou le cancer colorectal, mais, au total, les femmes ayant recours à l'hormonothérapie étaient plus susceptibles d'avoir des inconvénients cardiovasculaires que des bienfaits.

On a estimé qu'une centaine de femmes sur 10 000 ayant recours à l'hormonothérapie avaient des effets secondaires. Le risque additionnel est faible (1 %), mais important étant donné que ce traitement est une prévention primaire, comme un vaccin. La portion de l'étude chez les femmes ayant subi une hystérectomie et traitées par l'œstrogène seul a aussi été interrompue plus tôt que prévu, car aucun bienfait global n'a été observé. Bien que les risques de maladies cardiovasculaires n'augmentaient pas, on observait une augmentation du risque d'AVC et de caillots sanguins. Les femmes sous hormones de remplacement doivent soupeser les avantages qu'elles en tirent au regard du risque de 1 % d'augmentation de complications, dont 15 sur 10 000 de complications cardiovasculaires. La Fondation des maladies du cœur du Canada insiste sur le contrôle des autres facteurs de risque (tabac, poids, sédentarité, etc.) chez les femmes désirant néanmoins bénéficier du soulagement par hormonothérapie. Façon détournée, mais utile de promouvoir la santé.

Brand new and cholesterol-free!

Les cardiologues rigolent devant la récupération du cholestérol par le marketing. Gâteau sans cholestérol, soupe sans cholestérol, dentifrice sans cholestérol. Quelques nuances : le cholestérol n'est ni une maladie ni un poison. C'est un constituant essentiel de notre corps. Notamment à deux endroits : les parois de nos cellules et nos neurones. Les parois des cellules sont constituées d'un isolant qui régularise les échanges entre les cellules et le sang, membrane contenant jusqu'à 30% de cholestérol. Le cholestérol a aussi un rôle central dans la fabrication de la myéline, la gaine indispensable au bon fonctionnement de nos fils électriques, les neurones. Pour illustrer l'importance de la myéline, la sclérose en plaques est causée par la destruction de la myéline, laissant des plaques (d'où le nom) visibles au pathologiste et détectables à la résonance magnétique nucléaire.

C'est le haut cholestérol, ou hypercholestérolémie, transmis de père en fils qui est la cause la plus fréquente de la maladie cardiaque héréditaire. Des familles entières ont été étudiées en raison d'une transmission familiale d'un haut taux de cholestérol. L'hypercholestérolémie de certaines régions est due pour une bonne part à la consanguinité, fertile terrain d'études génétiques. Ce fut l'une des principales motivations du docteur Jacques Genest sénior pour fonder l'Institut de Recherches Cliniques de Montréal dans les années 1960. Maintenant retraités, les docteurs Genest et Jean Davignon de l'IRCM sont des sommités internationales des maladies du cholestérol et ont été couverts d'honneurs plus que mérités.

La consanguinité de certaines régions du Québec s'explique : le traité de Paris de 1763. Par ce traité mettant fin à la Guerre de Sept ans, la France donna le Canada et la Floride à l'Angleterre en échange de quelques îles (Guadeloupe) et comptoirs de commerce. Louis XV avait un sens discutable de l'anticipation… À la cession du Canada à l'Angleterre, il y avait 70 000 Canadiens français laissés à eux-mêmes sous la nouvelle gouverne britannique. Dès lors, plusieurs petites communautés canadiennes-françaises sont devenues isolées ça et là au Québec, favorisant quelques îlots de consanguinité. Ils sont les ancêtres des quelque 6 millions de Québécois, les irréductibles Gaulois d'Amérique résistant encore et toujours dans un océan anglophone.

Le pire cas de maladie du cholestérol survient chez un groupe de patients que l'on appelle «homozygote», c'est-à-dire que le père et la mère ont tous les deux donné à l'enfant le gène de l'hypercholestérolémie familiale. Cela donne une maladie du cholestérol épouvantable avec des bébés de 2 ans faisant des infarctus. Heureusement, c'est un syndrome très rare. Quand je rencontre un patient faisant une maladie coronarienne précoce due à un haut cholestérol, je l'enjoins d'envoyer tous les jeunes adultes de sa famille faire des prises de sang de dépistage. Le contrôle du cholestérol dès la vingtaine pourra prévenir l'infarctus de la cinquantaine.

Le Yin et le Yang du cholestérol : l'équilibre LDL/HDL

Grâce à l'information diffusée et accessible, presque tous les patients ont maintenant une notion du cholestérol dangereux, le LDL ou, de façon plus romantique, le *Low-Density Lipoprotein Cholesterol*, et du cholestérol protecteur, le HDL ou *High-Density Lipoprotein Cholesterol*. La valeur des deux types de cholestérol est importante, ainsi que le rapport entre les deux. L'idéal est d'avoir un LDL bas et un HDL haut. Le problème du traitement du haut LDL a été passablement réglé dans les années 1990 avec l'apparition des statines, médicaments qui baissent très efficacement le cholestérol avec peu d'effets secondaires : Mévacor, Pravachol, Zocor, Lipitor, Crestor, etc. Une pilule avant de se coucher et le cholestérol plante. Une vraie potion magique. Il était enfin devenu simple et efficace d'abaisser le cholestérol des malchanceux à l'hérédité défavorable, comparativement aux années 1980 où nous avions des médicaments avec une faible efficacité et beaucoup d'effets secondaires.

Il n'est pas encore possible aujourd'hui de monter efficacement le bon cholestérol, le HDL. Mais la solution pourrait être toute proche.

Le secret de la longévité des Japonais

Toujours dans l'étude comparée des populations, les scientifiques sont intrigués par certaines populations qui atteignent des âges «mathusalémiques» – selon la Genèse, Mathusalem aurait vécu 969 ans.

Le mystère se retrouve dans une population d'une île du nord du Japon. Évidemment, ils mangent surtout des légumes, du riz et du poisson et ont un mode de vie simple et actif. Et ils vivent 10 ans de plus que les autres Japonais, nos *recordmen* mondiaux de l'espérance de vie. En étudiant cette population, on a découvert que leur taux de HDL était singulièrement élevé. Exactement l'inverse de la malchance des îlots familiaux de Canadiens français aux prises avec un LDL haut. Pourquoi ont-ils un haut HDL? Le secret est dans le gène. Ces veinards de Japonais ont un gène qui empêche la production du CETP, le *Cholesterol Ethyl Tranfer Protein*. Cette protéine favorise la dégradation du HDL. Comme ils ont peu de CETP, ils ont naturellement un HDL cardioprotecteur très haut.

Partant de cela, nos sculpteurs de molécules, nos chimistes et biochimistes, synthétisent de nouvelles classes de médicaments : les bloqueurs de CETP, donc favorisant la hausse du HDL, et les HDL de synthèse. Les pistes sont de faire monter le HDL naturel ou d'infuser du HDL de synthèse pour «dégraisser» les plaques de cholestérol qui obstruent les artères. Jean-Claude Tardif, directeur de la recherche de l'ICM, est un des leaders de ces études prometteuses auxquelles s'est joint le CHUM. Réussir à augmenter le HDL significativement serait un point tournant de la prévention des maladies vasculaires.

L'hypertension

Très simple : si la pression est de plus de 140 sur 90 millimètres de mercure, que ce soit le chiffre du haut ou du bas ou les deux, c'est de l'hypertension. Nos possibilités de traitement sont abondantes : il y a maintenant six classes de médicaments, plus de 60 molécules contrôlant efficacement la haute pression. La détection est aussi très simple : prendre la pression.

Un conseil : si on fait de l'hypertension, l'idéal est de la suivre soi-même avec son propre appareil. Je prescris à tous mes patients cardiaques et hypertendus un petit tensiomètre électronique facile d'usage en leur disant de noter les résultats dans un calepin qu'ils apportent à la visite suivante. Ces appareils sont petits, simples et fiables. Et habituellement remboursables. Pourquoi? Un meilleur suivi dans la vie de tous les jours, en évitant le *White Coat Syndrome*, la peur de la blouse blanche, le stress de la visite médicale qui fait souvent monter artificiellement la pression. Les pharmacies sont de plus en plus équipées d'appareils automatiques où l'on peut prendre soi-même sa pression pour permettre un dépistage. L'autre avantage d'avoir un appareil à pression est que la connaissance des signes vitaux au moment d'un symptôme cardiovasculaire est très précieuse. En particulier palpitations, fatigue, faiblesse, vertige ou syncope. Si on peut prendre les signes vitaux au moment du malaise, ceci éclaire beaucoup le diagnostic et le traitement est rapidement bien orienté.

L'hypertension artérielle est souvent confondue avec la tension nerveuse, ou encore soupçonnée en raison de mal de tête ou de rougeur du visage. Ce n'est pas synonyme. La seule façon de faire la part des choses est la prise de la pression.

Le diabète

La grande plaie croissante. Le pire grugeur d'artères.

Il y a deux grands types de diabète. Le diabète juvénile par lequel le pancréas d'un enfant ou d'un jeune adulte cesse subitement de produire de l'insuline pour des causes encore mystérieuses. Ces personnes doivent passer aux injections d'insuline pour le reste de leur vie. Le diabète juvénile représente environ 10% de tous les diabètes, ne se prévient pas et est le fruit d'une incroyable malchance.

À l'inverse, le diabète adulte est la nouvelle grande plaie sociale, en hausse constante. Pratiquement 90% des diabètes adultes sont dus à l'excès de poids. La hausse est vertigineuse. 700 000 diabétiques au Canada en 1995, plus d'un million en 2000. Contrairement au diabète de l'enfant, il est le résultat des habitudes de vie, particulièrement l'excès de poids, et se prévient presque toujours. Il y a une influence génétique certaine dans le diabète adulte. Certains vont en faire avec un surpoids modéré, alors que d'autres beaucoup plus obèses n'en feront pas. C'est comme le tabac. Ce ne sont pas tous les fumeurs qui feront un cancer. Mais ils ont beaucoup plus de risques d'en avoir un qu'un non-fumeur. Pire, pratiquement tous les obèses feront tôt ou tard un diabète.

Le diagnostic du diabète est aussi simple que celui de l'hypertension. Taux de sucre à plus de 7 à jeun (millimole/litre): c'est un diabète. La plupart des gens qui obtiennent une telle annonce n'en réalisent pas la portée. Forcément, on ne sent rien du tout au début. En fait, les effets secondaires possibles des médicaments sont plus dérangeants que les effets de la maladie, rendant le traitement plus difficile. C'est la même dynamique pour les trois conditions, hypertension, diabète, cholestérol : le diagnostic est maintenant établi avant tout symptôme. Les tueurs silencieux sont débusqués. D'où un sacré problème lorsque l'on a des effets secondaires de médicaments, heureusement rares, mais incommodants pour ceux qui en ont. «Ça allait mieux avant que je prenne toutes ces cochonneries!»

Avant de tout lâcher sur un effet secondaire, rappeler son médecin qui révisera le problème et le traitement. Sinon, un diabète bien installé et mal traité va attaquer toutes les artères et les nerfs. En touchant les artères, le diabète rend progressivement aveugle, cardiaque et insuffisant rénal. Le diabète est parmi les premières causes d'amputation et de cécité. La majorité des insuffisances rénales terminales est due au diabète. Direction dialyse, la machine à laver le sang à laquelle on se branche trois fois par semaine lorsque l'on est urémique. Aux États-Unis, les projections d'insuffisance rénale terminale, majoritairement dues au diabète, passent de 300 000 en 2004 à 600 000 en 2010. Le double en 5 ans.

Le terroriste du cœur

Le diabète attaque les nerfs, d'où la polynévrite douloureuse permanente des jambes avec perte de sensibilité. On se sent mal et ça fait mal. Avec peu de traitements efficaces pour cette douleur, et une distorsion douloureuse et permanente de la sensibilité. Les nerfs touchés par le diabète engendrent un autre tueur embusqué : l'infarctus silencieux. Comme les diabétiques avancés ont perdu beaucoup de sensibilité, ils ne sentent pas leurs crises d'angine, ni même leur infarctus. Ce qu'on appelle l'infarctus silencieux. Le tableau est généralement le suivant : le patient consulte en suffoquant avec de l'eau dans les poumons par insuffisance cardiaque. Le bilan nous montre qu'il a fait son infarctus quelques jours auparavant. Il est trop tard pour prévenir le dégât. Le patient n'a jamais senti de malaises d'angine. Le tueur s'est infiltré et a désamorcé le système d'alarme avant son crime.

Les diabétiques sont malheureusement à part dans la maladie vasculaire : plus de problèmes et plus d'hospitalisations. En dilatation et pontage, les complications des diabétiques sont invariablement plus élevées. Décourageant? Non. Il est bien démontré qu'un contrôle rigoureux du diabète diminue et retarde les complications. Comme pour toutes les maladies, sa prévention est encore plus souhaitable. La prévention du diabète adulte commence par la prévention de l'obésité, dont il sera question au chapitre suivant.

Dans ces trois cas, hypertension, diabète et cholestérol, le dépistage est simple et les traitements très efficaces. Pas 56 solutions : il faut passer des tests médicaux de temps en temps, car ces trois maladies n'ont aucun symptôme à leurs débuts. Souvent, elles s'installent pendant des années en douce et on le réalise lorsque la complication arrive : la maladie cardiaque. Le patient vient de tomber du pont du Dr Biron.

Quel est le premier symptôme de maladie cardiaque ? La mort subite dans 10 à 15 % des cas et l'infarctus brutal dans 25 à 35 %. Donc, dans presque 50 % du temps, on ne voit pas venir le premier symptôme de la maladie cardiaque. Il est indiscutable que l'on prévient et retarde la maladie cardiaque en abaissant cholestérol, sucre et pression artérielle. Le patient reste sur le pont et ne tombe pas à l'eau. Prévention primaire. Au prix de quelques comprimés. Si la maladie cardiaque survient, le contrôle du diabète, de l'hypertension et du cholestérol diminue de beaucoup le risque d'autres rechutes. Prévention secondaire.

Parlant de médicaments, une chose m'interpelle régulièrement. Très souvent, les patients coronariens ont une pléthore de comprimés et sont découragés d'être condamnés à les prendre indéfiniment. Robert, devant sa prescription : «Ça, c'est pour le reste de mes jours, docteur ? Je vais devoir prendre ça jusqu'à la fin de mes jours ?»

Ma réflexion devant ce désarroi est progressivement devenue la suivante.

Un, j'explique qu'il y a 40 ans, nos grands-parents ayant ces mêmes maladies, diabète, haut cholestérol ou hypertension, mouraient brutalement avant 50 ans. Ça tombait comme des mouches dans les années 1950. Rappelons-nous : mortalité cardiaque annuelle de 702 par 100 000 personnes, contre 288 en 1999. Notre efficacité s'est encore accrue depuis. Il faut se rappeler que l'insuline a été découverte en 1921 (gloire de l'Université de Toronto, d'où l'«insuline Toronto») par Frédérick Banting et Charles Best, donnant au Canada son seul prix Nobel de médecine à l'époque. Il s'est ensuite passé plusieurs décennies avant d'arriver à un bon contrôle généralisé du diabète. Les médicaments vraiment efficaces pour l'hypertension datent de 25 ans seulement et ceux pour le cholestérol d'à peine 15 ans.

Deux, cette question suscite une réelle empathie pour l'espoir déçu que Robert pouvait simplement guérir et s'en remettre, comme lorsque l'on reçoit des antibiotiques quelques jours pour une infection. Après une pneumonie, la personne redevient comme avant, ce qui est vrai pour la majorité des infections. La maladie coronarienne doit malheureusement être considérée comme une maladie chronique comme l'arthrite. Et c'est le deuil que la personne doit accepter de faire. Peu importe l'approche, évoluant avec la science, il faudra toujours s'occuper de cette maladie, sinon elle s'occupera de nous.

Trois, je fais l'hypothèse que le grand-père de Robert aurait probablement payé une fortune pour obtenir les médicaments dont son petit-fils dispose aujourd'hui, notamment pour connaître ses enfants et petits-enfants plus longtemps. Il n'y a qu'à penser aux malades incurables ou terminaux d'aujourd'hui, obligés de supporter ce fardeau avec un espoir minime ou nul. Je ne critiquerais vraiment pas ces condamnés d'aller vers les médecines alternatives à la *Lorenzo's Oil*, je ferais probablement la même chose. Ces personnes aux maladies sans traitements efficaces mettent beaucoup d'espoir dans la recherche médicale, impressionnante de virtuosité et de vitesse, mais avec encore des défis monumentaux et des questions non résolues. Défis qui se sont nettement déplacés vers le caractère social et environnemental des maladies. Les conditions entourant la maladie cardiaque sont aujourd'hui pratiquement toutes traitables et corrigeables. Le décès du grand-père de Robert à 44 ans a laissé un deuil très amer avec sentiment d'injustice chez ses proches. Il ne serait très probablement pas mort en 2007.

Pourquoi la maladie coronarienne est-elle une maladie chronique avec un traitement continu? Parce que l'athérosclérose qui a causé le premier événement cardiaque est déjà bien présente dans les artères du patient. À l'inverse, une bactérie est une totale intruse et l'un des deux (patient ou bactérie) remportera le combat. Il est facile de trouver un agent qui soit toxique pour la bactérie et bénin pour l'humain: ils sont tellement différents. En fait, il est facile de tuer une bactérie et la plupart des micro-organismes : un peu d'eau de javel. Mais on comprendra que l'humain ne le tolèrera pas. Par contre, l'humain tolère bien les antibiotiques. Au contraire, la maladie coronarienne loge dans les parois de nos artères. Elle est partie intégrante de nos tissus. Il est nécessaire de la contrôler en tout temps pour diminuer le risque de rechute. C'est pourquoi, oui, ce sera un traitement jusqu'à la fin de nos jours. Pour bénéficier d'une meilleure qualité de vie avec moins d'événements cardiaques.

Un problème très actuel est qu'il y a encore beaucoup de personnes porteuses, sans le savoir, de l'un ces facteurs : pression, diabète, cholestérol. Elles n'ont pas le traitement approprié leur permettant d'éviter une maladie coronarienne. La situation est encore plus problématique là où il y a pénurie de médecins. La seule façon de détecter et de traiter hypertension, diabète et cholestérol est une visite annuelle chez le médecin qui fera un bilan de santé. Le contrôle médical de ces trois conditions est à maturité et efficace. Il diminue fortement la mortalité cardiovasculaire, avant ou après un événement cardiaque. La preuve ? Mortalité cardiaque en 2000 trois fois inférieure à celle de 1950. Ça marche.

CHAPITRE 9

Avoir le cœur gros

En 2057, 100% de l'Amérique du Nord sera obèse

L'embonpoint et l'obésité sont définis par «l'indice de masse corporelle» ou le *body mass index* de la littérature scientifique anglaise. L'IMC ou BMI est très simple à calculer: le poids en kilos divisé par le carré de la taille en mètre. $I = k/m^2$.

Si on pèse 65 kilos et que l'on mesure 1 m 65, on fait 65 divisé par 1,65 au carré ou 1,65 fois 1,65. Cela fait donc 65 divisé par 2,72 soit 23. Notre indice de masse corporelle est de 23.

L'IMC est normal de 18 à 24, l'embonpoint va de 25 à 30 et, au-dessus de 30, c'est l'obésité (voir tableau page suivante).

Selon un éditorial publié dans *The New England Journal of Medicine*, si la tendance se maintient, 100% de l'Amérique du Nord sera obèse en 2057. Nos enfants et petits enfants y seront et peut-être nous aussi (les nonagénaires et centenaires étant de plus en plus nombreux). Provoquant?

Le *Center for Disease Control* a publié les diagrammes suivants sur la progression du taux d'obésité aux États-Unis (voir figures page suivante).

Le dernier diagramme date déjà. Le prochain risque d'être terrifiant.

Indice de masse corporelle (IMC)

Taille (en mètres)	47,6	49,9	52,2	54,4	56,7	59,0	61,2	63,5	65,8	68,0	70,3	72,6	74,8	77,1	79,4	81,6	83,9	86,2	88,5	90,7	93,0	95,3	97,5
1,93	12	13	14	14	15	15	16	17	17	18	18	19	20	20	21	22	22	23	23	24	25	25	26
1,90	13	13	14	15	15	16	16	17	18	18	19	20	20	21	21	22	23	23	24	25	25	26	27
1,88	13	14	14	15	16	16	17	18	18	19	19	20	21	21	22	23	23	24	25	25	26	27	28
1,86	13	14	15	15	16	17	17	18	19	19	20	21	21	22	23	23	24	25	25	26	27	28	29
1,83	14	15	15	16	17	17	18	18	19	19	20	21	22	22	23	24	25	25	26	27	28	29	30
1,81	14	16	16	16	17	18	18	19	20	21	21	22	23	23	24	25	25	26	27	28	29	30	31
1,78	15	16	16	17	18	18	19	20	20	21	22	23	23	24	25	25	26	27	28	29	30	31	32
1,76	15	16	17	17	18	19	20	20	21	22	22	23	24	25	25	26	27	28	29	30	31	32	33
1,73	16	17	17	18	19	19	20	21	22	22	23	24	25	25	26	27	28	29	30	31	32	33	34
1,71	16	17	18	18	19	20	21	22	22	23	24	25	25	26	27	28	29	30	31	32	33	34	35
1,68	17	18	18	19	20	21	21	22	23	24	25	25	26	27	28	29	30	31	32	33	34	35	35
1,66	17	18	19	20	20	21	22	23	24	25	25	26	27	28	29	30	31	32	33	34	35	35	36
1,63	18	19	19	20	21	22	23	24	24	25	26	27	28	29	30	31	32	33	34	35	35	36	37
1,60	18	19	20	21	22	22	24	24	25	26	27	28	29	30	31	32	33	34	35	36	36	37	39
1,57	19	20	21	22	22	23	24	25	26	27	28	29	30	31	32	33	34	35	36	37	37	39	40
1,55	19	20	21	22	23	24	25	26	27	28	29	30	31	32	33	34	35	36	37	38	39	40	41
1,52	20	21	22	23	24	25	26	27	28	29	30	31	32	33	34	35	36	37	38	39	40	41	42

Poids (en kilogrammes)

■ < 18 : Poids insuffisant   ■ 18 à 24 : Poids normal   ■ 25 à 29 : Excès de poids   ■ 30 à 39 : Obésité   ■ >40 : Obésité morbide

Tendances d'obésité chez les adultes américains – 1985
(IMC ≥ 30 ou ~14 kg excédentaires pour une femme de 1,6 m)

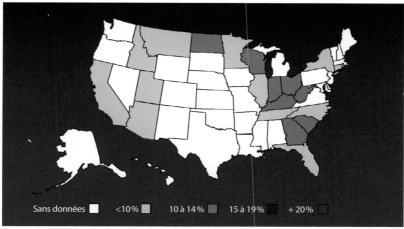

AH Mokdad *et al.*, J. Am. Med. Assoc., 286:1195-1200, 2001, Center for Disease Control and Prevention

Tendances d'obésité chez les adultes américains – 2000
(IMC ≥ 30 ou ~14 kg excédentaires pour une femme de 1,6 m)

AH Mokdad *et al.*, J. Am. Med. Assoc., 286:1195-1200, 2001, Center for Disease Control and Prevention

Nous avons tendance à dire que la situation est épouvantable aux États-Unis, souvenir de notre dernier voyage à Disney World. Qu'en est-il pour le Canada ? Un peu d'objectivité : nous suivons de très près nos voisins du Sud et sommes les deuxièmes plus gros du monde, selon l'*Atlas* de l'Organisation mondiale de la santé.

Sondage et science

En compulsant toutes les enquêtes disponibles, on réalise que les Québécois sont plus ou moins gros. Selon que l'on regarde les statistiques de l'OMS, de l'OCDE, du CDC, de l'AHA, de la SCC, de Statistique Canada, de l'INSPQ, de l'IRSC, de l'ICIS, notre taux d'obésité fluctue de 13 à 26 %. Singulière disparité sur une donnée brute qui ne devrait même pas se discuter. Il y a même un site Web américain de cardiologie très reconnu qui claironne que les Canadiens ont un taux d'obésité de 50 % ! C'est un problème majeur pour nombre de statistiques, particulièrement issues d'organismes gouvernementaux sous-financés : la qualité des méthodes de collecte des données. En science, il y a une expression pour les études faites sur des données floues et les conclusions qu'on en tire : *Garbage in : garbage out* !

Pour preuve, les écarts que l'on voit sur des données a priori indiscutables comme le poids. Douze pour cent d'obèses selon l'Institut de recherche en santé du Canada, 13 % selon l'Institut canadien d'information sur la santé, 14 % selon l'Institut national de Santé publique du Québec, 22 % selon l'OCDE, 23 % selon Statistique Canada, 24 % selon l'Organisation mondiale de la santé, et 50 % (!) selon *The.Heart.Org*, site Web américain. Dans son *Atlas cardiovasculaire canadien* de 2006, l'Institut de recherche en santé du Canada présente un tableau intrigant. Selon ce tableau (données 2001), le Québec a un taux d'obésité de 12,7 % alors que le Nouveau-Brunswick et la Nouvelle-Écosse sont à plus de 20 %. La visite de ces deux dernières provinces ne laisse pas l'impression que leurs citoyens sont deux fois plus gros que les Québécois. Toujours selon le même tableau, le taux d'obésité du Canada dans son ensemble est de 14,9 % alors que toutes les provinces ont un taux supérieur à 14,9 % sauf deux. L'écart d'une province à l'autre va de 12,7 % à 25,5 %.

Ce qui explique probablement ces disparités : l'OCDE précise que leurs données (22 % d'obésité) sont basées sur un examen au cours duquel on a mesuré la taille et le poids réel plutôt que sur simple déclaration des répondants.

À l'inverse et en toute honnêteté, dans son rapport de 2006, l'INSPQ mentionne que le taux de 14% d'obésité chez les Québécois est autodéclaré. Encore ici, la subjectivité est très déformante. Cela confirme que l'on a tendance à se voir plus mince, et de beaucoup… Dans une étude publiée en 2006 par l'Association médicale canadienne, 9% des parents estiment que leurs enfants sont trop gros alors que 26% des enfants ont dans les faits un surplus de poids documenté. Ceci force à se questionner de façon générale sur la qualité et l'interprétation des sondages, qui sont souvent mal faits. La plupart des données d'organismes ayant démontré leur crédibilité dans le passé, tel l'OMS, nous orientent vers un taux d'obésité de 24% au Canada. Pour trancher le débat, il serait simple de peser et de mesurer chaque personne lors du renouvellement de la carte d'assurance-maladie. Les données seraient parfaites. Malgré ces difficultés de concilier les résultats de ces différents rapports, il y a unanimité dans toutes les études : l'obésité augmente, et rapidement.

Heureusement, Santé Canada a donné un coup de barre en 2003 et a commencé l'Enquête canadienne sur les mesures de santé. Dans le but de combler certaines lacunes observées dans le système canadien d'information sur la santé, Santé Canada et l'Agence de santé publique du Canada ont appuyé les démarches de Statistique Canada en vue d'obtenir des fonds pour une enquête sur la santé axée sur des «mesures directes». En 2003, un budget fédéral a été voté pour permettre la prise directe de mesures biométriques au lieu de se contenter de déclarations spontanées. Ces mesures faites sur des échantillons représentatifs de la population sont variées et détaillées : poids, tour de taille, prise de sang, examen dentaire, etc. Ces nouvelles collectes de données permettront plus de précision et une meilleure analyse de la santé de notre population.

Préparant des fêtes de famille, nous avons récemment visionné et numérisé plusieurs films des années 1960 et 1970. Une chose était frappante. À cette époque, toute la population était nettement plus mince, et les obèses rares. En parallèle, les images vidéo de foules prises par les nombreux correspondants à l'étranger nous montrent qu'effectivement il y a beaucoup moins d'obèses hors de l'Amérique du Nord.

Statistique Canada confirme cette tendance. En 1992, 13% des Canadiens étaient obèses. En 2004, nous en sommes à 23%. Près du double en 10 ans, auquel il faut ajouter 34% d'embonpoint, signifiant que pratiquement 60% des Canadiens sont aujourd'hui trop gros. Continuons à doubler aux 10 ans et voilà une population 100% obèse, annoncée par l'éditorial du *New England Journal of Medicine*. Impression de déjà-vu. Mauvais augure d'experts. Odeur de réchauffement climatique et de Katrina.

Pire : le succès du traitement de l'obésité chez l'adulte n'atteint pas 5%. Toutes les mesures actuelles de traitement et de prévention de l'obésité se soldent par un échec catastrophique. L'obésité progresse à la cadence du réchauffement de la planète. Parallèle intéressant.

Think big

Aux États-Unis, le taux d'obésité est passé de 20 à 30% de 1980 à 2003 ; on ajoute 30% d'embonpoint pour un score de 60% d'excès de poids. Les Japonais avaient un taux d'obésité de 2% en 1980 et il n'a progressé qu'à 3,2% en 2003. Pourtant, ils savent être gros s'ils le veulent, les lutteurs de Sumo le démontrent bien. Les enfants japonais nés aux États-Unis ont un taux de plus de 10% d'obésité, résultat intermédiaire entre leur pays d'origine et d'adoption. C'est une belle illustration de l'influence du milieu sur des individus comparables.

Les yeux du cœur, cœur de rocker : le cœur selon le Québec et la France

Pourquoi les Français ont-ils deux à trois fois moins de maladie coronarienne que les Canadiens français? Nous avons une situation intéressante pour les études comparées de populations. Comme les mésanges du Canada et de France, les deux populations humaines sont de la même source, nos ancêtres (les Gaulois!) sont les mêmes. Les mésanges des deux continents sont en apparence semblables. Toutefois, les experts observent chez ces deux oiseaux une multitude de différences. Ces différences expriment les influences du milieu sur des espèces à l'origine semblable. Comme les langues : l'anglais de l'Américain et le français du Québécois sont différents de l'anglais britannique et du français de l'Hexagone.

Alors que les Américains passaient de 20 à 30 % d'obésité de 1980 à 2003, chez les Français, le taux a passé de 6 à 9 %. Les enfants français ont un taux d'obésité de 3,5 % contre 14 % aux États-Unis en 1999 et 26 % en 2006. De fait, pendant mon stage d'études au CHU Pitié-Salpétrière de Paris, une chose m'avait frappé : les obèses sont beaucoup plus rares à Paris qu'à Montréal.

Les Français ont presque trois fois moins de maladie coronarienne que les Nord-Américains, incluant leurs cousins génétiques, les Canadiens français. C'est ce que les Américains ont appelé le *French Paradox*, décrit au chapitre 8. D'après une étude du docteur Saint-Léger, parue dans la revue médicale britannique *The Lancet* en 1979, la France et l'Italie, en tête des consommateurs de vin (62 litres de vin par an et par habitant), enregistrent des mortalités par infarctus du myocarde 3 à 5 fois inférieures à celles de l'Écosse, de l'Irlande et des États-Unis. Il a donc été décrété que le vin rouge devait être cette potion magique qui protège des maladies cardiaques. Les phénoliques du vin rouge seraient leur antidote secret. Et les Américains *d'ajouter* le vin rouge à leur consommation.

On néglige d'abord le fait que les Français sont d'infatigables marcheurs, que cela est lié à leur mode de vie et à leur urbanisme, et qu'ils sont très critiques de la qualité et de la fraîcheur de leur alimentation. Il n'y a qu'à regarder l'implication vigoureuse de leurs écologistes, José Bové en tête, dans la question des organismes génétiquement modifiés. Au Canada, on cultive des prairies entières d'OGM dans l'indifférence la plus totale. Culturellement, les Français ont aussi en horreur les *processed foods*, ces aliments faits en usine, du type beurre de cacahuète ou gâteaux industriels contenant de généreuses portions de gras trans et autres additifs.

En fait, les Français vont chercher presque chaque jour leur plat principal, leur pain et leurs fruits.

- Garantie de fraîcheur du jour d'où limitation d'une industrie qui ajoute tous les préservatifs aux retombées très mal connues.

- La petite marche de santé au marché avec socialisation du quartier.

- Le frigo français n'a pas besoin d'être aussi gros que le frigo nord-américain d'où une moindre consommation d'énergie.

Un mot sur le frigo nord-américain : non seulement il est énorme pour emmagasiner davantage d'aliments de plus en plus manipulés avec des additifs afin d'augmenter leur préservation, histoire de limiter les courses, mais la tendance est au deuxième frigo, le vieux que l'on garde lorsque l'on en achète un nouveau. Ce deuxième frigo est symptomatique de l'augmentation de la consommation alimentaire : hausse de 300 calories par jour par Québécois en seulement 10 ans. Il est également relié à la hausse d'émissions de polluants, d'autant que ce sont de vieux modèles plus énergivores et plus polluants. Le frigo est un intéressant point de rencontre entre la maladie coronarienne et le réchauffement climatique.

Le *French Paradox* du vin rouge voit maintenant son existence menacée. Depuis quelque temps, sa réalité est en effet remise en question par de nombreux scientifiques et en particulier par les experts du Haut Comité de Santé Publique. Dans leur dernier rapport consacré à la politique nutritionnelle, ces spécialistes soulignent qu'il ne faut plus uniquement raisonner en termes de mortalité, mais aussi en termes de fréquence. Voici l'une des conclusions de l'étude internationale MONICA réalisée par l'Organisation mondiale de la santé sur les affections cardiovasculaires :

La fréquence de la maladie coronaire en France n'est pas exceptionnel-lement basse, mais du même ordre que dans les pays du Sud, de même latitude. Par voie de conséquence, la notion d'un paradoxe spécifique français ne leur semble plus devoir être retenue.

Il demeure que les Français, et plus généralement les habitants des pays méditerranéens, sont moins affectés par les maladies cardiaques et notamment l'infarctus du myocarde que ceux du Nord de l'Europe ou des pays anglo-saxons. Comment alors l'expliquer ? Vraisemblablement par le fait que leur alimentation contient moins de graisses animales et davantage d'huiles végétales, moins nocives pour le cœur. Elle comporte des fruits et des légumes en abondance, suffisamment de céréales… C'est la diète méditerranéenne, promulguée par de nombreuses sociétés internationales de cardiologie. Ajoutons que les Méditerranéens sont beaucoup plus actifs, non tant par la pratique d'un sport, que par leurs activités quotidiennes, la marche en particulier. Revenons chez nous en consultant ce graphique de Statistique Canada.

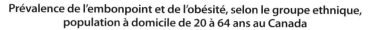

Prévalence de l'embonpoint et de l'obésité, selon le groupe ethnique, population à domicile de 20 à 64 ans au Canada

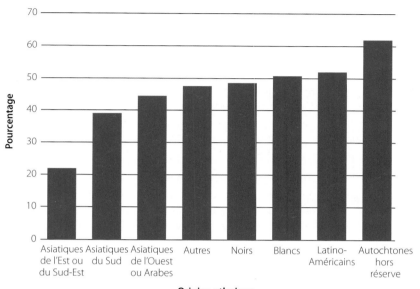

Note : Données de 2000-2001 et 2003 combinées. Embonpoint (comprend l'obésité) = IMC ≥ 25

Ce graphique est révélateur à plusieurs égards. D'une part, hormis les Asiatiques, les Canadiens de toutes les ethnies ont des taux comparables d'excès de poids, processus unificateur du milieu sur plusieurs races et cultures. Mais le plus intriguant : les deux extrêmes. La situation des Innus, autochtones du Canada, est singulièrement préoccupante, avec un excès de poids chez plus de 60% d'entre eux. Les Innus sont descendants des Asiatiques de l'Est qui ont emprunté le détroit de Behring il y a plus de 10 000 ans pour coloniser l'Amérique du Nord. Paradoxalement, les Innus et leurs actuels «cousins» asiatiques de l'Est sont aux deux extrêmes du tableau de la masse corporelle au Canada. Ces «mésanges» asiatiques ont évolué très différemment et se retrouvent aux extrêmes de la démographie canadienne.

Le défi de soigner un obèse

L'obésité seule est un sérieux problème médical pour tout le corps : fatigue chronique à déplacer une masse supplémentaire, arthrite et usure des articulations soumises à une charge trop lourde, infections chroniques dans les plis de peau redondants, enflure des jambes par augmentation du poids et de la pression sur les veines, tendance marquée à faire des varices, phlébites, thromboses veineuses et embolies. Apnée du sommeil où le corps trop lourd écrase les poumons, qui se traite en portant un encombrant masque d'oxygène la nuit. Cœur d'obèse. Une nouvelle maladie s'ajoute : la stéatose cardiaque au cœur gros, analogue à la stéatose hépatique. Les obèses ont une espérance de vie raccourcie et un taux élevé de consommation de soins de santé qui commence jeune.

Le cœur d'obèse

Il y a une maladie du cœur spécifique au surpoids : la cardiopathie de l'obèse. Elle s'illustre par une simple règle de trois : si une personne a un poids maigre de 70 kilos et en pèse 140, son cœur doit pratiquement pomper le double pour irriguer son organisme. Or son cœur a été conçu pour 70 kilos. De façon imagée, il pompe pour deux personnes. Le cœur est fait pour s'adapter à fournir un plus grand débit (il peut passer de 5 litres/minute à 30 litres/minute lors d'un vigoureux effort) pour de courtes périodes de temps. Comme il peut adapter sa fréquence de 70 à 180, encore là pour de courtes périodes. Mais une demande permanente exagérée épuise tout simplement le cœur. Encore le trio classique d'Hans Selye : stress, adaptation, épuisement. Deux modèles pour l'illustrer.

Le compte-tours dans le rouge

Nous avons beaucoup de modèles animaux en cardiologie. Le porc est un favori en raison de sa facilité d'élevage et de la grande ressemblance entre le cœur humain et le cœur porcin. À s'y méprendre ! Nous obtenons un modèle d'insuffisance cardiaque de la façon suivante : il suffit de mettre un pacemaker à un porc et de l'ajuster au double de la vitesse normale. Comme un moteur qui tourne en permanence avec l'aiguille du compte-tours dans le rouge. Et de fait, quelques semaines plus tard, le cœur du porc est dilaté et affaibli, brûlé comme celui des personnes ayant fait un gros infarctus. Ce modèle animal de défaillance cardiaque permet de mettre au point les nouveaux traitements en développement pour nos patients insuffisants cardiaques.

Chauffer la maison les fenêtres ouvertes

Un autre type d'insuffisance cardiaque se crée en branchant directement une grosse artère sur une grosse veine. De cette façon, une partie importante du sang, disons 50%, retourne directement au cœur au lieu de passer dans tout le corps. C'est ce que les cardiologues appellent une dérivation ou un *shunt*. Cependant, le corps et surtout le cerveau, patron intransigeant, demandent au cœur de lui fournir la même quantité de sang. Il ne se contentera pas de 50%. Comme la maison le demande à la fournaise. S'il fait 20 degrés sous zéro dehors et que toutes les fenêtres sont ouvertes, la fournaise réglée à 23 degrés débitera beaucoup plus de chaleur et consommera plus d'énergie, car le thermostat, cerveau de la fournaise, exige son 23 degrés. De même, le corps envoie un signal au cœur, lui ordonnant de pomper le double pour fournir 100% du débit exigé par le cerveau. En pompant sans arrêt le double de son rythme de croisière, le cœur s'épuise, s'affaiblit et se dilate, comme une fournaise qui surchauffe et fait un feu de cheminée.

Chez l'obèse, c'est un peu la même chose qui se passe : le cœur conçu pour 70 kilos doit pomper pour un organisme de 140 kilos. Excès permanent de la demande. L'obésité seule peut épuiser et détruire de façon irréversible un cœur tout à fait normal et causer de l'insuffisance cardiaque. De la même façon, l'arthrose de l'obèse est précoce : une cheville conçue pour 55 kilos s'usera prématurément en soutenant 90 kilos.

L'obésité rend tout compliqué en médecine et altère la qualité de l'acte. La prise de la pression est faussée si on n'a pas un brassard d'obèse. Piquer une veine devient un exploit. Le cœur est difficile à entendre, assourdi par une paroi de graisse. Palper un ventre est à la limite de l'impossibilité. Une technique chirurgicale simple chez une personne mince devient un exploit difficile chez l'obèse. Taux de complications de 2 à 10 fois supérieurs. L'hémorragie au site de l'artère piquée, complication redoutée d'un cathétérisme cardiaque, est beaucoup plus fréquente chez l'obèse. La fermeture de l'artère fémorale est plus difficile à contrôler puisque l'artère est enfouie sous plus de 10 centimètres de matière grasse au lieu d'être à fleur de peau. Si une hémorragie survient, elle peut être facilement manquée : il peut s'accumuler un litre de sang dans la cuisse d'un obèse avant que l'on ne remarque quoi que ce soit. Une intubation d'urgence devient une prouesse chez un grand obèse, les tissus mous du cou et de la gorge obstruent et nuisent à l'accès et à la visibilité de la trachée, augmentant le risque d'erreurs.

Vu pendant mon internat : une dame consulte à l'urgence pour douleurs abdominales. Après l'examen et l'élaboration des différentes possibilités, l'équipe s'apprêtait à l'envoyer passer un rayon-X de son abdomen. C'est à ce moment qu'elle a «perdu ses eaux» et commencé à accoucher. Elle était si grasse que personne, à commencer par elle-même, n'a pensé à une grossesse. Ses menstruations irrégulières avaient cessé environ neuf mois plus tôt. Elle croyait simplement que c'était sa ménopause. Personne, incluant elle-même et sa famille, ne s'était rendu compte de sa grossesse. S'il ne s'agissait que d'une anecdote. Ce type d'obésité est en hausse de façon alarmante.

Fait divers récent : une jeune femme meurt d'un drame abdominal après avoir vu successivement trois médecins différents en clinique sans rendez-vous. Comment comprendre qu'une jeune à peine adulte pouvait mourir ainsi au Québec ? Colère virulente et juste du père contre le système qui néglige la continuité de soins et qui a manqué au diagnostic et traitement de sa fille.

Avec plus d'informations, la situation se clarifiait. Un, la jeune fille était décédée d'une thrombose de la veine porte, la grosse veine entre l'intestin et le foie. C'est une grande rareté ; je me rappelle avoir vu deux cas de ce genre dans tous les hôpitaux où j'ai travaillé. Deux, le père et la jeune fille étaient fort obèses. La thrombose de la veine porte peut justement survenir dans les cas de grande obésité par compression de la veine. Ce syndrome étant rare, il est possible que les médecins n'aient même pas pensé à cette éventualité, surtout chez une jeune fille sans antécédents médicaux. Trois, la jeune fille étant obèse, les médecins ont vraisemblablement eu toutes les difficultés du monde à l'examiner et ne palpaient probablement rien de précis ou d'évocateur dans son ventre. L'échographie et le scan perdent leurs capacités et leur résolution dans les cas d'obésité sévère. C'est comme mettre des lunettes embuées au scan.

Le terrible ressentiment, la rage contre le système de la part du père et de la famille sont très compréhensibles et justifiés. Toutefois, on peut se questionner : est-ce que cette jeune fille aurait fait une thrombose de la veine porte si ses parents avaient suivi et inculqué de bonnes habitudes de vie et enseigné à rester mince ?

Autre marqueur de l'épidémie d'obésité : les lits d'hôpitaux et les tables d'examen des salles de cathétérisme élargissent plus vite que les sièges d'avions (personne ne se plaindra de cette dernière conséquence). Nos tables d'examen ont vu leur résistance augmenter, passant d'une capacité de 300 livres en 1990, à 350 en 1995 et les derniers modèles sont certifiés 400 livres. Quoi anticiper pour 2020 ?

Plus extrême : des compagnies maintenant spécialisées en cercueils triples, pouvant accueillir des défunts de 700 livres.

Les appareils de rayons X doivent être poussés à bloc pour être capables de voir les organes, augmentant la dose de rayons X des patients et le risque de complications des radiations. Des diagnostics nous échappent ou sont retardés parce que nous voyons moins bien, nonobstant la sophistication croissante des appareils. Au *Massachusetts General Hospital*, un des grands hôpitaux universitaires de Boston, Raul Uppot, radiologiste, publia des résultats à l'effet que l'obésité entraîne la multiplication des radiographies illisibles et devient un facteur de notre aptitude à lire clairement ou non une radiographie. Dans le laboratoire de cathétérisme, c'est une situation fréquemment vécue de devoir s'arracher les yeux pour distinguer des lésions facilement identifiables chez un mince. Cette situation a aussi un impact chez les travailleurs de la santé : la quantité de rayons X nécessaires pour radiographier un obèse augmente de beaucoup le rayonnement secondaire reçu par le personnel de la salle. Ce rayonnement secondaire (les rayons X qui rebondissent sur le patient) augmente pour les travailleurs de la santé les risques des radiations, incluant cancer, leucémie et cataractes. C'est l'une des situations où l'obésité augmente le risque de maladie du voisin.

Les complications de l'obésité sur les facteurs de risque cardiovasculaire sont majeures et en perte de contrôle : dépôt de graisses dans l'organisme, hausse du cholestérol, hausse des triglycérides, hausse de la pression, hausse du sucre. Un nouveau syndrome vient de naître afin de décrire cette association de facteurs de risques : le «syndrome métabolique», qui regroupe au moins trois de ces facteurs dont le dénominateur commun est l'excès de poids. En tête, le pire grugeur d'artères : le diabète. La vaste majorité des diabétiques le sont simplement par excès de poids. Minces, ils ne seraient pas diabétiques, comme on l'a vu au chapitre précédent. Corps trop gros, manque d'insuline, montée du sucre et voilà le diabète. À noter que le concept même de syndrome métabolique est très controversé. Beaucoup s'entendent pour dire que le syndrome métabolique n'est en fait que de l'excès de poids doublé d'autres conditions qu'il entraîne très fréquemment, soit hausse de cholestérol, triglycéride, diabète et hypertension.

Une des résultantes de l'obésité planétaire consistera en une hausse vertigineuse du diabète : nous passerons de 194 millions de diabétiques en 2003 à 333 millions en 2025.

La panoplie de nos traitements modernes est invariablement moins efficace chez les diabétiques. Nos taux de complications, cardiaques et autres, sont nettement plus élevés et nos succès moindres. Le *Department of Health and Human Services* estime que les obèses ont un taux de mortalité précoce de 50 à 100 % plus élevé que les gens minces. Il y a aujourd'hui 400 000 décès annuels dus à l'obésité aux États-Unis, dépassant tabagisme, accidents, SIDA et suicides.

2057 : imaginons tous les coûts inhérents au traitement d'une société obèse, avec un taux démultiplié de consultations médicales qui débute tôt et une espérance de vie diminuée par rapport à la génération précédente. Serait-ce là notre héritage de société par manque d'anticipation ?

Pourquoi devient-on obèse?

Notre but n'est pas d'établir une liste des causes et traitements de l'obésité, de nombreux ouvrages spécialisés en font état, tout autant que des méthodes pour revenir à un poids santé. Notre projet est davantage orienté sur le pourquoi que sur le comment. Si le pourquoi est clair, le comment viendra, et il est facilement accessible partout.

La réponse du *Center for Disease Control* est simple et complète:

1. *L'embonpoint et l'obésité viennent d'un déséquilibre énergétique. Ceci signifie manger trop de calories et ne pas faire assez d'activité physique.*

2. *Le poids résulte des gènes, du métabolisme, du comportement, de la culture et du statut socioéconomique.*

3. *Le comportement et l'environnement jouent un large rôle causal pour l'obésité.*

Ce sont les principales cibles pour la prévention et le traitement.

Toutefois, la simple explication «manger moins et faire plus d'exercice» n'explique pas tout. Les récentes données vont vers un problème plus sournois: la qualité de nos aliments.

À lire absolument, le livre *Toxic. Obésité, malbouffe, maladies: enquête sur les vrais coupables*. Le journaliste William Reymond mène une enquête en profondeur et extrêmement documentée sur les dérives de notre alimentation occidentale. Il est puissamment démontré que la santé cardiovasculaire doit passer par un regard neuf et critique sur notre alimentation industrielle. Dans les manipulations alimentaires industrielles citées dans *Toxic*, William Reymond relève comme causes majeures de l'obésité:

– Le sirop industriel glucose-fructose, base des boissons gazeuses et colas. Ce glucose-fructose se retrouve dans presque tous les aliments avec édulcorant.

– Les gras trans, ou huile partiellement hydrogénée.

– L'excès de sucre dans les aliments préparés.

– Les hormones de croissance utilisées en élevage.

– Les antibiotiques utilisés en élevage.

Quand on vieillit, on engraisse

Faux et super faux. Au Japon aujourd'hui, comme en Amérique au début du 20e siècle, les gens conservent à peu près le même poids jusqu'à leurs vieux jours. En fait, *normalement, on perd du poids en vieillissant*, surtout par baisse de masse musculaire et par perte de calcium (ostéoporose) de nos os. Les Japonais de 80 ans sont plus légers qu'à 30 ans. On engraisse en vieillissant seulement si on accumule tous les jours plus de graisse que l'on en brûle. À partir de 20 ans, prendre imperceptiblement un kilo par an amène un excès de 30 kilos à cinquante ans. L'obésité n'est pas une question d'âge, c'est une question de temps.

En fait, la normalité de la baisse de poids en vieillissant nous démontre que le fameux indice de masse corporelle (IMC ou BMI) est faussé chez les vieillards obèses. À 70 ans, un IMC de 30 serait en réalité pire, peut-être de 35 à 40. L'IMC ne tient pas compte des proportions de muscles et de gras d'un individu. À taille égale, un vieillard de 90 kilos est beaucoup plus gras qu'un jeune adulte de même poids, celui-ci étant au maximum de sa masse musculaire et osseuse. Chez l'obèse âgé, la graisse a remplacé le muscle disparu par vieillissement et sédentarité. Tous ceux qui ont dépecé de la viande le savent, la graisse est beaucoup plus légère que le muscle.

Autre observation : Arnold Schwarzenegger a un IMC d'obèse. À 6 pieds 2 pouces et 250 livres au maximum de sa «forme», cela fait un IMC de 32. Mais notre Terminator n'est évidemment pas obèse. Imposante masse musculaire et osseuse, aucune accumulation visible de graisse, peau mince comme du papier, but recherché des culturistes pour bien exposer leur musculature. Est-ce plus désirable? Nous reviendrons au chapitre 10, «Dope, dopage et cœur», sur les méthodes discutables d'obtention de tels physiques.

Comme le souligne Jean-Pierre Després, chercheur de l'Université Laval et directeur de la Chaire internationale sur le risque cardiométabolique, le simple IMC reste imprécis. On pondère l'indice de masse corporelle avec le tour de taille, donnant un meilleur estimé de la morphologie de la personne. Cent deux cm pour l'homme et 88 cm chez la femme sont les limites supérieures. Ces chiffres restent arbitraires, mais constituent une référence de départ. L'autre nuance est que la graisse accumulée à l'intérieur du ventre entraîne un plus haut risque de maladie coronarienne que celle sous la peau, surtout si un type de gras, les triglycérides, est élevé. Cependant, il faut une tomographie axiale (CT-Scan) pour le déterminer avec précision, ce qui n'est pas applicable à grande échelle. Ce qui est sûr, c'est que si on a un IMC de moins de 25, un tour de taille de moins de 102 cm (homme) ou 88 cm (femme), il est sûr que nous ne faisons pas partie des obèses, que ce soit à risque modéré ou élevé.

S'il est difficile de retrouver un poids santé pour un adulte, c'est pire pour un enfant et un adolescent obèse. Il y a certainement une énorme composante éducative. Plus un mode de vie est imprégné jeune, plus il est indélébile. Mais il y a aussi une composante biologique : le nombre de cellules graisseuses, les adipocytes, augmente chez le jeune obèse en pleine croissance. Les adipocytes sont des cellules de réserve des graisses, nos multiples petits frigos d'entreposage en cas de besoin énergétique. Comme la famille nord-américaine, l'obèse accumule les «frigos». Il est plus difficile de se débarrasser des graisses s'il y a plus de réservoirs de graisse à vider. La fonction crée l'organe : par entraînement, le sportif augmente le nombre de cellules musculaires et diminue celui des cellules graisseuses. Par excès calorique et sédentarité, l'obèse augmente le nombre de cellules graisseuses et diminue ses cellules musculaires. Plus le phénomène commence jeune, plus il est important. S'ajoute donc un cercle vicieux : les obèses, surtout jeunes, ne brûlent pas efficacement leurs calories par manque d'usines à brûler le gras, nos muscles. L'équilibre est rompu. La baisse de cellules musculaires due à la sédentarité rend difficile la combustion de la graisse d'un nombre excessif de cellules graisseuses. D'où l'importance de développer jeune une bonne musculature, les incinérateurs à graisses.

C'est probablement pourquoi il est très difficile de maigrir après 50 ans et encore plus chez celui qui était obèse jeune. *Échec dans 95% des cas.* Les nutritionnistes ont réalisé que pour faire maigrir un obèse inactif, il faut baisser de façon très sévère le nombre de calories ingérées. La baisse atteint le niveau du supplice de la faim, cause d'échec notoire.

La pyramide inversée

A priori, il vaut mieux être au haut de la pyramide alimentaire : manger plutôt qu'être mangé, tel le requin devant la sardine. Être prédateur plutôt que proie. Le danger vient d'en haut. Mais la science amène une nouvelle donnée : les «inférieurs» de la pyramide peuvent menacer ceux d'en haut. Une bonne anticipation serait de ne pas s'empoisonner comme les chats de Minamata ou le béluga du Saint-Laurent.

Les chats de Minamata

Mystère en 1953 dans l'île de Kyushu au Japon : les chats des villes côtières de la baie de Minamata étaient atteints de convulsions nerveuses et finissaient par se suicider en mer.

Peu de temps après, les bébés de la région présentaient des malformations des membres et des dysfonctionnements du système nerveux. Les adultes de familles entières étaient touchés par une épidémie mystérieuse. Cette maladie n'était pas contagieuse, mais touchait surtout les familles de pêcheurs. Elle était caractérisée par divers troubles du système nerveux central avec des effets aussi bien sensoriels que moteurs. Personnes devenant aveugles et sourdes, atteintes à la sensibilité des bras et des jambes, mouvements désordonnés, démence précoce et décès. Il y eut au moins 48 morts et 1 742 victimes dans la baie de Minamata.

Une longue enquête sur des décennies finira par faire la lumière. Dans la baie de Minamata, une usine de la *Chisso Chemical Company* fabriquait de l'acétaldéhyde et du chlorure de vinyle (PVC) et se servait de mercure inorganique (oxyde de mercure) dissous dans l'acide sulfurique comme catalyseur. La plus grande partie du mercure était rejetée en mer, plus de 150 tonnes. Ce mercure est absorbé par les petits crustacés et animalcules du fond de la baie. Ces animalcules sont le repas des poissons. Les poissons sont ensuite pêchés et consommés par les pêcheurs et leurs clients. Le mercure n'a cessé de se concentrer dans le fond marin, de s'étendre aux crevettes, aux poissons et aux humains, résultant en une concentration toxique de mercure causant la maladie de Minamata. Les symptômes sont la perte du champ visuel, la perte de l'ouïe, le manque ou la perte totale de coordination, des convulsions et le décès. Les mêmes effets qu'en consommant le *Emperor's Tea Pill*, «produit naturel» de médecine chinoise traditionnelle cité au chapitre 6.

Les bélugas du Saint-Laurent

Une chaîne alimentaire toxique du même type menace sérieusement les bélugas dont la population protégée est au mieux stable. Il ne resterait qu'environ 1 000 bélugas dans le Saint-Laurent. La contamination par les produits chimiques, la perte et la dégradation d'habitats sont les principaux facteurs de menace d'extinction du béluga du Saint-Laurent. En particulier, le déversement de pesticides concentrés par les crevettes, aliment du béluga.

Les autopsies des bélugas échoués ont révélé des problèmes du système reproducteur et un taux inquiétant de tumeurs. Selon nos biologistes marins, le taux de cancer chez les bélugas du Saint-Laurent est beaucoup plus élevé que chez les bélugas de l'Arctique et que toute autre espèce de mammifères sauvages. Nos biologistes concluent que pour retrouver un taux semblable, il faut aller chez l'humain… autre piste à suivre pour Santé Canada? L'analyse des tissus a permis d'identifier de nombreux contaminants, entre autres des organochlorés comme les BPC, les dioxines, le mercure et des pesticides trouvés en concentration record dans les tissus graisseux de nos beaux cétacés. Curieux hasard : le taux d'éléments toxiques était comparable chez les parlementaires canadiens lors d'une enquête faite à l'hiver 2007. Pyramide de prédation inversée : la crevette tue le béluga. Par empoisonnement.

Boîte à lunch ou boîte de Pandore ?

Comme cause de l'obésité, de nombreux ouvrages donnent l'excès alimentaire en sucres, graisses et calories au lieu de la consommation modérée de fruits, légumes, fibres et protéines maigres. Dû au conditionnement vers les grosses portions (restaurant et marché d'alimentation). Dû au bombardement publicitaire de la télévision, excellente machine à conditionnement de foule. Il y a même l'hypothèse, controversée et à prouver, que certaines bactéries ou virus de notre corps nous feraient engraisser. La sédentarité, affligeant pratiquement trois Canadiens sur cinq, est certainement une cause majeure. Pour augmenter la préservation et la présentation d'aliments usinés de masse, l'industrie alimentaire a utilisé plusieurs procédés biochimiques pour faciliter transport et préservation : gras trans, margarine, saccharine, succédanés et additifs aux retombées négatives maintenant connues, et d'autres encore mal mesurées.

Bière qui coule n'amasse pas mousse

En 1966, il y a eu une épidémie de défaillance cardiaque en Belgique, au Québec, à Omaha et à Minneapolis. À la recherche de la cause de cette épidémie, les médecins et les épidémiologistes finissent par observer que ces insuffisants cardiaques buvaient la même bière. Cette bière donnait des cardiomyopathies, des cœurs défaillants et dilatés. L'alcoolisme est une cause bien connue d'insuffisance cardiaque, la cardiomyopathie alcoolique. Mais elle était beaucoup plus rapide et avec moins d'alcool que ce que l'on voyait d'ordinaire. La mise à jour de la cause de cette cardiopathie fut un dur réveil pour les producteurs.

Pour diminuer la quantité de mousse de leur bière, pour des motifs de «commodité», ces brasseurs industriels ajoutaient du cobalt à la bière. Brutale réalité : l'accumulation de cobalt est toxique pour le cœur et a entraîné nombre de morts cardiaques et d'insuffisants cardiaques irréversibles. Tout ça pour une bière moins mousseuse conçue pour des motifs promotionnels ! Le cobalt fait partie des micro-éléments nécessaires au corps, mais son excès est toxique. Leçon de prudence pour les promoteurs et amateurs de «suppléments alimentaires», dont la pertinence est très questionnable dans une société hyperalimentée comme la nôtre.

A Big Apple a day keeps the doctor away

L'histoire des gras trans est un autre bon exemple de vue à court terme, d'errance de l'alimentation industrielle. Les gras trans ont été ajoutés aux aliments simplement pour leur «commodité» : le beurre de cacahuète se tartine mieux, les desserts sont plus onctueux, les aliments aux gras trans se préservent plus longtemps. Le symbole des gras trans : l'huile Crisco. Au Québec, les plus vieux se rappelleront de la pittoresque madame Gaudet-Smith avec son slogan : «*Crisco, qui réussit la croûte, qui réussit la tarte*» avec des «r» bien roulés. Promotion bien orchestrée de la vente de l'huile avec diffusion massive de livres de recettes dans nos familles, utilisant à toutes les sauces l'huile Crisco. Les gras trans se retrouvent jusque dans 40% de l'alimentation américaine. Et le Tiers-monde connaît maintenant une augmentation importante des huiles partiellement hydrogénées, expliquant probablement, en plus de l'invasion des *fast-food* et des colas, leur explosion récente d'obésité et de maladie coronarienne.

Il a fallu des années pour découvrir que les gras trans (additif industriel) augmentent le taux de cholestérol et de diabète. Score final : la mortalité cardiaque a triplé.

New York, dans un geste spectaculaire, vient d'éradiquer les gras trans de son territoire. La raison d'une telle révolution dans la métropole américaine, inimaginable il y a dix ans, se retrouve dans un article du *NEJM* paru en 2006. Il démontre l'effet des gras trans sur notre cholestérol : plus on consomme des gras trans, plus notre cholestérol augmente. En cardiologie, il y a une règle issue des innombrables études sur le cholestérol : une hausse de 1 % du cholestérol augmente de 2 % le risque de maladie cardiovasculaire. Selon Walter Willet, directeur du Département de nutrition à Harvard, chaque année, environ 100 000 Américains décèdent des effets de la consommation de gras trans. *La consommation de gras trans augmente de 40 % le risque de faire du diabète, augmente le mauvais et abaisse le bon cholestérol, et triple le risque de mort subite*, études bien faites à l'appui. Si l'on se débarrasse des gras trans, notre cholestérol s'améliore, le diabète diminue ainsi que la maladie coronarienne et sa mortalité précoce. Allons-y d'un tableau révélateur.

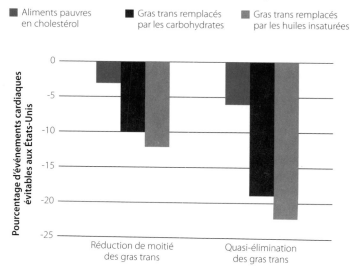

Effet de la réduction de consommation de gras trans

- ■ Aliments pauvres en cholestérol
- ■ Gras trans remplacés par les carbohydrates
- ■ Gras trans remplacés par les huiles insaturées

Axe vertical : Pourcentage d'évènements cardiaques évitables aux États-Unis (0, -5, -10, -15, -20, -25)

Axe horizontal : Réduction de moitié des gras trans / Quasi-élimination des gras trans

Ce graphique, tiré du même article du *NEJM*, nous apprend que l'élimination des gras trans diminue *de 25 % à elle seule* le taux de maladies cardiaques (CHD ou *coronary heart disease*) aux États-Unis. Aucun traitement médical pris isolément n'arrive à une telle performance.

Comme New York, notre société peut choisir l'absence de gras trans, éviter d'inéluctables maladies et dépenses. Où est le meilleur rapport coût-efficacité : prévention ou traitement ?

Hormones de croissance et obésité

Dans la même veine que la pyramide alimentaire inversée, démontrée dans le cas d'intoxication de Minamata, des bélugas, de la bière au cobalt et des gras trans, il est étonnant qu'une certaine hypothèse n'ait jamais fait l'objet d'études plus fouillées : le rôle des hormones d'élevage dans l'obésité. Tous savent que la viande se vend au kilo. Avec un nombre «X» de vaches ou de porc, il suffit de les engraisser pour faire plus de profit, ce à quoi l'industrie s'est diligemment employée ces dernières années. Parmi les méthodes utilisées pour obtenir ces *supersized* vaches et porcs, il y a l'utilisation (légale ou non) d'antibiotiques et de diverses hormones de croissance.

En analogie aux gras trans, souvent ingérés à notre insu et causant la hausse du cholestérol, du diabète et de la mortalité cardiaque, les médicaments d'engraissement animal pourraient-ils être l'une des causes de notre engraissement sociétal ? Expliquer, au moins en partie, pourquoi les Québécois et les Américains sont plus gras que les Français et les Britanniques ? Le vieil adage «Dis-moi ce que tu manges et je te dirai ce que tu es ?» est-il toujours d'actualité ? Serions-nous «dopés» aux hormones de croissance ou par leurs résidus sans le savoir, par manipulation de notre alimentation ? Piste que les experts de Santé Canada devraient explorer très sérieusement, car il existe plusieurs «jurisprudences» médicales et biologiques. Nos chercheurs ont déjà détecté d'autres effets des hormones de croissance animales sur notre métabolisme : elles causent des ménarches (premières menstruations) prématurées chez nos jeunes filles, menstruées plus tôt que leur mère. Notre obésité serait-elle due à l'industrie alimentaire ? Attention, il n'y a aucune affirmation ici, mais bien une question à laquelle il est vital qu'il y ait une réponse. Le doute est sérieux.

Le but premier des hormones de croissance animale est de faire grossir rapidement le mammifère et la volaille. Se pourrait-il que les Nord-Américains soient obèses à cause des hormones d'engraissement qu'ils ingurgitent dans leur «bœuf rouge de l'Ouest» ou leurs *hamburgers*, comme notre béluga victime d'un taux effarant de cancers causés par les polluants concentrés dans leurs aliments?

Pensons au sidérant documentaire *Supersize Me*. Voulant démontrer l'action de la malbouffe, Morgan Spurlock en a ingéré de façon exclusive pendant un mois. Il a subi en accéléré le «syndrome métabolique» qui est la nouvelle plaie sociale occidentale: le composite obésité, diabète, trouble de cholestérol. En se gavant de hamburger, frites et cola, soit le trio *bœuf à hormones/gras trans/glucose-fructose*, l'auteur s'est-il donné en cobaye à sa théorie, tout comme notre médecin Australien qui a avalé une culture pure de bactéries mangeuses d'estomac pour démontrer que l'ulcère a d'autres causes que le stress? Par surdose, a-t-il démontré en quelques semaines ce qui arrive à l'Amérique depuis 40 ans? Simplement en forçant la dose de *fast-food*?

L'emploi d'hormones d'engraissement chez les bovins de boucherie soulève beaucoup de controverse. L'utilisation de ces produits est autorisée au Canada et aux États-Unis, mais elle est interdite dans l'Union européenne. Intéressant parallèle: les Nord-Américains sont pour la plupart des Européens de souche. L'Amérique du Nord est beaucoup plus obèse que l'Europe. D'où la question: l'obésité nord-américaine viendrait-elle des méthodes controversées de production de viande, ne serait-ce qu'en partie? Sommes-nous des mésanges aux hormones?

Quels stimulateurs de croissance sont autorisés au Canada? Selon Santé Canada, six sont homologués et peuvent être administrés aux bovins de boucherie. Trois sont naturels: la progestérone, la testostérone et l'œstradiol-17ß; et trois sont synthétiques: l'acétate de trenbolone, le zéranol et l'acétate de mélengestrol.

Si Santé Canada autorise ces hormones, c'est que malgré la controverse, il n'y a pas assez d'information. Même avec une réglementation, la tentation reste grande de les utiliser abusivement pour augmenter les profits. Les chevaux de course et les athlètes étant massivement dopés par appât du gain (chapitre suivant), nous pouvons présumer du peu de scrupules pour un porc ou une vache. Le problème est le manque de financement pour des recherches sans profit financier à court terme. Qui ira investir dans un domaine où il n'y a pas de revenus anticipés? Ce type d'études devrait être sérieusement abordé et soutenu par les organismes de santé publique. L'Europe interdit l'importation de viande de bœuf américaine lorsqu'elle contient de l'hormone de croissance. D'où une guerre commerciale intense menée par les États-Unis, avec pressions financières sur l'Europe, du type de celles appliquées au bois d'œuvre canadien.

Comme évoqué plus haut, un lien causal entre les hormones d'élevage et la santé humaine a déjà été établi : nos adolescentes ont leurs premières règles plus précocement que leur mère et grand-mère en raison des hormones de croissance présentes dans la viande que nous mangeons. Intéressant paradoxe : au cours de la même période, alors que nos filles sont fécondes plus jeunes, le taux de spermatozoïdes baisse de moitié principalement à cause des pesticides. Nos manipulations environnementales perturbent la fertilité chez la femme (hormone d'élevage) et l'inhibent chez l'homme (pesticide). Pourquoi tant de difficultés pour les Québécois du nouveau millénaire à faire leur 1,4 enfant alors que nos grand-mères en avaient «par botte de douze»? Et à la clé de cette «dysfertilité» en partie environnementale, l'expansion des cliniques de fertilité et du nombre d'enfants prématurés qui sont confrontés à une dure réalité.

Le tigre et la vache

Lors de la visite des pavillons d'Afrique à Expo 67, deux proverbes sont restés dans ma mémoire d'enfant. Je m'en rappelle probablement parce qu'ils traitaient de la même chose à l'aide de deux symboles diamétralement opposés.

«Se plaignant qu'un tigre ait enlevé une de ses brebis, un villageois se fit répondre par le sage du village : *Remercie plutôt le ciel de ne pas leur avoir donné d'ailes !*»

«Un enfant met les pieds dans une bouse de vache. Il maudit la création de cette engeance. Le sage du village (probablement le même) de répondre : *Remercie plutôt le ciel de ne pas leur avoir donné d'ailes!*»

Instinctivement, nous aurions tendance à croire que le tigre est beaucoup plus dangereux pour l'homme que la vache. Sûrement vrai au premier degré. Or, la réalité globale semble bien différente.

Le tigre est en voix d'extinction, principalement parce qu'il représente une des menaces naturelles millénaires pour l'homme. Tout comme le requin qui nous fascine et terrorise et qui a été exterminé à 90%. À l'inverse, l'homme a poussé l'élevage de la vache, animal représentant historiquement l'abondance : veau d'or, vache sacrée, vache grasse, sacrifice rituel du taureau, culminant jusqu'à la corrida. Mais la vache semble en voie de devenir beaucoup plus dangereuse pour l'homme que tous les tigres et requins qu'a connus la planète.

On apprend que les vaches et animaux d'élevage, si ardûment engraissés, dégagent *18% de tous les gaz à effets de serre de la planète*, surtout le méthane, par leur digestion (entendre pets et rots). Pour référence, tous nos moyens de transport incluant l'automobile et nos avions produisent 12% des gaz à effets de serre. Et la vache «hybride» n'est pas pour demain... À l'heure actuelle, le quart de la planète est couvert de pâturages et le tiers des terres arables sont utilisées uniquement pour nourrir du bétail. Huit pour cent de l'utilisation humaine de l'eau sert en fait le bétail, pour arroser les cultures destinées à l'alimentation des bêtes. L'élevage est responsable de l'utilisation de 37% des pesticides et de 50% des antibiotiques, produits qui se déversent en grande quantité dans l'eau que nous buvons. Cette relâche débridée des antibiotiques dans notre eau et alimentation a une fâcheuse conséquence : une exposition humaine constante aux antibiotiques, cause maintenant soupçonnée de la nouvelle virulence des germes dont nous sommes porteurs (*C. difficile*, Staphylocoque, *E. Coli*). Nous y reviendrons.

Au total, les animaux laitiers et de boucherie constituent le cinquième de toute la biomasse animale terrestre, hamburgers aidant. *Over 1 000 billions sold!*

Ces données fort étonnantes viennent d'Henning Steinfeld, porte-parole de la FAO, l'Organisation mondiale pour l'agriculture et l'alimentation de l'ONU. Il a supervisé un rapport d'experts qui recommande que l'impact environnemental de l'élevage soit réduit au moins de moitié. Un Américain consomme 123 kilos de viande annuellement (beaucoup plus que son poids, pour le moment) alors qu'un Indien en consomme cinq. En une vie, le tube digestif de l'Américain aura ingurgité plus de 7 tonnes de vache. On s'attend à ce que la consommation de viande passe de 229 millions de tonnes à 465 d'ici 2050. Le double. Et Henning Steinfeld d'ajouter :

Les impacts de l'élevage sur l'environnement pourraient être fortement diminués si la consommation excessive de produits animaux par les pays riches baissait.

Un autre intéressant parallèle entre l'écologie et la santé.

Le cardiologue ajoutera que la viande de mammifère, dopé ou non, est un clair facteur de risque de la maladie coronarienne. La viande de mammifère est une excellente source de cholestérol, de graisses et de calories superflues, sans parler des «additifs». À l'inverse, il y a peu de maladie coronarienne chez les végétariens. Aucun besoin de devenir sectaire, mais consommer moins de viande règlera deux problèmes majeurs en même temps, notre santé et celle de la planète.

Y a-t-il un impact de l'obésité sur la société ?

Le *Center for Disease Control* (CDC) américain estime qu'aux États-Unis les dépenses médicales attribuables à l'embonpoint et à l'obésité représentent 9,1 % de toutes les dépenses médicales. Elles ont atteint 78 milliards de dollars en 1998 pour monter à 117 milliards en 2002. Aujourd'hui, elles approchent 150 milliards de dollars. Éveil récent au Québec : en 25 ans, les Québécois ont engraissé en moyenne de 10 kilos. En 2000, l'obésité avait absorbé 5,8 % du budget du ministère de la Santé, soit 500 millions de dollars, selon une étude du groupe GPI Atlantic.

Y a-t-il un impact de l'obésité sur l'environnement ?

Les Québécois ont engraissé de 10 kilos en 25 ans. Selon Statistique Canada, les Canadiens consomment 300 calories par jour de plus qu'il y a 10 ans. Cela représente 100 000 calories par an par Canadien ou 3,28 trillions de calories pour le Canada. Ce *surplus* correspond à la consommation alimentaire du Gabon pour la même période. Laure Waridel et Équiterre le démontrent très bien, la surconsommation entraîne l'appauvrissement des ressources alimentaires, l'intensification des transports pour importer des aliments de toute la planète avec augmentation des gaz à effets de serre, et hausse de la pollution des mers par des porte-containers délabrés vidant leur huile usée dans les mers.

En 2000, le *Center for Disease Control* des États-Unis a établi que *l'excès de poids* des passagers américains, comparativement aux années 50, a entraîné une consommation supplémentaire de 1,3 milliard de litres de carburant pour les compagnies aériennes, causant le rejet supplémentaire de 3,8 millions de tonnes de dioxyde de carbone. Des données plus récentes seraient du plus haut intérêt. Parmi les moyens de transport émettant des gaz à effets de serre, l'avion est bon premier : 300 grammes de CO_2 par kilomètre/passager, 60 à 100 pour la voiture à essence, 25 à 80 pour le train et 10 à 50 pour l'autobus.

Les compagnies d'aviation ont été les premières à adopter des mesures concrètes en regard de l'obésité sévère, incluant l'obligation d'acheter deux sièges. Chaque kilo et chaque centimètre carré sont importants dans un avion. En fait, l'avion est un modèle de microsociété où l'équilibre et la rigueur sont importants pour le succès du vol. Ce que nous avons observé dans l'avion est-il un témoin sensible et avant-coureur de l'évolution de notre vaisseau Terre en vol dans l'univers ?

Le même calcul d'excès d'émissions polluantes pour les obèses pourrait être fait avec les voitures, ascenseurs ou tout appareil de locomotion. La consommation d'essence d'une voiture est proportionnelle à la charge qu'elle transporte. Le transport d'une personne de 100 kilos consomme plus d'énergie que si elle en pesait 70, que ce soit en voiture, dans un ascenseur ou par un escalier roulant. L'obésité entraîne chaque année aux États-Unis la consommation de 4 milliards de litre d'essence *supplémentaires* ou la quantité d'essence pour faire rouler 2 millions de véhicules par an. Au Canada, un programme gouvernemental donne une multitude de trucs pour que chaque Canadien abaisse d'une tonne sa production de gaz à effet de serre. «Défi une tonne»… maigrir?

La surconsommation amène deux retombées parallèles : gaz à effet de serre et obésité. Et leur conséquence : réchauffement climatique et maladie cardiaque. La surutilisation de ressources et l'émission de gaz à effet de serre découlant de la consommation d'une population obèse semblent avoir beaucoup plus d'impacts négatifs pour la santé dans son ensemble que la fumée secondaire du tabac, déjà vigoureusement mise au ban de notre société. Il faudra se rendre à l'évidence : une société obèse se tue en tuant d'autres êtres vivants et son propre milieu. Notre exploitation effrénée visant l'obtention d'un certain confort semble entraîner des effets secondaires de l'extérieur (réchauffements climatiques et catastrophes météorologiques) et de l'intérieur (obésité et maladie coronarienne).

Un obèse en Amérique du Nord, c'est un alcoolique vivant au-dessus d'une taverne

C'est une nutritionniste au congrès de l'*American College of Cardiology* de 2006 qui a laissé tomber cette phrase. Cette expression frappante amène à considérer le problème autrement : l'obésité serait-elle un simple problème de valeur? D'éducation? Les valeurs sont probablement la variable la plus difficile à changer chez un humain de plus de 50 ans, sauf exception. Serait-ce la raison de l'échec de l'approche traditionnelle de l'obésité? Si avec les méthodes actuelles, on ne freine pas la progression de l'obésité, si le taux de guérison de l'obésité chez l'adulte reste à un lamentable 5%, faudrait-il plutôt changer nos méthodes et investir, par exemple, dans des projets pilotes chez l'enfant, dans nos centres de la petite enfance et dans les écoles?

Mon fils m'a rapporté cette question de son professeur d'éducation physique du collège : il se demandait si j'étais au courant d'une tendance générale de baisse du niveau de la forme physique de nos jeunes. Le professeur avait remarqué qu'au fil des ans, les élèves étaient de moins en moins bons à l'entraînement dans un sport précis. Il notait que les temps mesurés dans cette activité se détérioraient au fil des ans. Il se demandait s'il ne voyait pas là un reflet de la baisse de la condition physique de la nouvelle génération. Les dernières études à ce sujet confirment les intuitions de cet éducateur. Il est bien documenté que les jeunes sont physiquement moins en forme qu'autrefois.

À l'inverse, une étude faite par Suzanne Laberge, kinésiologue de l'Université de Montréal, apporte une autre donnée. Elle découvre que 45 minutes supplémentaires d'activité physique tous les midis augmentent de façon notable le degré d'attention et de concentration, surtout chez les garçons. Intéressante alternative au Ritalin. En voulant diminuer l'incidence de l'obésité par un programme d'activité physique soutenue, verrions-nous de plus s'améliorer notes et taux de décrochage des garçons québécois? Dans la liste de ses recommandations 2006, la Fondation des maladies du cœur du Québec préconise un minimum d'une heure d'activité physique par jour dans nos écoles. L'éducation en santé cardiovasculaire peut être très simple : l'habitude et la valorisation de bouger dès le jeune âge.

Ébauche d'une piste

Nous serions probablement plus efficaces dans la prévention et le traitement de l'obésité en arrêtant de la considérer comme un superficiel problème d'apparence – ce qui est contreproductif pour le but recherché – ou d'une quelconque maladie fictive des glandes. Il est généralement bien admis que certaines personnes engraissent plus facilement que d'autres, mais il ne faut pas négliger les habitudes transmises en famille et le choix de nos aliments. Il pourrait être plus efficace de traiter l'obésité comme un problème de valeurs personnelles et environnementales, donc en investissant massivement dans la petite enfance et l'éducation.

Avec un taux de succès de traitement de 5 %, il semble que l'obésité soit comme la poliomyélite : le seul traitement, c'est de ne pas l'attraper. Le vaccin de la polio a été la seule et unique arme efficace. Je n'ai jamais vu de cas de poliomyélite en 26 ans de présence permanente à l'hôpital depuis mon externat, magnifique victoire de la médecine scientifique. Il y a 50 ans, avant les vaccins Salk et Sabin, alors que la poliomyélite dévastait la communauté, une multitude de traitements ont été tentés et ont échoué. Il a fallu se rendre à l'évidence. Pour la polio, le curatif est nul et seule la prévention pouvait l'éradiquer. Faut-il aborder l'obésité de la même façon?

CHAPITRE 10

Dope, dopage et cœur
On achève bien les chevaux

Tabac

La nicotine, «produit naturel» de la plante du tabac, fait partie de longue date de l'histoire de l'humanité. Sir Walter Raleigh, fondateur de la Virginie, a popularisé la culture du tabac en Angleterre en 1585 après s'être fait offrir le calumet de la paix par les Indiens d'Amérique. Ceux-ci consommaient le tabac sur un mode ancestral et très artisanal. Raleigh ne se doutait pas que l'industrialisation allait catapulter sa découverte au rang de fléau mondial.

Après des centaines d'études sur des dizaines d'années, c'est une certitude que le tabac cause l'athérosclérose avec AVC et maladie cardiaque, la maladie pulmonaire obstructive chronique dont l'emphysème, et plusieurs cancers dont surtout ceux du poumon, de la gorge et de la langue. D'où les campagnes de prévention sur le tabagisme, atteignant des intensités différentes selon les continents. Le taux de tabagisme est très variable d'un pays à l'autre, allant de 10 % en Éthiopie jusqu'à 70 % en Corée. Le Canada comptait de 26 à 28 % de fumeurs en 2003 (CCORT, OMS, CDC), et au Québec on en relève 24 % à 29 % (INSPQ, CCORT), pourcentage qui a tout récemment diminué à 20.

L'étude *Interheart* sur plus de 27 000 personnes dans 52 pays a été publiée en septembre 2006 dans le *Lancet*. Les principales constatations sont :

- Le tabagisme augmente de trois fois le risque de faire un infarctus.

- En cessant de fumer, ce risque baisse à 1,87 fois en moins de trois ans et à 1,22 fois après 20 ans.

• Chez les non-fumeurs, l'exposition à la fumée secondaire augmente de 25 % le risque de faire un infarctus.

L'éducation, les campagnes de sensibilisation et les mesures coercitives (taxes, exclusions et amendes) semblent donner de bons résultats avec une baisse significative du tabagisme au Québec, de 34 % dans les années 90 à 20 % aujourd'hui. Quoique le tabagisme soit reconnu pour être l'une des plus dures toxicomanies, comparable à la cocaïne ou à l'héroïne, notre société y obtient un meilleur succès qu'en contrôle de l'obésité. Contrairement à l'obésité, les mesures prises contre le tabac ont été accompagnées de mesures monétaires (lourdes taxes) et de pénalités assimilant pratiquement le tabagisme à un acte criminel : réprimandes, exclusions et amendes.

Tendances relatives au tabagisme
Fumeurs actuels, selon l'âge, Canada, 1985 à 2003

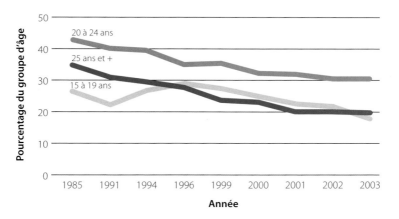

Les fumeurs pourraient rétorquer que cette habitude les concerne seuls ; que gagner quelques années d'espérance de vie n'a pas vraiment d'intérêt puisque ce sont celles de fin de vie, et que notre société n'a pas tellement d'égard pour nos vieillards ; que plusieurs préfèrent mourir à 75 ans d'infarctus au lieu de mourir d'Alzheimer à 82 ans dans un hospice, isolés et avec risque de se faire maltraiter et humilier par certains employés comme nous l'avons vu récemment ; que le coût sociétal de mourir rapidement d'un cancer est nettement moindre que de mourir de vieillesse dans un centre de soins de longue durée ; que les taxes sur le tabac ont largement défrayé leurs coûts de santé.

Le débat sur le tabagisme secondaire a longtemps fait rage et, parfois, les fumeurs avaient l'impression qu'il s'agissait plus d'un opprobre social que d'une vraie mesure de santé. On retrouve parfois dans certains sites très sérieux contre le tabac, comme celui de la *British Medical Association*, des affirmations totalement loufoques comme : « Passer une heure avec un fumeur est 100 fois plus à risque de causer un cancer que passer 20 ans dans un immeuble dont les murs contiennent de l'amiante. » Il serait intéressant de voir comment cette preuve a été faite. Ce type d'affirmation, sans référence ni fondement scientifique, tient plus de l'intégrisme que de la science et n'aide pas la cause contre le tabac.

Pour nombre de fumeurs, ce petit côté intégriste de certains antifumeurs est exaspérant, ceux-ci démarrant sans vergogne leur voiture matin et soir. Tant qu'à appliquer une logique sur la fumée secondaire, allons jusqu'au bout : on pourrait leur demander de prendre ne serait-ce que quelques bonnes inhalations de leur tuyau d'échappement. À une lumière rouge et dans un embouteillage, une bonne quantité de la fumée secondaire de la voiture d'en avant passe directement dans la ventilation de la nôtre.

Toutefois, les fumeurs ne peuvent nier les évidences. Selon les récentes études du *National Institute of Health* américain, le tabagisme secondaire augmente effectivement chez les non-fumeurs de 25 à 30 % le risque de faire une maladie cardiaque et de 20 à 30 % le risque de faire un cancer. Au-delà de notre propre santé, ceci peut être une raison plus fondamentale de cesser de fumer : ne pas hausser le risque de maladie de nos proches.

Longtemps, les études sur le tabagisme secondaire ont manqué de solidité. Il y a à peine quelques années, l'éditorialiste en chef du *New England Journal of Medicine* confirmait leur manque de crédibilité et de rigueur. Mais récemment, des études mieux faites ont confirmé la part du tabagisme passif dans les facteurs de risque, tout comme on valide le fait que l'obésité est liée à l'augmentation des gaz à effet de serre, au réchauffement climatique, aux taux des maladies et aux coûts de santé. Nous voyons le débat et la sensibilisation sur les habitudes de vie se déplacer vers leurs répercussions sociales et de santé communautaire.

Une nouvelle cause d'obésité est maintenant bien documentée chez les adultes d'âge moyen : l'arrêt du tabac. Tout fumeur le sait ; en cessant de fumer, on peut craindre un gain de poids atteignant facilement 25 kilos et plus. Le problème du tabagisme est double : en commençant à fumer, on augmente notre risque de maladie vasculaire et de cancer. En cessant de fumer, on augmente le risque de devenir obèse, donc le risque de maladie vasculaire. Tabac et obésité : les Charybde et Scylla de la maladie coronarienne.

Ceux qui n'ont aucun problème avec le tabac sont généralement ceux qui n'y ont jamais touché. Et un fort nombre de ceux qui ont cessé sont maintenant victimes d'obésité. Leur anorexigène a disparu et un nouvel équilibre appétit-activité doit se refaire, tâche très difficile au faible taux de succès.

En première année de médecine, nos professeurs de pharmacologie nous ont décrit une situation d'intérêt : plusieurs études sur de nouveaux médicaments sont faites en prison. Les sujets d'études, les détenus, sont forcément très fidèles aux rendez-vous (!) et cela leur donne un revenu, autrement quasi impossible à avoir, ce qui les motive beaucoup à participer. Toutefois, il y a toujours eu des échecs dans les études menées en prison sur la dépendance des fumeurs au tabac, malgré le fait que ces sujets étaient très motivés financièrement, puissant moteur de notre société. En effet, c'était leur retirer une rare soupape de leur condition (stress chronique) et cela met en évidence la dureté de cette narcomanie.

On en revient à l'éducation, à la prévention et… à la poliomyélite : le meilleur traitement est de l'éviter. De toutes les stratégies, la plus simple et efficace reste de ne pas commencer. Le principe de «tout essayer au moins une fois dans la vie» est empreint d'un risque beaucoup plus élevé qu'il y paraît au premier coup d'œil.

Néanmoins, il y a espoir. Deux exemples concrets et parallèles : les politiques contre le tabac et les politiques pour préserver la couche d'ozone portent fruit de façon mesurable. Baisse du tabagisme de 35 à près de 20 % au Québec depuis 10 ans. Selon le Dr Andrew Pipe, directeur du centre de cardiologie préventive de l'Université d'Ottawa, le taux de fumeurs serait rendu à 10 % dans la capitale canadienne. Le Dr Pipe est l'un des promoteurs d'une vigoureuse campagne de sensibilisation communautaire, diffusée progressivement dans les villes. Les centres de cardiologie préventive ont une équipe d'aide à l'arrêt du tabac, dont les hôpitaux et les CLSC ont les coordonnées. Il faudra désormais répéter l'exploit pour contrer notre 60 % d'excès de poids et notre 54 % de sédentarité. Notre mieux-être et nos ressources sociales en dépendent.

Cocaïne

Trop peu le savent : la première ligne de cocaïne peut causer un infarctus.

Lorsque je traite un patient de moins de 40 ans victime d'infarctus, une nouvelle question s'ajoute depuis quelques années à l'histoire de cas : prenez-vous de la cocaïne ? La cocaïne a beaucoup baissé la moyenne d'âge de nos infarctus. Comme effets de la cocaïne, nous retrouvons rupture de l'aorte par poussée de pression, spasme artériel, thrombose d'une artère cérébrale avec AVC ou d'une coronaire avec infarctus. C'est l'effet pharmacologique de notre brutale décharge d'adrénaline causée par la cocaïne. Irriguer le cerveau à plein tube peut faire sauter la tuyauterie. En plus de cet effet, ceux qui se piquent s'injectent des bactéries qui infectent les valves du cœur. Les bactéries mangeuses de cœur causent l'endocardite, dont la mortalité peut atteindre 50 %, aggravée par les nouvelles bactéries multirésistantes de plus en plus coriaces à traiter. Tout en risquant cirrhose et SIDA.

Il est difficile de savoir quel est le taux exact d'infarctus causé par la cocaïne. Ceux qui avouent candidement leur toxicomanie sont en général des gens de faible revenu ou des itinérants. On peut comprendre l'avocat d'un gros bureau du centre-ville de cacher sa consommation : impact sur sa licence, sur sa pratique et sur ses assurances. La vérité est confrontée à la perte des statuts professionnels. Pour obtenir la vérité permettant de donner un traitement approprié, l'idéal est d'avoir une conversation intime, sans écrits.

Le Vioxx : yin et yang de la thrombose

J'ai revu récemment un patient de 38 ans que j'avais dilaté pour infarctus aigu quelques années plus tôt, un samedi à trois heures du matin. En relisant l'histoire de cas que j'avais écrite durant cette nuit, je relève que ce jeune homme n'avait jamais eu de maladies ou de problèmes particuliers, si ce n'est une tendinite pour laquelle il prenait du Vioxx. J'avais noté qu'il était drôlement jeune pour un infarctus et que c'était inhabituel : pourquoi lui ? Et j'avais souligné le mot Vioxx avec trois points d'interrogation.

C'était au moment où des doutes commençaient à être soulevés sur le risque d'infarctus liés au Vioxx. Je me suis également rappelé que j'avais eu un doute sur deux autres cas semblables. La seule particularité de ces jeunes patients est qu'ils venaient de commencer du Vioxx.

L'histoire du Vioxx et de son impact sur le cœur est simple. On cherche depuis des années un anti-inflammatoire qui ne cause pas d'ulcère et d'hémorragie digestive, la plaie des médicaments contre l'arthrite. Nos sculpteurs de molécules ont découvert le Vioxx, très efficace contre les douleurs et sans effet secondaire sur l'estomac. La terre promise des arthritiques. L'ulcère aux anti-inflammatoires était éliminé, d'où l'euphorie initiale. Lors des grandes études finales, on a découvert, en analysant la banque de données, un léger excès d'infarctus côté Vioxx. Cette anomalie fut d'abord attribuée au fait que les patients qui ne prenaient pas le Vioxx étaient d'emblée protégés contre la maladie cardiaque, car ils prenaient un autre anti-inflammatoire comme l'aspirine, cardioprotecteur bien connu. Finalement, on a dû reconnaître qu'il y avait plus d'infarctus chez les patients au Vioxx que dans une population normale.

La bombe. L'explication est venue des biochimistes, pharmacologues et chercheurs-cliniciens : le Vioxx déséquilibre notre Yin et Yang de la coagulation des plaquettes, des molécules nommées prostaglandines. Le Vioxx inhibe les prostaglandines qui gardent le sang clair (la prostacycline) en laissant toute la place aux prostaglandines qui forment les caillots (la thromboxane). D'où formation de caillots et thrombose coronarienne. Exactement l'inverse des vertus de notre chère aspirine qui balance notre coagulation vers un Yin heureux. Malheureusement, la terre promise était un mirage.

Marathon et mort subite

La plus célèbre des morts subites de l'athlète est sans doute celle du messager de la victoire de Marathon en 490 avant Jésus-Christ. Marathon était une petite ville à quelques dizaines de kilomètres d'Athènes. Les Athéniens y remportèrent la victoire sur les Perses, qui menaçaient d'envahir la Grèce et de détruire la civilisation hellénique. Véritable tournant historique. À peine la bataille était-elle gagnée que, selon la légende, un messager dénommé Philippidès courut annoncer la victoire aux habitants d'Athènes. Il mourut d'épuisement en arrivant sur l'Agora, au pied de l'Acropole. Il eut tout juste le temps de prononcer un mot avant de s'effondrer : *Nenikamen* qui veut dire «nous avons gagné». Son souvenir est à l'origine de l'épreuve la plus symbolique des Jeux olympiques, le marathon. Le nouveau guerrier devenait l'annonciateur du plein engagement de l'athlète : gagner au péril de sa vie.

Nombreux sont ceux qui ont vu aux informations de jeunes athlètes s'effondrer et mourir subitement. Il y a des morts subites dues à des maladies cardiaques congénitales dont le porteur peut ignorer l'existence. Ce sont des syndromes rares, mais très marquants : un jeune athlète au sommet de sa forme qui s'effondre, mort. Il y a deux grandes catégories de causes de mort subite de l'athlète : l'épaississement congénital du muscle cardiaque, ou «cardiomyopathie hypertrophique», et les arythmies congénitales, comme la «dysplasie arythmogène». Deux malchances héréditaires rares, qui commencent tout juste à être bien décrites et traitées.

Mort naturelle ?

Il existe trois difficultés qui empêchent de bien comprendre et traiter ces morts subites de l'athlète. La première est qu'elle survient chez des jeunes en bonne forme, ne présentant aucun symptôme avant-coureur. Personne ne se doutait de rien. La deuxième est que ces morts subites sont (heureusement) rares, donc difficiles à étudier. Elles sont donc victimes du syndrome des «maladies orphelines», et leurs études sont moins subventionnées, car elles concernent un petit marché. La dernière difficulté, et non la moindre, est la loi de l'omerta autour du dopage. Les études de morts subites d'athlètes comportent un grand bruit de fond, un brouillage intense. On ne peut dire avec certitude qui était dopé ou non. Les scandales de dopage et morts subites, notamment chez les cyclistes, ne semblent que la pointe de l'iceberg. Nos études sur les morts subites d'athlètes n'arrivent jamais à des conclusions claires, car elles ne permettent pas de savoir lesquels étaient dopés.

Des complications cardiaques dues au dopage surviennent de plus en plus, mais les cardiologues sont maintenus dans le brouillard, les consommations illicites étant habituellement non avouées, voire niées avec ardeur. Comme dans le cas de notre avocat cocaïnomane, toute une vie peut être perdue à cause de la consommation. Il y a jurisprudence et elle s'appelle, entre autres, Ben Johnson. Ces cachotteries compliquent beaucoup le travail de diagnostic et de traitement, et elles nuisent au traitement que l'on veut apporter à ceux qui sont victimes d'une maladie. On dit que la première victime d'une guerre est la vérité. La première victime du mensonge est la science.

Les athlètes de l'Antiquité grecque se doutaient déjà que la force des animaux résidait dans leurs testicules. À la fin du 19e siècle, un réputé physiologiste français, Edouard Brown-Séquard, s'est acharné à le démontrer. Pour ce faire, il fit un mélange issu d'extraits de testicules de chien et de porc, et se l'injecta sous la peau. À ses dires, il ressentit tout de suite une vigueur accrue, des capacités intellectuelles revigorées. Quarante ans plus tard, l'hormone mâle, la testostérone, est isolée puis synthétisée. Dès lors, les sportifs disposent des clés permettant à leur organisme d'activer l'usine à muscle. La fabrication «industrielle» de muscles peut s'enclencher. L'ère du dopage à la testostérone est commencée.

Pourtant, tout n'est pas si rose tant pour la santé des athlètes que pour leurs performances.

Il y a quelques années, une équipe de chercheurs australiens a soumis deux groupes de rats à des entraînements de nage et de course. Un des deux groupes était «nourri» aux bêta-stimulants, de la famille de l'adrénaline. Si les premières semaines de l'expérimentation ont fourni les résultats attendus (les rats dopés étaient plus performants), la tendance s'est inversée au cours de la quatrième semaine. Les rats dopés ont alors montré des signes d'épuisement manifestes, leurs performances se sont dégradées jusqu'à devenir inférieures à celles des rats «sains». Après dissection, les scientifiques se sont rendu compte que le cœur des rats dopés était rempli de tissus cicatriciels, affaibli comme un moteur brûlé. Suite à une utilisation intense et chronique de bêta-stimulants, les fibres musculaires sont remplacées par du tissu cicatriciel : ce sont des micro-infarctus. Le risque d'arrêt cardiaque est évident. L'inflammation des fibres entraîne de l'irritabilité du muscle cardiaque, qui peut subitement tomber en fibrillation ventriculaire, notre «épilepsie cardiaque». Autres désagréments : tremblements, maux de têtes, crises hypertensives. Forts soupçons quant à l'élévation des risques de cancers.

Sous amphétamines, autre stimulant cardiaque, les coureurs croient courir plus vite, les lanceurs croient lancer plus loin qu'ils ne le font sans drogues. Mais les effets psychologiques peuvent être encore plus marqués. En 1941, à l'arrivée d'une course de fond se déroulant dans les environs de Bâle, trois coureurs présentèrent des comportements étranges. Après être arrivé, le premier de la course se mit à tenir des propos incohérents, à menacer son entourage, à s'agiter en déclarant qu'il voulait avaler des morceaux de verre. Le deuxième ressentit des malaises thoraciques pendant plusieurs heures. Enfin, un troisième coureur fut arrêté dans la dernière partie du circuit. Il ressentait des secousses, était convaincu qu'il allait être condamné à mort pour s'être dopé. Alors qu'il semblait calmé, il se leva brusquement et alla se jeter dans une rivière. Il y mourut noyé. Les trois coureurs avaient pris une substance apparentée au groupe des amphétamines, la Pervitine. Aparté : en relisant des histoires de cas de manifestations cliniques de dopage, un parallèle m'est venu avec les cas de rage au volant : je serais bien curieux de connaître la proportion de ces conducteurs «enragés» sous une quelconque «influence».

Les risques du dopage

La prise de testostérone peut provoquer des intoxications avec lésions des cellules du foie, augmenter le risque de cancers et d'accidents cardiovasculaires. Chez l'homme, l'injection de testostérone inhibe la production de cette hormone par l'organisme et peut conduire au rapetissement des testicules. Enfin, une partie des hormones stéroïdes est susceptible de se transformer en œstrogène (hormone féminine) et engendrer la formation de seins chez des sujets masculins.

Olympiques de Montréal, 1976. Nous découvrons les nageuses de l'Allemagne de l'Est, petit pays de 17 millions d'habitants, qui raflent tous les podiums devant les superpuissances. Épaules de déménageurs, vitesse de dauphins, endurance de chevaux de trait. Le régime politique d'alors voulait affirmer sa suprématie de toutes les façons possibles. Nous saurons plus tard que ces jeunes filles étaient dopées méthodiquement dès ou avant leur puberté, notamment à la testostérone.

Étant une hormone masculinisante, la testostérone provoque chez la femme la survenue de caractères masculins. En moins d'un mois, le visage et le dos se couvrent d'acné dans plus d'un cas sur deux ; les sécrétions de sébum gras augmentent au niveau de la peau et des cheveux. La libido et l'agressivité sont exacerbées. En quelques mois, la voix devient rauque, les cordes vocales s'épaississent et s'allongent. Les cheveux deviennent plus fins et moins longs, leur chute s'accroît. Une calvitie précoce peut apparaître aux tempes et au front. En outre, le menton et le dessus de la lèvre supérieure se couvrent de poils. La toison pubienne s'agrandit vers le bas. La face interne des cuisses, le tour des mamelons et la région située entre les seins se couvre d'une pilosité typiquement masculine. Les menstruations cessent, le clitoris grossit comme un petit pénis, le vagin et les seins s'atrophient. Le bassin s'affine tandis que les épaules s'élargissent. Les muscles grossissent, leur relief s'accroît. Les comportements tendent vers une agressivité décuplée.

Les anabolisants stéroïdes sont-ils dangereux pour le cœur ?

Les anabolisants ont les effets secondaires suivants : élargissement et anomalies du cœur, hausse de thrombose, hypertension artérielle, crise cardiaque et accident vasculaire cérébral. Une insuffisance cardiaque due aux stéroïdes s'est déjà produite chez des athlètes âgés de moins de 30 ans. Agression et violence (la «rage stéroïdale», impressionnante comme un délire aigu et violent), changement de personnalité négatif, manie et dépression pouvant aller jusqu'au suicide. La dépression risque de persister pendant un an après l'usage de stéroïdes. Hépatite, élargissement du foie et cancer du foie ; fertilité réduite chez la femme et chez l'homme. Rupture des tendons, arrêt de la croissance chez les adolescents. Infection au virus de l'hépatite ou au VIH si les stéroïdes sont injectés avec des seringues souillées.

Mens sana in corpore sano

L'idéal olympique de la Grèce antique, repris par Pierre de Coubertin, a été flétri par le gigantisme des jeux, la télévision et le vedettariat. «L'important n'est pas de gagner...» La valorisation du champion, du médaillé, et les millions qui en découlent ont perverti la logique de la promotion du sport. Pas de médaille, pas de reconnaissance. Or, c'est souvent un centième ou un millième de seconde qui fait la différence d'un podium. Personnellement, je ne vois pas la différence entre un athlète qui court une distance en 9,96 et celui qui la court en 9,98. Ces deux surdoués ont consacré leur vie et leur talent pour en arriver là et sont de magnifiques athlètes. Mais le quatrième n'aura ni la reconnaissance ni l'argent du médaillé. D'où l'énorme pression, voire l'obligation du dopage dans le sport d'élite.

La situation du sport professionnel est encore pire en raison de l'absence de contrôle et des sommes colossales en jeu. En France, j'ai connu un entraîneur de rugby qui m'affirmait que nos joueurs de football américains, nos mastodontes, ne pouvaient arriver à de tels physiques que par le dopage systématique. Et effectivement, en les comparant aux joueurs des années 1950, le doute est bien légitime. Encore là, les vieux films sont révélateurs pour rafraîchir notre mémoire.

L'impardonnable, ce sont les médecins qui donnent aux athlètes ces médicaments qui poussent à la performance aux dépens de leur santé. Gâcher la santé d'un superbe athlète est l'un des pires *malpractices* qui soient. Les médecins consacrent vie et énergie à ramener des malades le plus près possible de ce qui représente le sommet de la santé : un athlète. D'autres font exactement l'inverse et compromettent la santé de ces superbes jeunes pour une médaille. Avec notre complicité. Notre soif d'avoir un champion et nos millions accordés pour un trophée poussent et entretiennent tout ce système.

Nos athlètes d'élite deviennent des chevaux de course dopés, abattus à la prochaine chute, comme ce cycliste seul et misérable, décédé dans une chambre d'hôtel. Qui se préoccupe aujourd'hui de l'état de santé de nos nageuses est-allemandes de 1976 ? Pourtant, nous étions tous là à les acclamer, avec leur médaille au cou. L'expression «le revers de la médaille» prend tout son sens pour ces jeunes sacrifiées sur l'autel de la politique, du vedettariat et de la cupidité.

CHAPITRE 11

Cœur, environnement et mondialisation

*Le fond du cœur est parfois
plus difficile à atteindre que
le bout du monde (proverbe chinois)*

L a maladie coronarienne est de loin la plus fréquente des maladies cardiaques de l'Occident, en plus des maladies du muscle, du rythme et des valves. Il y a aujourd'hui un nouveau phénomène touchant d'autres régions du monde : les pays en émergence entrent en quelque sorte dans les années 1940 et 1950 de l'Amérique du Nord, reproduisant l'explosion économique de ce continent industrialisé.

Dans la Chine de 1950, il y avait aussi peu de maladie coronarienne que dans l'Amérique du Nord de 1900. Le nombre de pays en développement où la maladie coronarienne explose est impressionnant. Revenons à l'*Atlas* de l'Organisation mondiale de la santé. Les nouveaux *big busters* de la mortalité coronarienne sont les futurs tigres de demain : la Chine et l'Inde. Deux pays fourmillant d'intelligences vives, en croissance si phénoménale que « si la tendance se maintient », ils pourraient devenir les premières puissances économiques, surclassant par leur masse les États-Unis et le Japon.

Observons le succès du Japon. Dans le marasme de l'après-guerre, avec des produits vulgaires et plagiés, les rebutants *made in Japan* d'autrefois, le Japon a émergé comme puissance économique grâce à une remarquable intelligence. Pas de matières premières au Japon, si ce n'est leur matière grise. Le deuxième Pearl Harbour est l'invasion des Toshiba, Honda, Sony, Lexus, Toyota, Nikon, Mazda, Cannon, Subaru, la liste est longue et de grande qualité.

La Chine et l'Inde prennent aujourd'hui la voie du Japon qui a suivi les États-Unis dans l'évolution moderne. Des élèves très talentueux. Ils vivent aujourd'hui le boom des années 1930-1950 de l'Amérique et des années 1960-1980 du Japon. Mondialisation de la modernité et de la croissance : aspiration successive des États-Unis, de l'Occident, du Japon et maintenant de l'Asie. Tous suivent à leur façon le modèle américain. Coca-Cola, McDonald's et Hollywood sont des marqueurs planétaires. Virus partis des *States*, ils ont envahi le monde et l'aspirent vers le trou noir du confort américain, celui que la planète recherche. L'explosion des maladies coronariennes suit cette croissance de près. En 2002, 700 000 décès cardiovasculaires en Chine et plus de un million et demi en Inde.

On pourra rétorquer que c'est tout simplement parce que les gens vivent plus vieux en raison de meilleures conditions socio-sanitaires et que la meilleure médecine est la prévention.

Alors pourquoi n'y a-t-il pas eu la même épidémie de maladie coronarienne au Japon qu'aux États-Unis ? Paradoxal pour un peuple qui compte 52 % de fumeurs masculins, cause bien établie de maladie cardiaque. Il y a eu hausse au Japon de la maladie cardiovasculaire, mais nettement moindre qu'aux États-Unis et qu'en Chine aujourd'hui. Pour preuve, le record absolu de longévité appartient aux Japonais avec plus de 81 ans d'espérance de vie. Le taux de mortalité cardiovasculaire au Japon est le tiers de celui des Américains. Or, le taux d'obésité au Japon est de 3,5 %, contre 60 % d'embonpoint et d'obésité en Amérique du Nord.

Phénomène sociologique intéressant, retracé dans l'*Atlas* de l'Organisation mondiale de la santé (OMS) : 52 % des Japonais fument, mais seulement 12 % des Japonaises. Encore plus marqué en Chine : 59 % des hommes fument contre 3,6 % des femmes. L'avenir serait-il une femme…

L'Amérique du Nord est championne mondiale de l'excès de poids. Mais, nous l'avons vu au chapitre précédent, le pire s'en vient : une pandémie d'obésité menace tous les systèmes de santé à travers le monde avec les maladies qui vont l'accompagner : diabète et problèmes cardiaques. Comme la pollution, l'obésité accompagne l'industrialisation dans notre marche vers le confort. Nouveau problème, nouveau nom : la «globésité». C'est l'avertissement lancé en septembre 2006 par plus de 2 500 experts en santé réunis pour une conférence internationale à Sydney, en Australie. Intéressant parallèle avec les 2 500 experts du Groupe international d'experts sur le climat (GIEC), mis sur pied par l'ONU. Selon l'Organisation mondiale de la santé (OMS), un milliard et demi d'adultes sont aujourd'hui trop gros et 400 millions d'entre eux sont obèses, les rendant susceptibles de développer diabète, hypertension, hausse du cholestérol, infarctus et certains cancers. Un peu d'anticipation? Le même OMS prévoit, pour 2015, 700 millions d'obèses et deux milliards et demi de personne avec embonpoint. Connaissant la consommation des obèses en soins de santé, les actionnaires des compagnies pharmaceutiques et de «produits naturels» doivent se frotter les mains… opportunité que nos gestionnaires de fonds de pension ont détectée depuis longtemps. La roue économique tourne et la croissance de ces secteurs est au beau fixe.

Dwigth Eisenhower fut le 34e président américain de 1953 à 1961, âge d'or de la Guerre froide, heureusement terminée de notre vivant. Dans son célèbre discours de fin de mandat, son testament présidentiel, il enjoignait ses concitoyens de se méfier du complexe militaro-industriel. Ce puissant lobby faisait la promotion des solutions militaires pour tous les phénomènes sociaux : armes pour se sécuriser, se défendre, protéger ses intérêts économiques, assurer sa souveraineté :

Comme avis de gouvernance, nous devons nous prémunir d'une influence indésirable, volontaire ou non, du complexe militaro-industriel. Le potentiel de la hausse désastreuse d'un pouvoir indu existera toujours.

Il en a été ainsi de la révolution technologique, tributaire et responsable de notre relation avec ce complexe militaro-industriel.

Donc, avec tout le respect dû à la recherche et aux découvertes, il faut rester conscient du danger que la politique devienne captive d'une élite scientifico-technologique. (traduit par l'auteur)

Un vieil adage en médecine : «Quand certains ont un marteau dans les mains, tout a l'air d'un clou.» Eisenhower prônait l'usage de la diplomatie, de la prévention de la guerre plutôt que le traitement par la guerre dont les succès et effets secondaires sont souvent questionnables.

Dans la guerre contre la maladie, le complexe médico-industriel est aussi à encadrer. Le traitement, générant une formidable économie et d'immenses revenus immédiats, passe souvent devant la prévention, qui ne rapporte aucun dividende sinon à celui qui y a recours. Toutefois, à long terme, les dividendes sociaux et économiques de la prévention sont énormes et nos décisions médico-sociales devraient, contrairement à la politique et aux affaires, inclure l'horizon le plus lointain. Avec la somme de connaissances que l'humanité a emmagasinée, ne considérer que le court terme témoigne d'une carence intellectuelle.

Cette digression sur le complexe médico-industriel veut souligner le principal obstacle à prévenir la maladie coronarienne : l'économie. Les lois de l'économie sont dictées par la cupidité, le plus puissant motivateur humain du 21e siècle. Ces lois sont ainsi faites qu'elles favorisent le traitement aux dépens de la prévention. La seule façon de les contrer est un renouvellement des valeurs et le choix de la vision à long terme, comme en obésité.

Paul Zimmet, président de la conférence de Sidney et expert des soins contre le diabète de l'Université Monash d'Australie, précise qu'il y a maintenant plus d'humains en surpoids dans le monde que d'humains souffrant de malnutrition. Singulière répartition de la richesse. On réalise notamment que ce sont les pauvres qui en souffrent le plus, étant les plus grands consommateurs de *fast-food*. Les scientifiques s'inquiètent en particulier du nombre grandissant d'enfants déjà obèses et qui seront plus à risque de développer des problèmes de santé. Si on retourne à l'ouvrage *Toxic* de Reymond, on peut se demander si une partie de l'explication ne vient pas de l'invasion de la nourriture industrielle nord-américaine (parmi autres *virus* venus des États-Unis) dans le quotidien des Chinois et des Indiens, répétant la même épidémie d'obésité que connaît l'Amérique du Nord. Des enfants qui mourront avant leur temps, et plus jeunes que leurs parents. Anticipation du premier recul historique en espérance de vie.

Yves Coppens, le réputé paléontologue français, nous apprend que l'homme moderne (*homo sapiens sapiens*) est apparu il y a environ 100 000 ans. De façon constante, notre espérance de vie a augmenté. Mais le 21e siècle pourrait changer cette évolution. Ce serait alors la première fois de notre Histoire, avec un grand H, que nous assisterions à un recul majeur de la Médecine avec un grand M : la baisse de l'espérance de vie. Au chapitre 8, nous avons vu l'augmentation dramatique du nombre de diabétiques. Une récente étude parue dans *Archives of Internal Medicine* nous démontre qu'un diabétique (type adulte) de 50 ans voit son espérance de vie raccourcie de huit ans. Et qu'il commencera à être malade neuf ans plus jeune que s'il n'était pas diabétique. Simplement parce qu'il est trop gros, habituellement par choix personnel favorisé par une société.

Des théories récentes et controversées affirment que la sélection naturelle a favorisé les humains qui ont tendance à engraisser. Ceux qui engraissent facilement auraient survécu plus facilement aux disettes, en particulier l'hiver ou lors des catastrophes détruisant les récoltes. D'où sélection : ils se seraient reproduits, généralisant cette tendance chez les humains. La principale faiblesse de cette théorie est l'observation de la population japonaise, une des plus riches et des plus anciennes du monde, comportant seulement 3,5 % d'obèses.

Avant le 20e siècle, les gens maigrissaient en hiver, surtout dans les pays froids. Maintenant, nos patients, à qui l'on fait remarquer qu'ils ont engraissé durant l'hiver, rétorquent qu'ils ont peu sorti de chez eux, mais que la belle saison étant de retour, ils se remettent au plein air. Inversion des cycles. Désormais, on engraisse en hiver. Ce n'est que depuis récemment que le monde occidental échappe à la famine. Pensons à l'arrivée massive des Irlandais au Canada et aux États-Unis pour échapper à la grande famine de 1845-1852. Difficile d'imaginer ce que ces gens, nos proches aïeux, ont subi. Il y a seulement 150 ans, on *mourait de faim* en Irlande. La société occidentale ayant régularisé, voire démultiplié l'approvisionnement alimentaire, nous assisterions à la montée de l'obésité, non refreinée par les disettes saisonnières. Cette hypothèse reste encore à être documentée, mais elle est certainement une piste de recherche valable.

Allons maintenant dans le Grand Nord, via Internet. Les sites Web faisant la promotion d'une bonne alimentation abondent. On en trouve un, notamment, qui vend des suppléments alimentaires. Voici ce qu'on lit : « L'huile de poisson est reconnue pour être efficace contre les maladies cardio-vasculaires, la profession de cardiologue est inutile chez les Esquimaux. » Mauvaise nouvelle : en plus de la fonte de la banquise, le Grand Nord vit une autre transformation profonde.

La situation des Inuits du Grand Nord canadien est devenue très préoccupante sinon dramatique. Ce peuple nomade a été sédentarisé en une génération. Le fusil remplace le harpon, la motoneige remplace le traîneau à chiens, la maison préfabriquée remplace l'igloo. Leur nourriture traditionnelle (poisson, phoque, caribou) a été remplacée par les aliments nord-américains. Leur embonpoint, facteur de survie au froid hostile et aux disettes, n'est plus équilibré par leur mode de vie autrefois très actif et leur alimentation riche en poisson.

Aujourd'hui, plus de 60 % des Inuits sont obèses et de 60 à 80 % sont diabétiques, contre 6,4 % de la population du Québec. Le cardiologue leur est malheureusement devenu indispensable, le diabète étant le pire grugeur d'artères qui soit. Un drame médical et social se passe sous nos yeux. L'effet de la civilisation sur les «sauvages». Le diabète occidental décime les peuples autochtones comme la vérole européenne a exterminé les peuples d'Amérique du Nord et du Sud lors des immigrations massives du 18e siècle.

Cœur et environnement

Il y a quelques décennies, avant *Framingham*, le cardiologue traitait les patients un par un, sans trop savoir ce qui les avait fait tomber du pont. *Framingham* nous a instruits sur les facteurs individuels : hypertension, cholestérol, diabète.

Sachant cela, le cardiologue et les autres spécialistes se sont préoccupés de traiter ces facteurs biologiques, diffusant aux médecins de famille les notions pour traiter efficacement ces trois problèmes.

Puis, le cardiologue s'est préoccupé d'obésité, de sédentarité et de tabac. Cette fois, il faut sortir des cliniques de médecine : implication nécessaire de la santé publique et de l'éducation. Amélioration de la situation dans le cas du tabac, échec catastrophique dans celui de l'obésité et de la sédentarité, problèmes dont l'extrême gravité ne nous est apparue que tout récemment.

Maintenant, le cardiologue se questionne sur la pollution de l'air et de l'eau, et sur le réchauffement climatique. Encore une catastrophe en gestation, avec des indicateurs alarmants et à la hausse.

Cadillac et infarctus

Lorsque j'étais étudiant, un médecin m'a relaté une boutade de conférencier qui m'a intrigué. Pour démontrer que l'on doit être prudent dans l'interprétation des statistiques, un présentateur s'était amusé à montrer un graphique où le taux d'infarctus en Amérique du Nord était parfaitement en corrélation avec le taux de vente de Cadillac. Et toute l'assemblée, dans les années 1970, s'était esclaffée devant cette énormité. Et si c'était vrai ?

Les ventes de Cadillac suivent la courbe des ventes de voitures. Les ventes vont de pair avec la sédentarité, la pollution de l'air et de l'eau. La sédentarité va de pair avec l'obésité et le diabète. La pollution de l'air va de pair avec les maladies pulmonaires qui entraînent des maladies cardiaques. Qu'en est-il du smog sur la maladie cardiaque ? La fumée secondaire du tabac hausse le risque de maladie cardiaque. Le smog est une fumée secondaire dont les composantes sont au minimum aussi néfastes que celles du tabac. Il y a encore très peu de données sur les effets cardiaques directs de la fumée secondaire urbaine. Le lien entre la hausse des maladies pulmonaires et la mauvaise qualité de l'air dans les centres-villes nord-américains est déjà établi. Or les épidémiologistes ne sauraient tarder à faire ce lien avec les maladies cardiaques. Ne serait-ce que par le stress chronique bien documenté et mesuré que les centres-villes de type nord-américain engendrent (bruit, saleté, odeur, fumée, poussière de béton, chaleur, humidité, canicule, smog, agression psychologique et physique, syndrome de tour à bureau, déplacement, stationnement, embouteillage, collision, etc.).

La pollution va de pair avec les cancers du béluga, comme nous l'avons montré au chapitre 9. Notre béluga du Saint-Laurent serait-il comparable au pinson des mines? Autre piste pour la santé publique, qui devrait s'y intéresser.

Notre grande artère est malade
La fumée secondaire des états

J'ai parcouru avec intérêt le rapport 2006 de l'Institut national de santé publique du Québec (INSPQ), *L'état de santé des Québécois*. Ce n'est pas précisément aussi captivant qu'un roman de Daniel Pennac ou de Dan Brown, mais tous les médecins doivent se faire un devoir de le lire pour aller au-delà du symptôme et du granule associé. Les médecins sont d'éternels étudiants, comme l'ensemble des scientifiques. Après la question sur le lien entre l'obésité et les hormones d'engraissement animal en Amérique du Nord, une autre situation est intrigante. Malgré une baisse substantielle du taux de fumeurs de 35 à 20%, le Québec devient champion de mortalité par tumeurs malignes: 192 pour 100 000, contre 174 au Canada et en France, 169 aux États-Unis et 144 en Finlande.

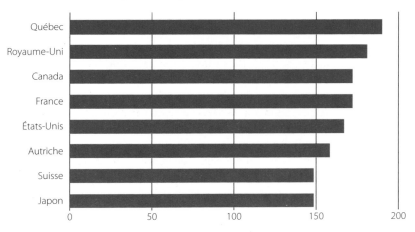

Mortalité par cancer pour 100 000 habitants en 2003

Source: INSPQ 2006

En dépit d'une baisse significative du tabagisme de 34% à 20% sur 15 ans, le taux de cancer des Québécois est devenu le plus haut de l'OCDE. Où est le problème?

Les environnementalistes ont souvent décrit le Saint-Laurent comme étant la poubelle de l'Amérique du Nord. Regardant une carte des Grands Lacs et du Saint-Laurent, un de mes amis parlait de rectum desservant cinq estomacs, un peu comme celui d'une vache. La Cadillac étant construite à Détroit, on pourrait se demander si le taux d'infarctus ne suit pas non seulement la vente de Cadillac, mais aussi le taux de cancer. Selon l'Institut national de santé publique du Québec, la mortalité par tumeurs malignes vient de dépasser celle des maladies vasculaires. Maladie vasculaire : mortalité de 218 pour 100 000 de population. Cancer : mortalité de 230.

Santé et société distincte

French Canadian Paradox : malgré une baisse coercitive et significative du tabagisme, notre société paie un tribut de plus en plus lourd au cancer. Plus encore : *le Québec serait une des rares nations d'Occident où la mortalité par cancer est plus élevée que celle causée par la maladie cardiovasculaire.* L'inverse de toutes les tendances occidentales, sauf au Japon et en France. Nous savons que, dans ces deux pays, le taux de mortalité cardiaque est très faible, cela expliquant pourquoi la mortalité par cancer la devance.

De la prudence : si le taux québécois de mortalité cardiaque est devenu plus bas que celui du cancer, je serai le premier à admettre que c'est parce qu'il se fait de l'excellente cardiologie, d'autant que, selon le rapport 2006 de l'INSPQ, le taux de mortalité cardiovasculaire du Québec est le plus bas du Canada. Un peu d'humilité : l'Institut de recherche en santé du Canada pondère cette affirmation dans son *Atlas cardiovasculaire canadien 2006* : avec un taux de mortalité cardiovasculaire de 247 pour 100 000, nous serions dans la moyenne canadienne qui est de 245. La Colombie Britannique, avec 223, est la province affichant le taux le plus bas.

Toutefois, dans un autre tableau du même document de l'INSPQ, le taux rapporté de mortalité par cancer au Québec est de 192 pour 100 000, donc plus bas que la mortalité cardiovasculaire à 218. Quelle donnée considérer? La clarté est indispensable, surtout pour les lecteurs non spécialisés, en particulier les élus et les fonctionnaires. Selon Statistique Canada, 37% des mortalités en 2003 sont dues aux maladies cardiovasculaires contre 28% pour le cancer. Intéressantes statistiques de santé publique à débrouiller, car il y a divergence de données d'un organisme à l'autre, et tirer des conclusions devient difficile. Malgré toutes ces considérations, il reste deux constantes de toutes ces études : il y a eu baisse très marquée (300%) de mortalité cardiovasculaire depuis 50 ans, et tous les indicateurs prévoient aujourd'hui une remontée due à la sédentarité et à l'obésité. Un malheur n'arrivant jamais seul, on observe aussi une hausse des cancers, malgré la baisse du tabagisme. Ces cancers pourraient être dus à l'environnement. C'est le facteur que l'on pointe de plus en plus.

Revenons à une autre donnée. Nos biologistes rapportent un taux alarmant de cancer chez les bélugas du Saint-Laurent. Les premières autopsies ont révélé des problèmes du système reproducteur et un taux très élevé de tumeurs. Des produits industriels toxiques sont retrouvés en concentration record dans leurs organes. Les biologistes marins observent que ce taux est beaucoup plus élevé chez les bélugas du Saint-Laurent que chez ceux de l'Arctique et que chez tout autre espèce de mammifères sauvages du Québec. Ils remarquent même qu'il faut aller chez les humains pour retrouver un tel taux...

Où les Québécois puisent-ils la majorité de leur eau?

Le Saint-Laurent est le fil conducteur de notre histoire, berceau et source de Montréal, Trois-Rivières, Québec, Tadoussac, Rimouski : près de 80% de notre population habite sur ses rives. À l'origine du Saint-Laurent, les Grands Lacs où sont concentrées la plupart des grandes industries du Midwest américain et du centre du Canada, surtout de l'automobile, mais aussi des industries lourdes et des usines électriques au charbon : Milwaukee, Chicago, Détroit, Cleveland, Buffalo, Toronto. Déversement massif de produits industriels dans les Grands Lacs, acheminés vers le Saint-Laurent. S'y rajoutent les eaux usées de pratiquement toute la population du centre de l'Amérique du Nord. Dans l'air, les émanations des centaines de centrales électriques au charbon du Midwest sont poussées par les vents dominants qui suivent exactement le cours du fleuve. Du smog jusqu'à Rivière-du-Loup, ville bien incapable à elle seule de générer le dixième d'une telle pollution. Bélugas et Québécois dans l'affluent consommant la même eau. Nos crevettes, notre plancton et nos mollusques filtrent et concentrent la pollution du centre de l'Amérique du Nord. Comme les crevettes de Minamata ont concentré le mercure déversé dans la baie japonaise. Intriguant parallèle des taux de cancers des bélugas et des Québécois.

Reproduirons-nous à l'échelle d'un continent le syndrome de Minamata, la population de la baie japonaise étant remplacée par les riverains du Saint-Laurent? Comme plusieurs facteurs de risque de maladie cardiaque sont les mêmes que dans le cas du cancer, mes lectures m'ont amené à observer cet intrigant parallèle avec le cancer, notre deuxième gros tueur. Plusieurs facteurs de risque de cancer sont exactement les mêmes que ceux de la maladie cardiaque, à commencer par le tabac et la fumée industrielle. D'où ma candide question : le taux particulièrement élevé de cancer des Québécois et des bélugas est-il dû au déversement des polluants de tout le centre de l'Amérique du Nord concentrés dans le Saint-Laurent? Situation qui soulève suffisamment de doutes pour justifier des études bien faites, et rapidement. Si l'hypothèse s'avère fondée, imaginons le coup de barre environnemental qui devrait être donné.

C'est pourquoi j'ai décidé d'explorer résolument les liens entre la maladie et l'environnement. Plus on explore ces liens, plus on réalise qu'ils sont étroits. Il faudrait par exemple mesurer soigneusement les taux de cancers autour des terrains toxiques telles les anciennes usines ou les gares de triage. Pour les populations riveraines, il faudrait savoir si le voisinage d'un terrain contaminé augmente leur taux de maladie. Nous avons une première preuve de ce lien avec certains jardins communautaires de Montréal qui ont été fermés : les produits toxiques du sol se retrouvaient dans les légumes. Qu'en est-il lorsque le vent soulève de la poussière contaminée et qu'en est-il du ruissellement de la pluie vers les résidences voisines? Il deviendrait urgent de décontaminer ces terrains, comme l'Université McGill l'a fait avec succès pour la cour Glen, où elle projette de construire le Centre Universitaire de Santé McGill. Celui-ci a été confié à l'architecte Moshe Safdie à qui l'on doit Habitat 67 et le Musée des beaux-arts du Canada. Les observateurs ont hâte de voir la beauté architecturale de cet éventuel joyau montréalais. McGill investit simultanément dans le préventif, le curatif, la communauté et l'environnement. Un coup de quatre buts. Au base-ball, c'est un coup de circuit...

Dans la conception d'urbanité durable, l'Université de Montréal n'est pas en reste sur McGill. Nos confrontations universitaires, évoquant la regrettée rivalité «Nordiques de Québec – Canadiens de Montréal», entraînent une saine émulation. En 2007, le prestigieux Institut canadien des urbanistes a décerné un prix d'excellence au projet d'aménagement de l'Université de Montréal sur le site de la gare de triage d'Outremont.

*Montréal, le 5 juin 2007 – Le projet d'aménagement de l'Université de Montréal sur le site de l'ancienne gare de triage d'Outremont reçoit le prix d'excellence dans la catégorie "design urbain" décerné par l'Institut canadien des urbanistes. Ce prix, **le seul accordé au Québec parmi les douze remis cette année**, souligne la grande qualité du projet d'aménagement de l'UdeM à Outremont conçu par le Groupe Cardinal Hardy, en collaboration avec le Groupe Provencher & Roy architectes.*

Nous sommes fiers de cette reconnaissance nationale accordée à un projet qui nous tient à cœur et que nous avons développé avec le plus grand soin, explique le vice-recteur adjoint, Alexandre Chabot. Nous avons misé sur des valeurs fortes de respect de l'environnement, d'équilibre social et de concertation avec le milieu. Nous avons été épaulés par des professionnels de grande valeur et nous sommes heureux de constater que la qualité de ce qui a été réalisé jusqu'ici est manifeste.

Les critères d'innovation, de créativité, de contribution au développement durable et d'amélioration de la qualité de vie urbaine ont guidé le choix du jury. Le prix est remis aujourd'hui à Québec dans le cadre du Congrès conjoint de l'Institut canadien des urbanistes et de l'Ordre des urbanistes du Québec sous le thème «Vision d'avenir: l'urbanisme face aux grands changements.

Lors d'un colloque environnemental, un gouverneur américain arguait que les Québécois avaient un taux de pollution aérienne et aquatique deux fois supérieur à celui des États avoisinants. Sans prétendre à la pureté, le Québec étant un grand pollueur, il faudrait rappeler quelques notions de géographie à ce gouverneur : les vents dominants et les bassins hydrographiques vont vers le bassin du Saint-Laurent, nous amenant toute la pollution de l'Ouest. Il y a une différence entre la pollution causée et la pollution subie.

L'impact de cette pollution, causée et subie, interpelle quotidiennement le cardiologue. Il est plus que temps que les médecins s'occupent activement d'environnement. Qu'ils montent sur le pont pour voir ce qui s'y passe.

CHAPITRE 12

Le Légo

Pour la sixième fois en deux jours, j'entre dans la chambre de Claudette. Trente-huit ans, gentille administratrice et mère d'une fille de 6 ans. Dans son grand lit blanc des soins intensifs, un sourire et des mèches blondes humanisent son air de survie. Trois mois auparavant, Claudette a fait un énorme infarctus qui a varlopé les trois quarts de son cœur. Ce qui reste de son débit cardiaque lui permet à peine d'irriguer son cerveau et ses reins. Elle fut admise à la limite de la suffocation, victime d'un œdème pulmonaire, ses poumons emplis d'eau lui infligeant la détresse du noyé. Elle a été traitée, puis toutes les possibilités de traitements ont été considérées.

C'était une de mes premières fois. C'était la première fois comme patron, c'est-à-dire comme médecin actif d'un hôpital universitaire dirigeant une équipe de soins, que j'annonçais à quelqu'un qu'il fallait changer son cœur. Ce sont des minutes dont on se rappelle toujours, malgré toutes nos années de formation et le nombre incalculable de fois qu'un de nos professeurs faisait une annonce délicate devant nous, ou avec nous.

La coronarographie avait montré l'occlusion de toutes les artères principales. La médecine nucléaire avait démontré que 75 % du muscle du cœur était mort et sans espoir de récupération, sans viabilité, même si on faisait un pontage. La chirurgie était à haut risque et il subsistait peu d'espoir d'améliorer quoi que ce soit. Le débit cardiaque de Claudette était en dessous du minimum requis pour qu'elle puisse marcher sans problème dans le corridor.

Elle avait donc été placée sur la liste des greffes cardiaques, seule issue pour améliorer ses chances de survie, qui n'atteignaient pas 50% au cours de l'année.

Il est presque impossible d'imaginer le choc d'une telle nouvelle. Mon père a traversé une longue et sérieuse maladie. Médecin reconnu comme un modèle d'humanisme auprès des cancéreux, il m'a dit qu'il y avait un précipice entre le malade et le monde de la santé, et en santé.

C'est une multitude de deuils que l'on doit faire. Claudette était atteinte dans son intégrité corporelle : «Mon cœur, il y a deux jours silencieux, efficace et fiable, me rappelle maintenant à chaque minute qu'il est malade et limité. Il me faut maintenant ingurgiter une kyrielle de médicaments dont je me demande toujours quel sera l'effet secondaire, moi qui n'ai jamais pris une aspirine. Je dois m'abandonner à des personnes et à un système, avec toutes les appréhensions de cette nouvelle dépendance. Chacune de mes activités quotidiennes est devenue une épreuve, chaque effort un petit Everest. »

C'est dans ces cas que, malgré la grande rareté de donneurs de cœur, on présente un patient comme candidat à la greffe cardiaque. Une batterie de tests et de critères est alors mise en marche pour assurer le succès de la transplantation. Claudette était en attente depuis deux mois, ayant survécu de peu à son infarctus, et toujours extrêmement fragile. J'entre dans sa chambre.

– Bonjour, Claudette. Quoi de neuf?

– Si c'est vous qui posez la question, c'est pour me dire qu'il n'y a rien de neuf pour moi?

– C'est un peu ça, rien n'a changé depuis ce matin, vous êtes bien stable.

– Faut que je vous montre quelque chose, docteur, vous ne le croirez pas.

Elle extirpe de sa table de nuit une construction de blocs de légos, immédiatement reconnus, passion de mon enfance.

– Voyez-vous ce que c'est?

– Bien… des légos, mais je ne vois pas ce que ça représente?

– C'est un cœur! C'est ma petite qui m'a dit, maman, si tes docteurs t'en trouvent pas un cœur, moi je vais t'en faire un!

– C'est pas vrai…

Je me suis emparé du cœur pour réaliser que la petite avait dû prendre un dictionnaire. On reconnaissait la forme globale du futur cœur de maman et la taille était bonne. C'était enfantin et combien touchant.

– Alors, vous voyez, j'en ai un de réserve. En attendant… il va rester près de moi.

Claudette n'aura jamais été greffée. Elle est morte trois semaines plus tard, en attendant son nouveau cœur.

Aux dernières nouvelles, sa fille avait toujours le cœur de légo dans sa chambre.

CHAPITRE 13

Le médicament universel ?

*Activité physique
et maladie cardiovasculaire*

L'augmentation des coûts en santé est préoccupante pour toutes les sociétés. Même les États-Unis et le Japon éprouvent maintenant des difficultés devant une telle hausse des coûts. Cela demande à une réévaluation de l'investissement en santé. Le rapport coût/efficacité a plus que jamais sa raison d'être.

Au Québec, le ministère de la Santé accapare 20 des 45 milliards de dollars du budget gouvernemental. Une nuance n'est jamais faite : lorsque l'on parle de coûts de santé, on oublie qu'il s'agit du ministère de la Santé *et des Services sociaux*. On ne fait jamais la part des choses puisque, dans le panier d'épicerie médicale du Québécois, le MSSS, sont incluses toutes les prestations à visée purement sociale.

Pour plus de clarté sociétale, il serait adéquat de communiquer séparément à la population la part des services sociaux et de la santé. Le budget des garderies et des habitations à loyer modique a-t-il un rapport avec celui des hôpitaux ? C'est une simple question de communication, mais si on veut comparer les moyens de nos hôpitaux entre eux, ou avec ceux des États-Unis, il faut bien voir les ressources respectives. Le budget annuel de la Clinique Mayo, hôpital de 650 lits à Rochester au Minnesota, est de cinq milliards de dollars américains. Celui du CHUM avec 700 lits est de 550 millions de dollars canadiens. Quatre-vingt-cinq pour cent de tout le budget du CHUM va en salaires et avantages sociaux. Il reste 15 % pour faire tout le reste. Jusqu'à récemment une Ford se vendait un peu moins cher au Canada qu'aux

États-Unis en raison de notre plus faible pouvoir d'achat. Depuis la hausse du dollar canadien, nous la payons plus cher que les Américains; intriguant pour un pays qui dit financer ses soins de santé selon sa capacité de payer. Pour les mêmes attentes, le CHUM a le dixième des ressources de Mayo. Il ne faut donc pas se surprendre de certaines disparités de fonctionnement et des attentes à l'urgence. En 10 ans, six hôpitaux et plus de 60 cliniques privées ont été fermés à Montréal.

À Notre-Dame, il y avait 1 100 lits en 1960, 700 en 1989 et, avec les récentes coupures, 325 lits. Le tiers de ces lits est occupé par des gens en perte d'autonomie qui attendent une place en hébergement ou une place en convalescence, autre liste d'attente perpétuellement encombrée, avec des délais de plusieurs semaines et mois. Pourtant, le coût quotidien d'un lit en centre d'accueil ou de convalescence est beaucoup moins élevé que celui d'un hôpital. Les urgences restantes de Montréal font le boulot des six urgences et soixante cliniques disparues depuis dix ans. Le CHUM est l'endroit où les hôpitaux régionaux envoient les cas trop lourds et complexes pour eux. Il y a plus de deux millions de dossiers ouverts à Notre-Dame et plus de trois millions au CHUM. Pratiquement la moitié du Québec y a été référée en raison de l'expertise de ses mille médecins universitaires.

Quelle a été l'évolution de la cardiologie devant l'augmentation des coûts et besoins? Étonnamment, plusieurs baisses significatives de coût et de séjour grâce aux nouvelles technologies: angioplastie pour l'infarctus, statines et stents. Au CHUM, malgré la forte montée des coûts de pharmacie, la cardiologie a été une des rares spécialités à enregistrer une baisse des dépenses: en 2006, baisse de 14% pour les médicaments en cardiologie, alors que le budget total de la pharmacie du CHUM s'envole avec une hausse de 15%, chimio et antibiothérapie en tête. Le traitement de l'infarctus par dilatation coronarienne, comparé à la fibrinolyse, épargne 3 000 $ et quatre jours d'hospitalisation par patient par an. Toutefois, le prix des stents médicamentés et des défibrillateurs implantables (25 000 dollars l'unité, à remplacer aux quatre ans) apporte de nouvelles contraintes.

Les coûts galopants de la santé sont maintenant décuplés par une «globésité» hors de contrôle. Ces données devraient être constamment publiées, avec les nuances nécessaires. En étant bien informée, notre société fera d'elle-même les virages nécessaires. La faramineuse croissance des coûts et de la consommation entraînée par cette «globésité» est-elle en train de ramener des valeurs sociales d'autrefois? Peut-on poser l'hypothèse que la valeur constante de l'*homo sapiens sapiens* pour conserver son équilibre personnel et environnemental reste et restera toujours *Mens sana in corpore sano*?

Ridicule?

Nous avons le choix. Si la tendance se maintient, plusieurs experts prédisent pour 2057 une population nord-américaine constituée essentiellement d'obèses, au taux effréné de consommation, respirant un air acide et buvant de l'eau contaminée, à l'espérance de vie diminuée et avec plusieurs conditions médicales précoces nécessitant des traitements aux prix exorbitants.

Soleil Vert (*Soylent Green*), film du réalisateur Richard Fleischer, posait crûment ces questions en 1973. Tirée du roman *Make room*, de l'écrivain Harry Harrison, l'action se passe en 2022 et donne une projection angoissante du futur. Malheureusement, plusieurs indices de 1973 à 2006 vont exactement dans le sens de la terrible anticipation de Harrison. Il n'avait pas inclus la perspective de l'obésité, doit-on dire. Et pour cause, dans le film l'humanité est rendue à une phase plus avancée que la nôtre : la planète a été vidée de ses ressources, causant une sous-alimentation planétaire. Ce film devrait être projeté dans toutes les écoles et assemblées d'élus ainsi qu'à tous les paliers gouvernementaux. En 1973, le film semblait être un amusant exercice cinématographique. En 2006, il est visionnaire.

Apocalyptique? Les sites Web de l'Organisation mondiale de la santé, du *Center for Disease Control,* du *National Institute of Health*, de l'ONU et de l'UNESCO sont alarmants. Tapez le mot «obésité» dans un moteur de recherche… Quel héritage pour nos enfants et petits-enfants! Les groupes d'experts ont les mêmes appréhensions sur l'obésité que les groupes qui avaient prédit les changements climatiques et le désastre de Katrina à la Nouvelle-Orléans.

La nouvelle génération perdue : la génération XL

Tout porte à croire que la génération actuelle des obèses adultes est malheureusement perdue quant à l'espoir de redevenir mince. Les études nous révèlent que, malgré tous les traitements en cours, seulement 5 % des obèses adultes retourneront à un poids normal. Si tel était le taux de succès de nos interventions cardiaques, elles seraient vite abandonnées. Nous en sommes à réduire l'estomac des personnes atteintes d'obésité pour atteindre des résultats, symbole désolant de notre échec social. Que dire de l'explosion d'obésité chez les jeunes? Après la génération X, la génération XL? Si l'on reprend l'analogie avec la poliomyélite, on dirait que seule la prévention contrôlera ce fléau.

Votre cœur bat pour vous, vous battez-vous pour votre cœur ?

C'est le joli slogan d'une campagne de prévention cardiovasculaire en France, axée sur l'activité physique, qui est le simple vaccin à l'obésité, au cholestérol, au diabète, à la haute pression, à la maladie coronarienne… À mécaniser tout notre quotidien, à éviter tout effort au prix d'une énorme consommation d'énergie, nous empoisonnons l'atmosphère et l'eau comme nous empoisonnons nos artères. Les solutions à la maladie coronarienne sont-elles communes à celles du réchauffement climatique?

Éveil de conscience

Il y a une telle multitude de recherches sur les bienfaits de l'activité physique que le but n'est pas de justifier sa valeur. Le but, c'est d'inciter à en faire.

L'activité physique est le plus puissant et le plus complet traitement pour garder une bonne condition cardiovasculaire. Ce médicament a le «pléomorphisme » très recherché par nos médicaments modernes, soit la capacité de traiter plusieurs problèmes à la fois. L'antidote universel.

Un grand souffle, je commence.

Il abaisse la tension artérielle. Il abaisse le mauvais cholestérol et les triglycérides. Il augmente le bon cholestérol. Il contrôle le poids. Il prévient l'obésité. Il abaisse le sucre. Il prévient le diabète. Il augmente le métabolisme global, même au repos. Il augmente la fonction de tous les organes. Il renforce tous les organes. Il améliore la digestion. Il optimise la transformation des aliments. Il diminue la constipation. Il augmente le métabolisme du foie. Il augmente la masse musculaire. Il augmente les mitochondries, nos «midi-chloriens». Il augmente la force des tendons. Il augmente la souplesse. Il augmente la capacité cardiaque. Il augmente la capacité pulmonaire. Il augmente la masse osseuse. Il augmente le calcium des os. Il prévient l'ostéoporose. Il prévient les fractures. Il prévient l'incoordination. Il prévient les chutes. Il augmente le métabolisme cérébral. Il augmente la capacité cérébrale. Il augmente le taux d'endorphines. Il diminue l'agressivité. Il diminue la dépression. Il augmente l'attention. Il augmente la concentration. Il augmente la sensation de bien-être. Il diminue la fatigue. Il augmente la résistance. Il augmente la dextérité. Il améliore le sommeil. Il diminue l'insomnie. Il favorise le sommeil réparateur. Il diminue le stress. Il diminue les tensions nerveuses. Il augmente la confiance en soi. Il donne un beau physique. Il donne une belle apparence. Il donne une belle silhouette. Il améliore la peau. Il améliore le teint. Il augmente les performances sexuelles. Il augmente la qualité de l'acte sexuel. Il est distrayant. Il fait passer un bon moment. Il amène du bonheur. Il fait socialiser dans un contexte heureux. Il est gratuit.

Pour obtenir tous les effets qu'on vient d'énumérer, il faudrait l'équivalent d'environ 50 médicaments au coût annuel de vingt à trente mille dollars. Avec tous les effets secondaires et interactions possibles de 50 médicaments… On peut y ajouter les frais de clinique d'obésité, de liposuccion, voire de chirurgie bariatrique (attacher l'estomac…).

Les centres de cardiologie préventive, comme le Centre de cardiologie préventive du CHUM (CCP) et le centre ÉPIC à l'ICM utilisent littéralement l'exercice physique comme traitement. Cela s'appelle faire une prescription d'activité physique.

Le cœur à l'ouvrage

J'ai connu Yves alors qu'il avait 34 ans. Je ne m'habitue pas à voir des coronariens plus jeunes que moi. Il était porteur d'hypercholestérolémie familiale, la maladie précoce des malchanceux à la mauvaise hérédité. Il avait eu des pontages quelques années auparavant, il n'avait pas 30 ans, et avait été réadmis pour de l'angine réfractaire, au repos et à tout moment. Sa coronarographie a démontré que deux de ses pontages venaient de se bloquer. Ses coronaires étaient une catastrophe : si infiltrées et rapetissées que nos chirurgiens avaient exclu toute possibilité de le réopérer, le risque étant trop grand avec peu d'espoir de succès.

Seul choix : je l'ai inscrit sur la liste de greffe cardiaque. Connaissant très bien les impondérables de l'attente pour la greffe cardiaque, je l'ai référé à Michèle de Guise au Centre de cardiologie préventive, à l'époque de Notre-Dame puis du CHUM. Je lui ai demandé de maintenir Yves, déjà au bout du traitement pharmacologique, par les moyens de la rééducation cardiaque, en attendant sa greffe. Je lui ai également demandé d'optimiser sa forme pour franchir le grand cap de la transplantation cardiaque, de prévenir le déconditionnement dû à sa crainte légitime de faire la moindre activité, victime de crises d'angine à tout moment. Michèle a commencé à le superviser au gymnase de Notre-Dame. Un mois, trois mois, six mois. Pas encore de cœur compatible.

Un mot sur la greffe : j'ai signé ma carte d'assurance-maladie dans la case autorisant le prélèvement d'organes. J'ai pris cette décision afin qu'une personne en attente, comme Yves ou Claudette, en bénéficie rapidement, sans atermoiement pour ma famille qui connaît ma décision. Si telle est votre volonté, à la fin de votre lecture, prenez votre carte et signez-la. Vous n'avez pas idée de la terrible angoisse de ces gens et de leur famille, ni du bonheur qu'une société solidaire peut leur donner par une greffe. Tout en accélérant le processus de greffe : le temps est vital pour le succès de l'entreprise. La France a vu le problème de dons d'organes autrement : on peut prélever des organes chez une personne certifiée en mort cérébrale, sauf si la famille manifeste son opposition. Ce qui explique leurs excellents succès en greffe, grâce à une meilleure accessibilité à la ressource et à une accélération du processus. Au Québec, 1400 personnes sont en attente d'une greffe. Nous effectuons 350 greffes par an.

En attendant le jour G (pour greffe), Yves faisait des progrès. L'activité physique augmente le développement des collatérales, des pontages naturels à la rescousse des artères bloquées. La fonction crée l'organe, énoncé prouvé par plusieurs études. Patiemment, Michèle et son équipe de kinésiologues lui ont « tissé » ses nouveaux pontages naturels. En faisait foi sa meilleure capacité sur le tapis roulant au fil des mois. Ne travaillant plus et trouvant les journées longues, il s'est remis au golf. Un trou à la fois.

Il y a douze ans de cela. Après deux ans au Centre de cardiologie préventive, Yves a été retiré de la liste des gens en attente de greffe. Il était devenu trop bien pour justifier une transplantation cardiaque. Il joue trois « 18 trous » de golf par semaine sans problème. Il fait rarement de l'angine, il a un niveau d'activité compatible avec une vie normale.

Tous mes patients sont systématiquement référés au Centre de cardiologie préventive. C'est simple, mon expérience démontre que ceux qui suivent les recommandations du CCP vont invariablement mieux que ceux qui ne les suivent pas. En plus du *experience-based medicine* (expérience personnelle), le *evidence-based medicine* (littérature scientifique) le confirme. Il y a une pléthore de publications confirmant l'efficacité des centres de rééducation cardiaque. L'activité physique fait partie intégrante de la réhabilitation cardiaque et elle est aussi puissante que l'ensemble de nos médicaments. **L'activité physique est le plus puissant moyen de prévention et un traitement efficace de la maladie cardiaque.**

Où est le problème ?

Le problème, c'est que notre société empêche l'activité physique.

D'innombrables études dans le domaine de l'éducation physique démontrent que nos enfants, dès leur bas âge, sont plus sédentaires qu'avant. Une psychologue spécialisée en petite enfance relate que l'enquête québécoise *Grandir en qualité* s'est penchée sur toutes les dimensions reliées à la qualité de vie des enfants qui fréquentent les milieux de garde collectifs et familiaux. Malheureusement, parmi les éléments faibles observés, nous retrouvons le peu de valorisation des activités extérieures en milieu collectif (niveau moyen-bas), alors que le milieu familial se distingue par l'utilisation régulière de la cour extérieure. On constate peu de matériel et de mobilier favorisant la dimension psychomotrice chez l'enfant. En plus, il semble que les éducatrices se montrent peu actives auprès des enfants lors des jeux extérieurs. Quant aux sorties extérieures favorisant la découverte de l'environnement de l'enfant, l'indice se situe à moyen-élevé. Encore une fois, il y a subjectivité lorsque l'on parle de «moyen-élevé». Le niveau d'activité physique durant l'enfance de nos parents était beaucoup plus élevé que celui de nos enfants. Il n'y a qu'à les faire raconter.

Il n'y a plus qu'une heure et demie d'éducation physique par semaine à l'école. Nos milieux de vie défavorisent l'activité physique. Le symbole : dans des secteurs de Duvernay, quartier de Laval où j'ai passé une grande partie de ma vie, *pas de trottoirs*. Concept des années 1970 : «À Laval, tout le monde a un *char*»!

À la demande de la population et des médecins de Laval, le CHUM a implanté en avril 2007 une de ses salles de cathétérisme à Laval pour augmenter l'accessibilité aux soins à un demi-million de personnes, particulièrement la dilatation rapide pour l'infarctus aigu. Je suis très fier comme Lavallois d'amener l'expertise du CHUM à mes concitoyens, d'être cofondateur et premier chef d'un laboratoire de pointe à leur service. J'habite le quartier voisin de l'Hôpital de la Cité-de-la-Santé et je disais à tout le monde : enfin, je vais pouvoir aller au travail en vélo! Jusqu'à ce que Chantal, une excellente technicienne habitant Laval, me dise : «Comment vas-tu te rendre avec ton vélo? L'autoroute coupe la ville en deux.»

Elle a raison. J'habite à six kilomètres de l'hôpital. L'affaire de 20 minutes de vélo matin et soir. La belle forme que je maintiendrais, tout simplement en laissant la voiture au garage, protégeant mon environnement et diminuant ma part d'émission de gaz à effet de serre. Déception. Dans une banlieue, impossible d'aller en vélo à l'hôpital! C'est un excellent symbole : on améliore le curatif, mais le préventif est négligé.

Nos villes américaines ont un développement axé sur le building, l'autoroute, le boulevard pour voitures, le centre d'achats et son parking ; un développement qui se fait en coupant les arbres, en rasant boisés et environnement. Petit, je faisais de longues randonnées dans les boisés remplis d'oiseaux autour de Duvernay, avec visite au ruisseau à grenouilles et à perchaudes. C'était agréable et naturel de jouer dehors. Mes parents n'avaient pas à m'y pousser, ils s'inquiétaient même de tout le temps que j'y passais. Aujourd'hui, ce boisé est isolé, atrophié à quelques hectares, coincé entre un poste de police et un salon funéraire. Le ruisseau est devenu un fossé d'égouttement muré de pavés de béton. Les boisés sont systématiquement rasés pour implanter des restaurants de *fast-food* entourés d'une bande de gazon de 1 mètre de large et de quelques arbustes rachitiques. Laval doit maintenant renaturaliser les bretelles d'autoroutes en implantant des chicots qui auront possiblement fière allure dans cinquante ans. Je serai mort. Quand j'étais petit, ces bretelles d'autoroute faisaient place à une forêt. Il a fallu payer pour couper les arbres, puis payer pour en replanter. Pourquoi avoir enlevé les arbres existants, espèces indigènes bien acclimatées et gratuites? Replanter de nouvelles espèces entraîne des effets inconnus. On réalise aujourd'hui que l'érable de Norvège servant au reboisement du mont Royal menace d'envahir et de remplacer notre érable à sucre national.

Plusieurs modèles d'équilibre entre développement et milieu existent. La constante? L'arbre. Il faut revoir *L'homme qui plantait des arbres* de Frédéric Bach, et écouter le grand Philippe Noiret nous livrer la profondeur du texte de Giono.

Stockholm

En allant présenter nos recherches au congrès de la Société européenne de cardiologie à Stockholm, j'en ai profité pour visiter la belle capitale de la Suède. J'y ai trouvé une cité très semblable à Montréal. Une ville moderne bâtie sur des îles, avec un climat nordique aux hivers comme les nôtres. La Suède est un pays aux succès industriels, le pays des Volvo, Saab, Electrolux, Ericsson, Hasselblad, Ikea. Toutefois, la qualité de l'eau entourant la capitale est stupéfiante. Stockholm est probablement la seule capitale au monde où l'on peut se baigner et pêcher partout sans danger, avec pratiquement aucune pollution dans leurs eaux très poissonneuses. On affirme que l'eau de leur fleuve est meilleure que l'eau potable de bien des pays. Transports en commun très développés, vélos partout, marche agréable et facile, bordures d'arbres et verdure omniprésents. En quoi cela intéresse-t-il le cardiologue? Le taux d'obésité en Suède est sous les 10%, en baisse depuis 2000. Contre 24% au Canada, en hausse.

Le nouvel urbanisme devrait s'assurer que tout développement a une intégration axée sur la préservation de vastes îlots verts, sur l'activité physique, sur le déplacement à énergie humaine et communautaire tant pour le travail, que les courses et le loisir. Planifier les pistes cyclables et de randonnée autrement qu'en peignant une ligne jaune sur le bord de la rue.

Quand on dit activité physique, tout est bon, surtout lorsqu'elle est intégrée dans notre vie quotidienne. Les personnes qui viennent en vélo au travail ont toute mon admiration, surtout dans la cohue de la circulation urbaine. D'où la nécessité de plus de pistes cyclables et pédestres avec possibilité de circuler sans se faire tuer. Les villes aérées et aux espaces vierges ne doivent pas répéter l'erreur des métropoles nord-américaines et doivent développer des circuits sillonnant tous les coins de la ville en même temps que sont développées les autres infrastructures. Le modèle d'Amsterdam, de Strasbourg, de Stockholm.

La bonne forme physique doit simplement devenir une valeur positive de société. Nous devons prendre nos décisions pour la favoriser dès la petite enfance, pour ensuite l'intégrer dans notre mode de vie en la facilitant par le design urbain. C'est à l'école que doit s'inculquer cet élément primordial de prévention cardiovasculaire, en plus du cercle familial et communautaire.

De façon constante, on rapporte que, dans l'échelle du bonheur de notre société, la santé vient au premier rang. Le truc simple et pas cher : activité physique. Meilleur investissement pour préserver notre bien le plus précieux.

Cours Phil, cours !

Nous avons vu que le taux de guérison de l'obésité est catastrophique. Toutefois, la vie de Phil Latulippe donne espoir. Ce héros national vient de mourir à l'âge vénérable de 87 ans. En 1957, à 38 ans, Phil Latulippe fut victime d'un grave accident d'automobile. Ses jambes, déjà blessées par des éclats de grenades lors de la Seconde Guerre mondiale, étaient brisées au point que son médecin crut bon de lui apprendre qu'il ne marcherait plus aussi bien qu'auparavant. En dépit de cette sombre prédiction, il a marché, et surtout couru 210 000 kilomètres entre l'âge de 49 et 76 ans, incluant la traversée du Canada ! Plus de cinq fois le tour de la planète… Au cours de ses périples, il a amassé environ deux millions de dollars pour différentes causes, notamment celle des enfants handicapés. Il a été décoré de l'Ordre du Canada en 1984 et de l'Ordre du Québec en 2004.

Le plus intéressant, c'est le début de cet accomplissement. À 48 ans, Phil était sédentaire, obèse, pesait 200 livres (90 kilos), buvait abondamment et fumait. Sur l'instigation de son médecin, il a pris la résolution, à l'âge de 48 ans, de retrouver la forme qu'il avait dans ses jeunes années et s'est décidé à faire de la course de fond, en dépit de ses jambes éclopées. Au sommet de sa forme, il pesait 130 livres (59 kilos). La simple course à pied, loisir ne coûtant rien, a complètement corrigé son obésité et ses facteurs de risque cardiovasculaire. La Fondation des maladies du cœur nous rappelle qu'il n'est pas nécessaire de faire cinq fois le tour du monde à pied pour arriver à ce résultat: une heure par jour dans son quartier suffit.

Une heure par jour ou par semaine?

À l'école primaire et secondaire, le cursus d'activités physiques du ministère de l'Éducation du Québec est de une heure et demie par semaine. Peu compréhensible, sachant que les classes finissent vers deux ou trois heures. C'est une erreur stratégique et pédagogique qui, à long terme, emplit nos cliniques d'obèses sédentaires. Il faut un minimum d'une heure quotidienne pour inculquer l'habitude de l'exercice physique et développer ces jeunes corps, tous les experts sont unanimes. C'est la recommandation de la Fondation des maladies du cœur et du rapport Perrault sur les habitudes de vie. Les études soutiennent que l'enfant actif cherche à le rester toute sa vie. À l'inverse, l'enfant gringalet et sédentaire deviendra un obèse sans charpente. Documenté par plusieurs études: le jeune sportif développera le goût de maintenir un bon niveau d'activité une fois adulte.

On pourrait rétorquer que c'est à la maison et dans la communauté que doivent se faire ces activités. L'un n'empêche pas l'autre. Toutefois, les enfants d'aujourd'hui ont deux parents qui travaillent, commencent tôt et finissent tard. Les journées de «travail» de nos enfants sont plus longues que les nôtres, étant menés en garderie ou à la petite école avant et après notre journée. D'où l'importance de développer quotidiennement sorties éducatives, visites du quartier, excursions, randonnées, jeux extérieurs, sports. Tout est bon pour à la fois bouger, voir et apprendre. Étrangement, plusieurs enfants connaissent mieux les lieux qu'ils visitent en vacances que leur propre ville. Par leur conception même, les villes doivent répondre à cette nécessité de bouger et d'être actif, de façon naturelle et intégrée, et non uniquement avec un gymnase de quartier. Ce n'est pas tout le monde qui aime le gym. Il est cher et difficile de trouver un gym à Paris, comparativement à notre abondance montréalaise de plateaux sportifs. Or, les Parisiens sont nettement plus en forme que les Montréalais. Leur quotidien et leur urbanité les y incitent.

Un héros finlandais : après Saiku, Jaakko

En plus de la Suède, un autre pays scandinave est source d'inspiration. Tous les cardiologues savent que la Finlande a longtemps détenu le triste record du plus haut taux de maladie cardiaque et d'AVC du monde. Au début des années 1970, chez les 35-64 ans, la Finlande avait un taux d'accidents cardiaques de 700 pour 100 000 de population, alors que le taux de la France était à 200 pour 100 000.

Un vaste programme communautaire a été entrepris dans ces années, amenant aujourd'hui ce taux à 100 pour 100 000. Le Dr Jaakko Tuomilehto, professeur de santé publique à l'Université d'Helsinki, explique que ce programme a démarré en Karélie du Nord, région la plus touchée, pour s'étendre progressivement à toute la Finlande. Le mode de vie a été la principale cible.

La Finlande a été le premier pays au monde à adopter une législation antitabac. Le ministère de la Santé finlandais a collaboré avec les producteurs alimentaires pour développer des aliments faibles en gras et en sel. Ces producteurs ont eu une réponse enthousiaste des consommateurs pour l'achat finlandais, leurs produits étant reconnus santé.

Le gouvernement a travaillé avec les communautés locales pour développer l'activité physique. Aujourd'hui, la plupart des centres sportifs finlandais sont gratuits ou à faible coût. Les routes ont été construites de façon à intégrer la marche et le vélo. L'hiver, les communautés entretiennent des routes de ski de fond, utilisées comme mode de transport et éclairées de surcroît pour pallier les longues nuits du Nord. Après le combat contre le tabac et le cholestérol, la Finlande n'est pas épargnée par la hausse d'obésité et de sédentarité menant au diabète. Elle oriente aujourd'hui son vigoureux programme vers le dépistage et la correction du diabète adulte.

Le Dr Tuomilehto conclut en disant qu'avec le vieillissement, les problèmes de santé surviennent invariablement. En ciblant le mode de vie, cela reporte le plus tard possible la survenue de ces maladies.

Chez nous, le professeur Jean-Pierre Després, directeur du centre de recherche de l'Institut de Cardiologie de Québec, guide ses patients souffrant de syndrome cardiométabolique avec des méthodes simples. Entre autres, il demande simplement de remplacer une heure de télé quotidienne par une activité physique, idéalement à l'extérieur. Quoi que l'on fasse, on dépense plus d'énergie à l'extérieur qu'à l'intérieur.

Le vent nouveau : le rapport Perrault

Le maire de Sherbrooke, Jean Perrault, est un sexagénaire athlétique qui respire la santé. Ancien éducateur physique, champion et entraîneur de ski nautique, il a mis toutes ses compétences de gestionnaire municipal dans la cause de la forme physique chez les jeunes. Son urbanisme est axé sur la priorisation de la verdure, de l'intégration à la nature, une planification urbaine favorisant l'activité physique au quotidien dans un cadre urbain fonctionnel et agréable.

C'est d'ailleurs à Sherbrooke qu'est situé un splendide centre hospitalier universitaire : le CHUS. Un modèle d'urbanisme écologique. Sur un vaste terrain entouré de verdure, avec un stationnement facile d'accès pour les patients et le personnel, on retrouve ensemble hôpital, université et centre de recherche. Déplacement pédestre d'un pôle à l'autre. Élimination des déplacements motorisés et des gaz à effets de serre. Pour comparaison, il s'est dépensé annuellement au CHUM 500 000 dollars en billets de taxis pour les déplacements des cadres et médecins entre les pôles du CHUM, aggravant smog et congestion au centre-ville de Montréal. À ajouter, les émanations de la voiture personnelle, utilisée deux fois plus que le taxi pour ces déplacements intra CHUM. À Sherbrooke, le temps de déplacement éliminé pour les médecins et professionnels du CHUS leur permet de se consacrer davantage aux soins et augmente leur accessibilité. Rencontres interprofessionnelles facilitées, synergie universitaire constante, science optimisée dans un milieu vert entouré d'arbres. Une inspiration pour le futur.

Le premier ministre du Québec avait commandé un rapport intitulé «L'amélioration des saines habitudes de vie chez les jeunes». Il avait confié la présidence du groupe de travail au maire Perrault, fervent défenseur de ces valeurs. Le rapport Perrault a suscité tellement d'enthousiasme que l'un des membres du comité, André Chagnon, magnat retraité de la cablodistribution, a fait don de 400 millions de dollars à cette cause. Monsieur Chagnon a suggéré que le gouvernement double ce montant, ce qu'accepta le premier ministre. Huit cents millions en prévention. Le financier et le politique s'allient pour la cause : tous les espoirs sont permis. J'étais ravi de constater que les conclusions du rapport Perrault recoupaient les miennes. L'éducateur physique et le professeur de médecine se comprennent très bien.

Dans une optique semblable, en Europe, plusieurs villes privilégient des développements verts, favorisant des améliorations de la qualité de vie urbaine. Il semble que c'est à l'échelle des gouvernements municipaux que la lutte pour l'environnement soit la plus efficace.

Chaque semaine, le journal montréalais *La Presse* nomme une «personnalité de la semaine». Le 25 mars 2007, c'est à Ginette Laferrière que l'honneur est revenu. Cette enseignante du collège Montmorency a lancé en 2004 le Défi Santé. Un programme dont le leitmotiv était de faire de Montmorency le collège le plus en forme du Québec. Ce programme est basé sur le principe que chaque kilomètre parcouru grâce à l'énergie humaine fait économiser un dollar à la santé publique. Des groupes d'étudiants et de professeurs se lancent des défis d'activités et les comptabilisent en équivalent-kilomètre de marche avec un logiciel. 2006 : 325 équipes de 1 650 participants, élèves et enseignants, ont parcouru 850 000 km. De nombreux autres collèges reprennent maintenant cette idée toute simple. Et, fait important, Ginette Laferrière souligne que participer est plus important que performer. Pierre de Coubertin doit se remettre à sourire.

Enfin une excellente nouvelle : le ministère de l'Éducation, du Loisir et du Sport vient tout juste d'augmenter d'une heure par jour le programme scolaire. Cette heure supplémentaire sera consacrée particulièrement au sport ou à la culture. Cette simple mesure est porteuse d'un grand espoir. La sensibilisation de la population touche nos élus.

L'été meurtrier
Paris coup de cœur ; Paris coup de chaleur

Paris 2003. L'année où 15 000 Parisiens sont morts de chaleur. Impensable dans ce grand pays, moderne et cultivé. Situation qui les a totalement pris au dépourvu. Explosion des appels d'urgence de la population et empilage de cadavres dans des camions réfrigérés. Paris, comme nombre de capitales européennes, est devenue le pinson des futures canicules frappant les grandes villes, dont Montréal.

Beaucoup plus d'humains vont mourir de la combustion effrénée du pétrole que de n'importe quel terrorisme. Depuis le 11 septembre 2001, des milliards de dollars ont été injectés dans la sécurité et contre le terrorisme. Al Gore l'a souligné : le vrai terrorisme est la maladie que nous nous préparons en vrac avec notre comportement planétaire.

Il y a eu 3 000 morts à New York en 2001, causées par les exploités du pétrole.

Il y a eu 15 000 morts à Paris en 2003, causées par les exploitants du pétrole.

Paris tendance et forêt millénaire

À Paris, tout est tendance. Je n'aurais jamais cru qu'ils poussent l'exercice jusqu'à nous présenter la prochaine tendance des gaz à effet de serre pour Montréal. Les canicules de Paris et des capitales européennes sont annonciatrices du sort qui guette Montréal.

Un de mes oncles vit dans une ravissante ferme en Bourgogne, deux heures au sud de Paris. Depuis des années, il plante une multitude d'arbres, issus de tous les coins du monde qu'il a visités. Il se plaît à nommer son domaine sa «forêt millénaire». Elle compte métaséquoias et oliviers pouvant effectivement vivre des milliers d'années. Malgré la canicule, quel rafraîchissement une fois chez lui! Comparativement à Paris, tapis de pavés et d'asphalte brûlants, le confort climatique était totalement différent en Bourgogne, comme en Loire, départements verdoyants voisins de Paris. La fraîcheur des grands arbres et de la verdure était salvatrice. Peu ou pas de fatalités en Bourgogne et en Loire lors de ce coup de chaleur qui a fait des milliers de morts à Paris.

En quoi ceci intéresse-t-il le cardiologue? Soixante-dix pour cent des morts de la canicule 2003 ont été causées par des complications cardiaques. Les publications de mes collègues français sur cet été meurtrier ont démontré que la majorité des décès de la canicule de Paris sont venus de complications cardiovasculaires. Les cardiologues et médecins français ont eu fort à faire pour traiter les syndromes coronariens et les insuffisances cardiaques provoqués par le coup de chaleur. Les arrêts cardiaques ont donc été la principale cause de décès des 15 000 victimes, conséquence de la déshydratation, des troubles électrolytiques, de l'augmentation de l'inflammation et de la tendance à faire des thromboses. Encore une fois, il faut monter sur le pont pour comprendre.

Le cœur du bois

Le docteur Jacques Lelorier, chercheur-épidémiologiste du CHUM, a la passion des sports mus par le vent. Il fait du planeur. Lors d'une rencontre pour un projet de recherche commun, je me suis intéressé à la technique du planeur. Je savais qu'il fallait trouver des thermiques, des vents chauds ascendants, afin de permettre au planeur de tenir en l'air pendant des heures. Mais je me demandais comment on les trouvait. «Oh, c'est simple, m'a-t-il dit, n'importe quel village cause des thermiques. La chaleur du béton et de l'asphalte crée de belles thermiques.»

Je recoupais ce que j'avais réalisé entre Paris et la Bourgogne, entre le centre-ville et ma cour. Pendant une canicule, on enregistre une différence de 5 à 10 degrés entre un centre-ville bétonné et des quartiers verdoyants et ombragés. Renforçant le cercle vicieux, un immeuble en hauteur d'un centre-ville bétonné consommera plus d'énergie pour se climatiser, augmentant encore l'effet de serre.

D'où l'importance de maintenir dans nos environnements de nombreux îlots et des bordures d'arbres. Stockholm et d'autres métropoles l'ont compris. L'arbre est notre producteur d'oxygène. L'allié fondamental des médecins qui traitent les détresses respiratoires. Notre capteur à CO_2. Notre protecteur contre les effets de serre. Notre filtre à pollution aérienne, aquatique et terrestre. Notre climatiseur naturel, protégeant maisons et environnement du vent l'hiver et du soleil l'été. Les arbres préviennent les inondations et évitent le ruissellement. Ils détoxiquent le sol des pollutions industrielles. Ils coupent les insupportables nuisances sonores urbaines. Leur transpiration rafraîchit l'air l'été. Ils entretiennent un habitat à insectes et oiseaux, une biodiversité près de nous. Ils maintiennent la qualité des rivages en évitant l'érosion et en filtrant l'eau.

Los Angeles, la ville nord-américaine la plus polluée et au smog légendaire, commence cette année un programme d'implantation *d'un million* d'arbres. Giono serait content. Les autorités municipales ont reconnu que la verdure diminue la température, purifie l'air et réduit la facture d'électricité due à la climatisation. Les chercheurs californiens ont calculé que l'implantation de ces arbres, avec l'abaissement de la température moyenne de quatre degrés à Los Angeles, amènerait la même réduction de smog que si tous les véhicules du territoire fonctionnaient à l'électricité.

Il y a une constante lorsque l'on parle de la différence entre les quartiers. Ce qu'on appelle un «beau» quartier ne se distingue pas tellement par ses constructions que par l'abondance des grands arbres. Boulevard Gouin contre boulevard Taschereau. Valeur ajoutée et qualité de vie. Un de mes plaisirs à l'Hôpital Notre-Dame est de traverser la rue pour faire une ballade le midi dans le Parc Lafontaine. Arbres centenaires, fraîcheur au cœur de l'été, couleurs de l'automne, renouveau du printemps. Gens âgés jouant aux échecs sur une table, amis se chamaillant à la pétanque. Cyclistes croisant des patineurs à roues alignées. Virtuoses du Aki s'escrimant au côté d'un guitariste. Lecteur de journal à côté du parc à chiens. Groupes de jeunes mamans utilisant la poussette de bébé pour faire leur entraînement physique, enfants du Plateau jouant au football. Cette forêt urbaine stimule l'activité physique et la socialisation.

La ville sait être belle et humaine avec des arbres. Le cœur du bois donne au cœur de l'homme.

Yves B. et Michèle de Guise

Le Parc Lafontaine,
au cœur de Montréal

Phil Latulippe

CHAPITRE 14

Christian

Appel d'urgence de l'urgentologue de Verdun pour transférer un patient en infarctus aigu. Accepté dans la seconde. Toute l'équipe l'attend au laboratoire. Arrivée de l'ambulance. Dans le corridor, je vois une dame qui salue son mari, Christian, poussé prestement sur sa civière par l'équipe d'Urgence-Santé. Les portes se referment.

Après avoir bravement souri à son mari, la dame chancelle, se laisse appuyer au mur et s'écrase doucement sur ses talons en sanglotant dans son mouchoir. Seule dans un corridor blafard d'hôpital. L'ayant aperçue à travers les vitres des portes du bloc, je sors à sa rencontre, très ému.

J'ai en tête des centaines d'images de gens dévastés par le chagrin pendant les crises de leur proche. Ces douleurs ne doivent pas être vaines. Elles doivent être une source de questionnement sur la maladie. Sur sa prévention. Sur son traitement. Sur l'implication et la motivation de la chaîne d'équipes de soins au chevet de Christian. Sur l'organisation de notre système de santé. Sur nos choix personnels et sociaux. Sur notre environnement.

CHAPITRE 15

Courrier du cœur

Conseils après un événement cardiaque

Faire «bien attention». À quoi?

Après un événement cardiaque, apparaît le concept de «maintenant, papa va devoir faire bien attention». Autour duquel il y a un grand flou et du folklore. On croit souvent que le cardiaque doit limiter toutes ses activités, sous peine d'avoir une nouvelle crise. Qu'il doit devenir encore plus inactif, malgré notre taux canadien de 60% de sédentarité. Entouré d'une famille scrutatrice, pleine de bonne volonté, mais parfois à la limite d'être castrante. «Chicanez-le, docteur, regardez ce qu'il fait!»

Il y a aussi le phénomène de la névrose cardiaque, systématique et obligé passage du postinfarctus. La névrose cardiaque, c'est à peu près ceci: pendant 50 ou 60 ans, on a vécu notre vie en se fichant éperdument de notre cœur. Ce qui est fort bien. Il est à son meilleur quand on n'entend pas parler de lui. Après un infarctus, le cœur prend dans notre tête une énorme place. Chacun de ses battements est scruté. Chaque saut est appréhendé. La moindre douleur dans le thorax, d'ordinaire ignorée, devient un motif d'obsession et grossit au point d'entraîner des visites à l'urgence chez les grands anxieux. Le plus touchant: un artiste venu très sérieusement décrire «sa crampe du ventricule gauche», probablement pour aider le médecin à trouver rapidement le problème. Il est préférable de décrire les symptômes le plus simplement possible.

Après un événement cardiaque, les patients relatent souvent une observation: en se couchant, ils entendent maintenant leur cœur battre dans leurs oreilles. Ils rapportent ce signe parmi tout ce qu'ils ont ressenti depuis leur dernière visite et qui les ont inquiétés ou intrigués. Tout le monde peut entendre son cœur, bien détendu, dans un silence parfait, oreille contre oreiller. Mais ils ne s'en étaient jamais rendu compte jusqu'à la grande catastrophe. C'est une pensée du livre *De chair et d'âme*, du neuropsychiatre Boris Cyrulnik : la souffrance serait un passage obligé pour atteindre le bonheur. Il faut être confronté à la perte de son cœur pour en réaliser l'importance.

Et, comme le montre le professeur Cyrulnik, il y a un bon effet secondaire à notre souffrance, à notre névrose cardiaque. C'est la balle que doivent attraper au bond l'équipe de soins et la famille : en profiter pour examiner les causes de la crise, faire un acte de conscience, de choix de vie et d'action. Mettre à profit sa résilience. D'où l'importance de l'accès à des cliniques de cardiologie préventive comme le Centre de cardiologie préventive du CHUM pour guider les gens dans cette résilience. Il n'y avait pas un sou pour l'implantation de ce centre. Nous avons sollicité l'aide des compagnies pharmaceutiques qui ont été les seuls bailleurs de fonds pendant des années, le Ministère n'allouant pas de ressources à ces cliniques de prévention cardiovasculaire. Finalement, le système de santé a fini par dégager des sommes pour ce type d'activité préventive, dix ans après son inauguration.

Grâce entre autres choses à la récente sensibilisation effectuée par le Rapport Perrault, nos ministères reconnaissent et priorisent l'importance de la prévention et de l'activité physique. L'efficacité de la prévention secondaire est largement prouvée et publiée. Beaucoup moins chère que médicaments et opérations. Il faut développer et utiliser maximalement les outils de la cardiologie préventive. Virage vers une médecine intégrée, utilisant toutes les ressources pour corriger les facteurs de risque : contrôle du cholestérol, pression et diabète, clinique d'arrêt du tabac, services diététiques, kinésiologues pour faire les prescriptions d'activité physique, psychologue pour aider à franchir ce cap difficile et prévenir ou traiter la dépression postinfarctus, nouveau facteur reconnu de complications.

À la sortie de l'hôpital, j'oriente systématiquement tous mes patients vers le Centre de cardiologie préventive. Invariablement, ceux qui s'y présentent vont aller mieux que ceux qui n'y vont pas. Ce suivi conjoint rapporte une meilleure santé et une meilleure qualité de vie, données maintes fois mesurées et publiées. À chaque sortie d'un patient, son bilan de santé cardiaque doit être repris en main par ces équipes multidisciplinaires. Toutes les régions sont dotées de programmes de rééducation cardiovasculaire, dont le programme *À vous de jouer* de la Fondation des maladies du cœur. L'information locale se retrouve dans chaque établissement de santé.

Sexualité après l'infarctus

La vie sexuelle après un infarctus, c'est tout simplement comme les activités sportives : pas de marathon au congé de l'hôpital. Le patient doit reprendre graduellement et rapidement ses activités physiques. Sinon le déconditionnement le guette et retarde sa guérison. L'idée est simple : augmenter en parallèle les activités physiques et l'intensité de l'acte sexuel, qui est une activité physique. Le retour à une sexualité normale est un grand moment de bonheur pour le couple qui a été déstabilisé par une crise cardiaque. Elle se voit souvent même rajeunie, la peur de la perte nous faisant apprécier ce qui nous est précieux.

Au chapitre 6, nous avons vu que l'histoire du Viagra, et de sa nouvelle famille Cialis et Levitra, est intimement liée à celle de la maladie coronarienne. D'abord antiangineux, ensuite aphrodisiaque, puis détonateur à infarctus. L'activité physique seule maintient longtemps les facultés sexuelles intactes. Mais notre société préfère se tourner vers les potions magiques : pilule pour dormir, pilule pour maigrir, pilule pour bander. La solution de facilité, efficace le jour même, mais délétère à long terme. La bonne forme physique suffit habituellement à obtenir les mêmes résultats (sommeil, minceur, santé sexuelle) et de les maintenir à un âge très avancé. Une cause majeure de dysfonction érectile est la maladie vasculaire. Qui se prévient exactement comme la maladie cardiaque.

Elle court, elle court, la maladie d'amour

Beaucoup l'ignorent, mais le comportement sexuel est devenu un nouveau et difficile facteur de risque cardiaque. Autrefois, certaines maladies transmises sexuellement (la syphillis par exemple) avaient des conséquences cardiaques. Le «signe de Musset» est un classique de la cardiologie.

Alfred de Musset avait contracté une syphilis dans sa jeunesse. Plusieurs années plus tard, Musset écrira : «Lorsque je lis, les lignes dansent devant mes yeux.» L'explication vient des séquelles de la syphilis tertiaire : l'aortite syphilitique avec insuffisance aortique. La valve aortique se met à couler à plein canal, donnant un va-et-vient marqué du sang à chaque contraction du cœur. D'où un pouls très bondissant. Ce pouls bondissant se transmet dans le corps et la tête qui accusent chaque pulsation. Voilà pourquoi «les lignes dansaient» devant les yeux de Musset. Et ce signe cardiaque d'insuffisance aortique due à une maladie transmise sexuellement passa à l'histoire. Grâce aux antibiotiques, les MTS bactériennes sont en très grande partie réglées et occasionnent rarement des complications aussi avancées. Mais il n'en est pas de même pour les MTS virales.

Une énorme cohorte de nos concitoyens, des milliers et le chiffre est en hausse au Québec, s'avance rapidement vers la ligne de feu de notre guerre, la maladie coronarienne. Ce sont les sidéens sous trithérapie. Ils risquent de tomber précocement sous le feu des crises cardiaques.

SIDA et maladie coronarienne

L'origine de notre nouvelle clientèle, les sidéens, s'explique simplement. Autrefois, il n'y avait aucun traitement pour les sidéens. Ils mouraient sous l'assaut des infections à répétition, en raison de la destruction de leur système de défense. Ils décédaient parfois d'une complication rapidement terminale : la myocardite à HIV. Le virus du SIDA infecte directement le cœur, gruge ses fibres musculaires jusqu'à laisser une carcasse de cicatrices, pompant de moins en moins jusqu'à l'arrêt de toutes les fonctions du corps. L'état que les Américains appellent le *Multi-Organ Failure*. Ces patients mouraient si vite de cette condition terminale sans traitement que les cardiologues n'étaient même pas appelés en consultation.

Maintenant, avec la trithérapie, les sidéens survivent longtemps et les myocardites surviennent plus tard et plus rarement. Mais d'autres écueils les guettent. À la maladie infectieuse et aux cancers de toutes sortes vient s'ajouter la maladie coronarienne. La trithérapie, surtout avec les inhibiteurs de protéase, a plusieurs effets secondaires fâcheux : hausse vertigineuse du cholestérol, du diabète et de l'hypertension. Leur taux de cholestérol rejoint ceux des familles à morts subites dans la quarantaine. Le nombre d'infarctus quadruple. Les sidéens sous trithérapie font des maladies cardiaques précoces, entre 30 et 50 ans, comme autrefois les hypercholestérolémies familiales du Lac-Saint-Jean avant les traitements efficaces.

Heureusement, nous avons maintenant les statines, ces formidables molécules contre le cholestérol, qui abaissent en quelques semaines le taux de mauvais cholestérol, le LDL. Mais un autre problème est apparu : les statines et la trithérapie ne font pas bon ménage. Les statines ont un effet secondaire rare, mais fâcheux : la myosite. La myosite, c'est l'inflammation des muscles. Elle peut varier, allant de légères crampes musculaires la nuit à la mort. Elle est mortelle si on atteint le stade de guerre totale avec destruction massive des muscles. Une inondation de fibres musculaires déchiquetées se répand dans tout notre corps, en particulier dans nos reins qui se bouchent littéralement. Si nous survivons, nous risquons l'insuffisance rénale terminale, avec pour conséquence la dialyse ou la greffe rénale.

D'où le message : tout patient prenant des statines doit prévenir rapidement son médecin en cas de douleurs, de crampes musculaires, et celui-ci doit agir vite.

Cette dramatique complication musculaire, la rhabdomyolyse, est heureusement rare dans la population générale, un patient sur mille, et réversible lorsque rapidement corrigée. Il est plus fréquent de voir des crampes musculaires, incommodantes mais bénignes. Le bienfait global des statines surpassant de si loin les problèmes qu'ils restent les meilleurs outils de traitement tout en nécessitant surveillance, visites chez le médecin et prises de sang.

Malheureusement, la trithérapie a rendu fréquente cette rare complication de l'inflammation musculaire fulminante. La combinaison trithérapie-statines augmente énormément le risque de rhabdomyolyse. Une forte proportion des sidéens sous trithérapie ne tolère pas les statines. Obligés de les cesser, ils voient monter leur cholestérol à des chiffres très inquiétants. Nous avons commencé à dilater et à opérer la première vague. Les patients devenus coronariens sont sous trithérapie depuis cinq à dix ans. La trithérapie augmente de 26% *par an* le risque de faire une maladie cardiaque. Beaucoup plus que le tabagisme secondaire qui augmente ce risque de 25% *pour la vie*. Ce traitement est maintenu parce qu'il n'y en a pas d'autres et que la mortalité causée par le SIDA serait beaucoup plus grande sans lui. Calcul de risque. Ceci augure des dizaines de milliers de jeunes coronariens dans les toutes prochaines années. Le personnel des laboratoires et des salles d'opération, manipulant du sang contaminé, va devoir gérer de plus en plus le risque de contracter le virus du HIV par accident de travail, comme celui dont a été victime le docteur Di Lorenzo, chirurgienne du CHU Sainte-Justine, aujourd'hui décédée.

La transmission du SIDA est pourtant archiconnue et archisimple : le comportement sexuel et les drogues intraveineuses. Tout le monde sait quoi faire pour éviter le SIDA. C'est encore plus simple que de prévenir la poliomyélite ou le virus du Nil occidental. Il n'y a que trois voies de transmission du SIDA : le sperme, le sang et le ventre de notre mère. Après avoir corrigé les errances de la Croix-Rouge de l'époque, la transmission par transfusion est devenue à toutes fins utiles impossible. Il y avait des méthodes de détection et de prévention disponibles, mais non utilisées par choix budgétaire à courte vue, qui aura finalement coûté beaucoup plus cher : un autre débat où le politique a ignoré la science.

Ultime paradoxe : le sperme et le sang sont les deux liquides biologiques suprêmes de la vie, le premier sert à sa perpétuation, le second est son essence. Le virus du HIV a transformé ces deux précieux liquides de vie en vecteurs de mort. Comme dans le cas de l'obésité, la propagation de cette maladie semble principalement dépendre d'un problème d'éducation et de valeurs.

911 (112 en Europe) : quand et pour quoi ?

L'autre préoccupation liée au congé du patient est la récidive de malaise thoracique. Bon indice : d'un événement coronarien à l'autre, l'angine aura pratiquement les mêmes caractéristiques chez la même personne. On est semblable à nous-mêmes pendant longtemps.

Il y a mille visages de l'angine, différents selon chacun, mais avec de grandes constantes. Le classique est le serrement douloureux au centre de la poitrine. Il en existe plusieurs descriptions : «Deux mains me serrent le centre du thorax, quelqu'un est assis sur moi, ça veut ouvrir et déchirer, ça opprime avec difficulté de respirer.» Chez la femme, c'est souvent un brûlement, ce qui peut être confondu avec des malaises digestifs. Parfois la douleur irradie dans un bras ou dans les deux. Parfois elle monte dans les mâchoires. Parfois elle va directement dans le dos. Elle est souvent accompagnée d'une grande transpiration. Elle vient souvent avec une difficulté respiratoire, un souffle court.

Intéressant et sans explication claire : les gens victimes d'une crise d'angine, et surtout d'un infarctus, savent que cette douleur est inquiétante. En crise d'angine, le patient sait habituellement que cette douleur annonce quelque chose de grave. Ils ont souvent peur de mourir. L'instinct de survie se déclenche.

La douleur classique de l'infarctus s'étend fréquemment au bras, souvent aussi intense que dans la poitrine. L'explication est simple : nous avons deux grandes sensibilités : celle de notre peau et celle de nos organes internes. Tous les nerfs remontent à la colonne vertébrale pour prendre l'autoroute de la moelle épinière vers le cerveau. Petite précision : la moelle épinière, faisceau de nerfs, est souvent confondue avec la moelle osseuse, le centre des os produisant le sang, la quintessence de *l'osso bucco*.

Les nerfs des bras entrent dans la moelle épinière au niveau de la quatrième jusqu'à la huitième vertèbre thoracique. C'est à ce même niveau que sont connectés les nerfs du cœur, avec quelques variantes, expliquant les différences de sensations d'une personne à l'autre. Dès notre naissance, nous sommes entraînés à sentir nos membres. Lors de l'angine ou de l'infarctus, le cerveau reçoit les premières sensations douloureuses du cœur à 50 ou 60 ans. Puisque les nerfs du bras et du cœur se croisent au même étage, les deux informations sont confondues et le cerveau croit que le bras a mal. Comme s'il écoutait deux lignes téléphoniques en même temps. C'est la «douleur référée», nom de ce phénomène, la douleur d'un organe qui n'a pas de maladie, confondue avec l'organe vraiment malade. Comme il n'y a pas deux personnes pareilles, certaines auront des douleurs référées dans leur mâchoire, leurs épaules, leurs bras ou leur dos.

Le cœur sur le pouce

La plus intrigante des douleurs référées que j'aie vue : un patient avait mal au pouce au travail. Pléthore de bilans et consultations pour sa main. Jusqu'à ce que son médecin de famille le mette sur un tapis roulant. À l'effort, la douleur au pouce était accompagnée de changements sur l'électro-cardiogramme. En coronarographie, découverte d'un blocage d'une coronaire que nous avons dilatée. Chaque fois que nous gonflions le petit ballon, il avait mal au pouce.

Lorsque nous gonflons le ballon, le sang ne passe plus dans l'artère et ceci reproduit un malaise d'angine en tout point semblable à ce que la personne ressent lors d'une crise, habituellement beaucoup moins fort ou à peine perceptible. Car le ballon n'est gonflé que quelques secondes à la fois. En boutade, on dit que le cardiologue fait encore de l'homéopathie, traiter le mal par le mal, traiter l'angine par l'angine.

Lorsque le patient ressent ce malaise lors d'une dilatation, j'en profite pour faire un peu de pédagogie appliquée. Je lui explique que ce qu'il sent est très précieux comme information. C'est son symptôme d'angine que je provoque, le doigt sur le bobo, le ballon sur le blocage. Et il lui faudra bien garder en mémoire ce symptôme qui est son signal d'alarme, son authentique cri du cœur. Bien souvent, ils nous disent «Ah, c'est ça de l'angine!» À distinguer des pincements, points au cœur, chocs électriques, coup d'aiguilles qui ne sont pas des symptômes cardiaques, mais habituellement des malaises bénins de la cage thoracique elle-même, des malaises musculo-squelettiques. La douleur d'angine, qu'il faut respecter, sera pratiquement toujours la même que la première, l'intensité variant selon l'intensité de la crise.

Au cours des années suivantes, si la personne ressent malheureusement son symptôme d'angine que je viens de lui montrer avec mon petit ballon, les conseils sont les suivants :

- Arrêter son activité, et idéalement s'asseoir. Pas debout ou couché, assis.

- Prendre la nitroglycérine, jusqu'à trois ou quatre inhalations espacées sur 10 à 15 minutes.

- Au bout de 15 minutes et trois nitro, si la douleur ne disparaît pas : 911.

- On ne se rend pas à l'hôpital par ses propres moyens avec une douleur thoracique, on se fait transporter par notre système d'urgence.

Pourquoi? On estime que 50% des mortalités d'un infarctus surviennent *avant* l'arrivée à l'hôpital. La mort peut survenir rapidement, comme chez le docteur Hunter, comme elle est survenue chez André Merlot devant l'ascenseur. Les victimes d'infarctus sont à haut risque d'arythmie maligne, l'épilepsie cardiaque. Et comme Urgence-Santé ne peut être là, dans les meilleures circonstances, avant quelques minutes, notre cerveau, un patron décidément bien fragile, risque des séquelles permanentes. Sa limite, c'est quatre minutes, et encore. Le cerveau d'un vieillard dont les artères cérébrales sont bloquées lâchera plus vite que celui d'un jeune. Les problèmes s'additionnent chez le quatrième âge, les plus de 75 ans, dont les organismes sont en équilibre précaire comme des châteaux de cartes.

Toutefois, Urgence-Santé est d'une redoutable efficacité pour réanimer un arrêt cardiaque. Si quelqu'un fait un arrêt cardiaque devant eux, permettant donc une intervention sur le champ, leur score est remarquable compte tenu de leurs ressources – comparativement au SAMU de France (Système d'ambulances médicales d'urgence) ou au 911 des autres provinces canadiennes. Le PIB de l'Alberta est le même que celui du Québec qui compte deux fois plus d'habitants. Avec de telles ressources financières, les services d'urgence d'Alberta sont les plus équipés du Canada, et impressionnants d'efficacité.

Je reviens de Kannanaskis, dans les Rocheuses, où se déroulait un colloque des chefs d'hémodynamiques du Canada. Nous nous rencontrons régulièrement pour partager nos expériences. Nous échangeons nos trucs pour atteindre notre Graal : amener la mortalité de l'infarctus à 0%. Impensable? Elle est aujourd'hui à 3% si l'on bénéficie d'une reperfusion par fibrinolyse ou dilatation au cours des deux heures suivant le début des douleurs. En trente ans, nous avons évolué d'un taux de mortalité de 30 à 40% à moins de 3%. L'élément clé, c'est la vitesse.

Donc, si on ressent une forte douleur dans la poitrine qui ne disparaît pas après trois nitros et 15 minutes, on compose le 911. Parce que plus le temps passe, plus notre cœur augmente ses chances de faire un arrêt. Le compteur est parti. Plus le cœur souffre et plus l'orage ventriculaire grossit. Il n'est plus à l'horizon : les premières bourrasques et les premiers grêlons nous tombent déjà dessus. La tornade est formée et s'apprête à nous emporter. Pour éviter que le ciel nous tombe sur la tête (seule crainte du Gaulois), on court se mettre dans un abri sûr : ça s'appelle une salle d'urgence. Et on prend un véhicule robuste pour sortir de la tempête : ça s'appelle une ambulance.

Il faut connaître les circonstances de transport de Christian, rencontré au chapitre précédent. Christian avait eu plusieurs douleurs thoraciques dans les jours précédant son infarctus, son système d'alarme lui lançait des signaux. Cette douleur le rendait très anxieux, mais comme elle passait, il la négligeait en souhaitant que ce soit la dernière. Première leçon apprise de mes patients : la plupart d'entre eux ont vu venir la tornade, mais au début ça ne ressemblait à rien : « Mon estomac ne file pas », pensaient-ils. Parfois, comme Christian, on a une peur irrationnelle des hôpitaux. Christian ne supporte simplement pas l'idée d'une prise de sang.

Si on consulte au stade du signal d'alarme, les crises d'angine répétées ne provoquent habituellement pas de dommage au cœur. On répare les artères et le cœur pompe comme avant. Si on attend la vraie crise cardiaque, l'infarctus, il y aura des dommages au cœur, directement proportionnels à la grosseur de l'artère bouchée et au temps que la crise aura eu pour faire les dommages. Autre adage issu des multiples études sur l'infarctus : chaque quart d'heure de délai augmente les chances de mortalité de 1 %. Message à tous les maillons de la chaîne que constitue le système de santé, et aux victimes d'infarctus.

La tempête cardiaque de Christian est arrivée à midi. La douleur des derniers jours est revenue et, cette fois-ci, comme un requin sur sa proie, elle ne lâcha pas. Christian a tout essayé, eau chaude, *Tums*, verre de lait, *Maalox*. Finalement, une heure plus tard, il appelle sa conjointe au travail :

– Solange, ça ne va pas. Viens à la maison !

– Écoute, niaise pas avec ça : tu raccroches et tu fais le 911 tout de suite.

– Non, je ne veux pas aller à l'hôpital, viens voir ce que tu peux faire.

Solange sort en trombe de son bureau, jette son manteau sur ses épaules comme s'il s'agissait de la cape de *Superwoman*, lance à son patron «Faut que j'y aille, Christian est malade», et s'engouffre dans un taxi. À son arrivée à la maison, Christian est très souffrant, sa poitrine veut ouvrir, il a peur et il est couvert de sueur.

Elle compose le 911 et cinq minutes plus tard les ambulanciers sont à la porte. Les ambulanciers installent Christian dans l'ambulance puis on fonce à Verdun, un de nos dix hôpitaux référents avec qui nous avons établi des corridors priorisés, drillés comme des unités de pompiers. À peine sorti de l'ambulance, Christian a son électrocardiogramme directement sur la civière : «Infarctus transmural aigu.» C'est la lecture du logiciel d'interprétation, confirmée par l'urgentologue, au chevet de Christian dans les dix minutes après son arrivée.

Selon les recommandations du Réseau québécois de cardiologie tertiaire, chaque douleur thoracique est triée en priorité à l'urgence. L'électrocardiogramme est effectué et montré immédiatement à l'urgentologue. Le médecin de Verdun m'a aussitôt appelé à Notre-Dame pour une dilatation d'urgence. Le patient, qui n'a pas quitté sa civière, reçoit immédiatement les médicaments nécessaires, remonte dans l'ambulance et poursuit sa route vers Notre-Dame où il arrive dix minutes plus tard, sous l'escorte vigilante d'une infirmière de l'urgence de Verdun.

Sur les recommandations du RQCT, nous en sommes à une étape plus loin (cinq projets pilotes ont cours au Québec) : évaluation par électrocardiogramme à domicile par les ambulanciers d'Urgence-Santé de façon à orienter le patient vers le centre le plus adapté à sa condition.

À Notre-Dame, installation de Christian sur la table d'hémo-dynamique, questionnaire essentiel, rapide, sédation pour le soulager, cathétérisme cardiaque. Le temps de l'installer sur la table. Rock 'n' roll. Christian fait toutes les arythmies possibles, incluant trois arrêts cardiaques.

Comme je dis souvent pour détendre l'atmosphère, tant qu'à faire un arrêt cardiaque, autant le faire devant un cardiologue. Ces trois arrêts cardiaques ne nous émeuvent pas outre mesure, tant la procédure de réanimation est efficace. Procédure un peu houleuse, la tornade est là, le voilier ventriculaire est rudement ballotté. Les garde-côtes ont l'entraînement et l'habitude. Dilatation et restauration du flot, stabilisation de toutes les arythmies et reprise d'un rythme tranquille, normal. La tempête est passée et le navire a tenu le coup.

Si Solange n'avait pas appelé le 911, Christian serait probablement mort ou, au mieux, survivant avec des séquelles permanentes au cerveau, placé en institution. Il en doit une à Solange.

Si Christian avait appelé le 911 quinze minutes après le début de la douleur, son cœur n'aurait fait aucune de ces arythmies tel un voilier chavirant à chaque vague de travers, bien que remis debout par l'équipe qui s'affairait à le sortir de la tempête. Il est plus facile de rescaper quelqu'un *avant* la tornade plutôt que *dans* la tornade.

D'où la recommandation internationale : en cas de douleur prolongée au milieu de la poitrine, surtout avec difficulté respiratoire et transpiration, le seul choix logique est le 911 au cours des 30 minutes suivant le début de la douleur. Vous serez surpris de l'efficacité.

CHAPITRE 16

Donatien

I l y a huit ans, un des employés de l'entretien ménager de Notre-Dame, Donatien, a fait une mort subite au travail. Branle-bas de combat, réanimation, dilatation d'urgence non pas de une mais de deux artères, qui semblaient bien s'être occluses en même temps. Une rareté. Une première artère a dû se thromboser, puis causer un état de stress et d'inflammation qui a entraîné une deuxième artère malade à se rompre et à subir une thrombose à son tour. Deux volcans à éteindre. L'intervention fut néanmoins si rapide que Donatien n'a aujourd'hui pratiquement ni séquelle ni limitation de ce qu'on peut appeler un infarctus double.

Je revois régulièrement Donatien dans les corridors, poussant avec vigueur son attirail d'entretien ménager, faisant son boulot, vital, de protecteur contre les bactéries opportunistes. Toujours joyeux, un éternel sourire accroché au visage, il me lance invariablement son grand bonjour. Le cœur à l'ouvrage.

Un soir que Donatien était venu faire l'entretien de notre laboratoire après un cas d'urgence, il parlait avec une collègue de son bénévolat à l'unité des soins prolongés de l'hôpital. Intrigué, je lui ai demandé de quoi il s'agissait.

Depuis des années, à l'Halloween et à Noël, Donatien achète des décorations défrayées par l'équipe de bénévoles du CHUM et les infirmières de l'étage. Puis, après son travail d'entretien, il décore l'unité des soins prolongés de Notre-Dame. Cette unité recueille les patients inaptes à retourner chez eux, pour la plupart en raison d'une atteinte cérébrale sévère comme l'Alzheimer. En fait, ils attendent une place au centre d'accueil de longue durée. Plusieurs mourront à l'unité. Pour les différentes fêtes de l'année, Donatien décore ce qui s'avère leur dernière demeure. C'est ce qu'il appelle son bénévolat. Et il le destine aux patients sans autonomie, en fin de vie, qui n'ont souvent que de très rares visites. Ils sont 50 000 au Québec dans cette condition, notre société ayant choisi de confier ses vieillards en phase terminale aux ministères. Donatien reçoit pourtant peu de reconnaissance directement des résidents, la plupart d'entre eux étant très hypothéqués, bien qu'ils soient visiblement contents du changement d'ambiance après sa visite.

J'étais très ému par son geste. Pour moi, cet homme tout simple est le symbole même d'une solidarité peu commune. Il donne discrètement du bonheur aux plus démunis de notre société, sans compter sur un éventuel retour. Il méritait infiniment sa chance. Il donne au suivant.

CHAPITRE 17

Les contes d'Andersen
Vers un système optimal de traitement et de prévention de l'infarctus

Nous avons vu, au cours des chapitres précédents, que des milliers d'études ont permis de raffiner chaque détail de notre pratique. L'ensemble des progrès et des connaissances sur l'infarctus a amené l'efficacité du traitement à un niveau jamais atteint. Mais il faut organiser ces connaissances en un tout cohérent et efficace. Même avec les armes les plus sophistiquées, une guerre ne se gagne que si la stratégie est optimale.

Pays de la Petite Sirène des contes d'Andersen, le Danemark a beaucoup de similitudes avec le Québec : nordicité, population et superficie habitée. Au début des années 2000, un autre Andersen allait changer nos vies. Le docteur Henning Rud Andersen a planifié une étude de traitement de l'infarctus en organisant un réseau entre les hôpitaux régionaux et universitaires. Cette étude s'appelle DANAMI 2. Le concept est simple : comparer le traitement classique de l'infarctus, c'est-à-dire à l'aide de la fibrinolyse – les médicaments qui font fondre le caillot, ou fibrinolytiques – au nouveau traitement émergent, la dilatation coronarienne d'urgence. Un total de 30 hôpitaux y ont participé : cinq hôpitaux tertiaires équipés de laboratoires de cathétérisme cardiaque et 25 hôpitaux régionaux, tous mis en réseau. Le concept est simple, mais l'application difficile : un réseau de communication efficace et de transport ambulancier fluide fut instauré entre ces hôpitaux pour transférer sans délais les patients.

Nos collègues danois commencèrent l'étude ainsi : chaque patient en infarctus aigu a reçu soit de la fibrinolyse, soit une dilatation d'urgence. Par tirage au sort pour que les deux groupes de patients soient bien semblables.

Les patients arrivant à un hôpital régional, s'ils étaient désignés pour la dilatation, étaient acheminés en urgence vers un hôpital faisant de la dilatation. À l'inverse, si le patient était sélectionné pour la fibrinolyse, il recevait le médicament à l'urgence, même si le laboratoire de cathétérisme était disponible. Un modèle scientifique impeccable pour comparer la valeur de chaque traitement.

Beaucoup de leçons importantes furent tirées de cette étude. J'ai eu le plaisir d'en discuter les dessous avec Henning, un jeune cardiologue enthousiaste et visionnaire. Dans l'ensemble, la dilatation coronarienne d'urgence est plus efficace que la fibrinolyse. Toutefois, la fibrinolyse donne d'aussi bons résultats que la dilatation si le traitement est donné rapidement, au cours des deux premières heures suivant l'infarctus. Le temps est important puisque durant cette période, chaque quart d'heure de délai augmente les chances de mortalité de 1%. Adage maintenant international : *Time is muscle*. Rappelons la consigne : en cas de douleur thoracique sévère persistante malgré la nitro, il faut téléphoner au 911. Le potentiel de traitement est à son meilleur dans la première heure, la *golden hour* américaine où la dilatation ou la fibrinolyse sont aussi efficaces, où que l'on soit, en région ou au centre-ville.

En mai 2002, devant les résultats de DANAMI 2, la décision fut prise : dès lors, tous les infarctus aigus du CHUM seraient traités par angioplastie d'urgence, 24 heures sur 24, et offerte à nos hôpitaux référents. Nous avons sensibilisé chaque maillon de la chaîne de commandement : personnel ambulancier, personnel de l'urgence, urgentologue, équipe d'hémodynamie, unités de soins, système de communication.

Hémodynamique CHUM : un trio gagnant !

Suite à la décision de traiter tous les infarctus au CHUM par dilatation, il a fallu un énorme travail de réorganisation à laquelle nos trois centres et nos dix hôpitaux référents ont vigoureusement participé. Organiser en flotte de combat nos cinq laboratoires où œuvrent quinze hémodynamiciens assistés par plus de cinquante employés. Le CHUM, c'est 6 500 cathétérismes cardiaques dont plus de 3 000 angioplasties incluant 550 cas d'urgence après les heures ouvrables,

24 heures sur 24. Le temps étant précieux, toutes les étapes ont été revues, chaque délai rectifié et les pratiques des trois hôpitaux du CHUM uniformisées avec celles des dix hôpitaux régionaux. L'impact de ces procédures d'urgence 24 heures sur 24 a été réparti entre toutes les instances sans augmentation de dépenses ou de personnel.

Depuis 2002, le CHUM a appliqué plusieurs solutions confirmées par nos recherches et par la littérature scientifique. Cette liste vient d'être validée par l'*American Heart Association* en 2006.

- Un seul numéro de téléphone pour l'infarctus aigu.

- Les urgentologues contactent directement le laboratoire d'hémodynamique.

- 24 heures sur 24, l'équipe d'hémodynamique est sur place en 30 minutes.

- Faire le suivi des temps et succès d'interventions.

- Avoir l'engagement et le soutien de toutes les directions.

- Utiliser une approche multidisciplinaire bien rodée.

Le Graal : en 2004-2005, nous avons diminué de 54 % le taux de complications d'infarctus (mort, AVC, nouvel infarctus) des années 1999-2000. La mortalité, de 30 à 40 % dans les années 1970, est maintenant à moins de 3 %, excluant les cas préterminaux, appelés chocs cardiogéniques. Même dans cette dernière situation, gravissime et habituellement mortelle, la dilatation d'urgence a grandement amélioré la survie, passant de 5-10 % à plus de 60 %. Amélioration des succès tout en raccourcissant de deux jours le séjour moyen à l'hôpital, les patients étant et se sentant rapidement mieux. L'optimum du rapport coût-efficacité. Meilleur succès pour moins cher. Cette réorganisation s'est faite avec les forces vives des trois services de cardiologie et d'urgence du CHUM, avec les équipes de nos hôpitaux référents, et passe par une structure bien rodée : téléphonistes drillés, partenariat d'Urgence-Santé, des coordinateurs, des infirmières-escortes, des unités de soins. Un bel effet de la synergie du CHUM et de son réseau.

Un message d'intérêt public

Deux données continuent à intriguer le cardiologue. Malgré le niveau d'éducation des années 2000, la *moitié* des patients qui décèdent meurent *avant* d'arriver à l'hôpital. Et la *moitié* des patients en infarctus se présentent par *leurs propres moyens* à l'urgence.

Quelle serait l'aide idéale à apporter à vos urgentologues et cardiologues pour transformer un infarctus en incident sans séquelles? Appeler le 911 si une forte douleur thoracique survient et dure plus de 15 minutes. Surtout si elle est accompagnée de souffle court et de transpiration. Ainsi, tous les infarctus de la population seraient vus par un urgentologue dans la première heure. On pourrait ainsi s'approcher d'une mortalité frôlant les 0%. Et éviter des morts injustes.

Ce que l'on trouve regrettable, c'est lorsque des personnes se présentent jusqu'à 24 heures, sinon des jours après leur douleur. Même si l'on répare l'artère, les dégâts sont irréparables, avec une bonne partie du moteur brûlé. En fait, il y a généralement eu des signes avant-coureurs dans les jours précédant la crise cardiaque. C'est l'angine avec ses douleurs brèves et répétées, le meilleur moment pour faire la réparation des artères, le muscle n'ayant jamais souffert. Donc il faut consulter *avant* l'infarctus, sinon dans *la première heure.*

RQCT

Le Réseau Québécois de Cardiologie Tertiaire a été créé par Pauline Marois alors qu'elle était ministre de la Santé. Constitué d'experts, le RQCT a le mandat de conseiller le ministre de la Santé sur les orientations et tendances en santé cardiovasculaire. Cet important comité rapproche la démarche scientifique du politique. En plus de suivre l'accessibilité aux soins pour adapter une offre de service toujours en restriction, il propose des modèles de bonne pratique à l'échelle du Québec. Plusieurs rapports d'experts du RQCT ont été rédigés pour proposer les meilleures orientations de traitement selon les besoins de notre population, qui sont accessibles sur le site Internet du RQCT. Cette vision de madame Marois s'est traduite en une incontestable augmentation de la qualité et de l'accessibilité de nos soins cardiaques.

Parmi les mandats du RQCT, une des tâches les plus stimulantes est la création au Québec d'un réseau intégré du traitement de l'infarctus. Les membres du sous-comité sont d'ailleurs issus des différents hôpitaux impliqués dans le traitement de l'infarctus. Une configuration optimale de la chaîne de commandement se dessine sur le modèle des corridors de traumatologie du Québec, dont l'efficacité est attestée et qui ont amélioré nos succès chez les polytraumatisés, et sur les meilleurs modèles internationaux, l'Europe étant un chef de file dans le traitement efficace de l'infarctus.

Fondation des maladies du cœur : fondement de la santé du cœur

Tout autant que le curatif, pour gagner la bataille, la réorganisation doit s'adresser au préventif. Et aujourd'hui peut-être plus que jamais. En effet, nous avons vu la lourdeur des nouveaux facteurs de risque, très mal contrôlés par le curatif. Parfois, la solution « écologique » sera meilleure que la solution « technologique ». Nous avons tiré plusieurs leçons de l'histoire, grâce notamment à la polio et au SIDA. Nous ne pourrons pas tout guérir à mesure que les fléaux s'amplifient. Il suffit de regarder les courbes de progression dans le temps pour voir qui gagne la course. Les facteurs de risque environnementaux (pollution, réchauffement, sédentarité, obésité, diabète adulte) sont hors de contrôle comme la peste noire l'était au Moyen-Âge.

Plusieurs croient que la technologie pourra toujours corriger les effets secondaires de nos trajectoires sociales. À ce sujet, vives déceptions récentes. Deux échecs pour la technologie : le *New England Journal of Medicine* a publié la synthèse de toutes les études sur l'Avandia, nouveau médicament très prometteur contre le diabète. Cet article a eu l'effet d'une bombe : la mortalité cardiaque était *plus élevée* chez les patients sous Avandia que sous les autres médicaments. Or, les études précédentes avaient pressenti le contraire, ce pourquoi, le médicament a été approuvé par la *Food and Drug Administation*. Le débat scientifique sur le maintien de l'approbation de l'Avandia fait actuellement rage entre experts de haut calibre. Les patients ont pour consigne de revoir leurs médecins et de ne surtout pas arrêter leur médicament avant, car un taux de sucre totalement déréglé peut tuer beaucoup plus vite et sûrement que la petite augmentation du risque d'accident cardiaque noté dans le *NEJM*.

Examinons les chiffres pour apprécier ce risque : un total de 28 000 personnes ont été suivies dans ces études. Dans le groupe Avandia, il y a eu 86 infarctus et 39 morts, contre 72 et 22 dans le groupe contrôle. La différence de 16 infarctus et 17 morts est minime sur 28 000 personnes. Cette petite différence (17 morts sur 28 000) est toutefois statistiquement significative, c'est-à-dire qu'elle n'est pas due au hasard.

Dans cette gestion de crise, Internet fait merveille : les médecins, tous branchés, connaissent dans l'heure une nouvelle d'importance et sont avisés par les organismes réglementaires de la conduite. L'armée sur le terrain (les médecins de la planète) reçoit les consignes du quartier général. La flotte se redéploie selon les nouveaux consensus internationaux. Ce qui améliore grandement et rapidement le niveau de soins de nos patients. Parfois, un médicament déshonoré a une seconde chance : la thalidomide est aujourd'hui utilisée avec succès dans le traitement de la lèpre et celui de certains cancers du sang. Mais elle est rigoureusement contre-indiquée chez les lépreuses enceintes !

Revenons au chapitre 6 : l'analyse de l'effet des vitamines A, C, E, bêta-carotène et sélénium. Surprise de taille : la prise des vitamines A, E et bêta-carotène *augmente la mortalité de 5 %*, comparativement aux patients qui prennent un placebo. Aucun effet bénéfique de la vitamine C et du sélénium. Plus encore, les chiffres bruts : 15 366 morts chez ceux prenant les vitamines. 9 131 chez ceux n'en prenant pas.

Dix-sept morts de plus avec l'Avandia : crise internationale et haro sur la compagnie.

Cinq mille morts de plus avec les suppléments vitaminiques : insouciance totale.

Que peut-on déduire de ces résultats ? Un, il persiste encore un singulier laxisme dans la science au regard des suppléments tels les vitamines, les gras trans, les organismes génétiquement modifiés, la margarine, les édulcorants, les additifs, les produits naturels, etc. Deux, la nature a déjà généreusement pourvu les fruits, légumes et céréales des vitamines nécessaires, avec dosage approprié et d'autres propriétés qui se potentialisent. Depuis un milliard d'années, le règne animal, incluant son petit dernier l'être humain, a façonné ses gènes et sa physiologie sur les végétaux présents. Trois, la solution technologique (prendre des suppléments vitaminiques) est moins bonne, sinon plus néfaste, que de bien choisir son panier d'épicerie. Il paraît donc opportun de prendre ses vitamines chez le fruitier et le maraîcher plutôt que de se les procurer en flacon. Quatre, malgré ces résultats, les ventes de suppléments sont encore une affaire de plusieurs milliards de dollars, détournés au profit d'une fausse science de la santé.

Dans le même ordre d'idée et dans l'optique de découvrir une pilule efficace et sécuritaire pour maigrir, le Rimonabant vient d'échouer ses examens à la *Food and Drug Administration* (FDA). On suspecte des problèmes neuropsychologiques avec le Rimonabant : convulsion, dépression, anxiété, insomnie, agressivité et pensées suicidaires. Refusé : il manque trop de preuves d'innocuité pour lancer le médicament dans le monde.

Immense déception pour le pharmaceutique : plus de 100 millions de dollars en développement risquent de s'envoler en fumée avec retour aux planches à dessin. Immense déception pour les millions de patients obèses à qui on a fait miroiter la venue prochaine d'un nouveau médicament miracle pour maigrir.

Réorganisation du préventif : un projet de société

Le présent ouvrage est plus orienté sur le *pourquoi* du maintien d'une bonne santé cardiovasculaire que sur le *comment*. Pour le *comment*, l'information est déjà très riche et facilement disponible.

Chaque pays a plusieurs sites Internet d'organismes officiels qui sont riches d'informations. Le site de la Fondation des maladies du cœur du Canada est à souligner. La Fondation a vu son influence décupler grâce à Internet. C'est un modèle d'éducation, de ressources et d'informations. Plusieurs aspects techniques ne sont pas contenus dans cet ouvrage, comme le nombre de calories consommées dans une pomme ou dépensés par 30 minutes de vélo. Tout coronarien et ses proches devraient consulter régulièrement ce site. Ainsi que tous ceux qui sont simplement soucieux de consulter un site de santé autorisé et rigoureux. Il offre des conseils d'intérêt général, particulièrement en bonne cuisine et en suggestions sur notre vécu quotidien. La santé, c'est comme le jardinage et l'écologie : une multitude de petits détails mis ensemble dans un tout cohérent. Et s'il vous plaît, faites-leur un don : la qualité de ce portail, vital pour les coronariens et leur famille, dépend totalement de leur collecte de fonds. Si la santé de ce site est florissante, il en sera de même pour la nôtre.

Le cœur à la télé

Opinion personnelle : les meilleures émissions sur la santé n'en sont pas. Telles des émissions comme *L'épicerie* de Radio-Canada. Format attirant pour le grand public, animé dans la bonne humeur, avec une infinité de renseignements intelligents et astucieusement passés. Dans la même veine, on remarque que nos «gourmets farfelus» québécois de l'heure, les Di Stasio et Ricardo, ont à cœur de donner d'excellentes recettes de qualité, remplaçant progressivement la malbouffe dans nos milieux en donnant beaucoup d'information alimentaire dans un format séduisant. Parmi plusieurs causes sociales, Jean-Luc Mongrain parraine depuis toujours le Club des petits-déjeuners, promouvant une bonne alimentation pour les enfants défavorisés, les plus à risque de développer une alimentation néfaste par la malbouffe. Son implication télévisuelle s'est manifestée lors de la conférence *Promesse du Millénaire* tenue à Montréal en novembre 2006. Mongrain recevait Mia Farrow et Bill Clinton pour l'occasion. La puissance de la télévision pour faire évoluer et conscientiser.

Le Match des Étoiles, émission animée par l'énergisant Normand Brathwaite, a deux vertus capitales : donner de la visibilité à nos excellents danseurs, artistes athlètes aux revenus scandaleusement bas, et promouvoir une magnifique activité physique urbaine : la danse.

Un fantasme : que la télévision d'État produise une émission santé de l'envergure de *Nature of Things*, de David Suzuki. Accrocheuse et rigoureuse. J'irais jusqu'à proposer qu'elle soit réalisée par Guy A. Lepage, concepteur des plus efficaces pour rejoindre les gens. Un couple de vulgarisateurs, engageants et bien informés. Un gars, une fille en santé. Des capsules ados de François Avard. Reportage avec experts locaux et internationaux. Tournage en salle d'opération et suivi de grandes aventures médicales. Vécu des patients et des familles. Bonne cuisine. Beaux sites à parcourir à pied et à vélo. Visite de nos régions avec problématiques et initiatives locales en santé. Revue de tous les enjeux médico-sociaux, de l'agriculture au développement urbain en passant par les problématiques énergétiques sur la santé.

La télévision est un puissant moyen d'éducation, sinon le plus puissant. C'est le porte-voix de la pensée de David Suzuki, le Canadien vivant le plus estimé au pays, désigné au concours «La plus grande personnalité canadienne» (*The Greatest Canadian*). Notre société doit voir dans cet extraordinaire moyen de communication – bien anticipé par Marshall McLuhan – un outil formidable dans sa quête du bien le plus précieux, la santé.

Paradoxe quant à la puissance sociale de la télévision. Le nombre d'heures que le Québécois passe en moyenne par semaine devant la télé est décourageant : 27 heures, près de quatre heures par jour. L'argument du manque de temps pour l'activité physique n'est pas très solide… La Fondation des maladies du cœur propose une heure d'activité physique par jour. Le temps est facilement trouvé. Prendre une heure de télé pour aller dehors. C'est ce que nous dit Jean-Pierre Després, chercheur de Québec et président de la chaire internationale sur le syndrome cardiométabolique.

CHAPITRE 18

Pascale et le loup

J e n'ai jamais vu une péricardite pareille. En mettant la main sur son thorax, on avait l'impression de sentir une râpe à bois sous la peau.

Pascale a 23 ans. C'est une jolie jeune fille, institutrice. De la gravité et de la maturité dans son regard délicat et pensif. Pascale fait un *lupus* explosif. Le lupus (lupus érythémateux disséminé ou LED) est une maladie auto-immune, une saloperie pour laquelle on a aucune idée du «pourquoi elle?» Ses anticorps sont déchaînés contre son propre corps. *Lupus* en latin veut dire loup. Ce nom vient du fait que le lupus peut toucher la peau, rougissant la région autour des yeux, donnant un aspect de masque de bal vénitien qu'on appelle un «loup».

Dans le cas de Pascale, il ne s'agissait pas d'un loup, mais d'une meute qui s'acharnait contre elle. Elle présentait toutes les complications possibles du lupus: méningite et convulsions, semi-coma, névrite avec atteinte de sa vue, arthrite, pancardite: tout son cœur était inflammé de part en part, valves, muscle et enveloppe. En plus du cerveau et du cœur, elle avait de graves problèmes de coagulation. Sa rate était gonflée comme une outre, détruisant les plaquettes de son sang, la mettant à haut risque de saignement majeur. Paradoxalement, elle risquait aussi des thromboses à cause d'un anticorps provoquant des caillots. Elle faisait des épisodes de défaillance cardiaque avec l'horrible sensation de se noyer par l'intérieur. L'inflammation avait soudé les feuillets de sa valve mitrale, la rétrécissant au point de refouler le sang dans le poumon, provoquant des crises d'eau dans ses poumons, l'œdème pulmonaire. Ses reins étaient atteints d'insuffisance rénale aigue par attaque des anticorps, aggravée par l'insuffisance cardiaque, son cœur ne débitant pas assez de sang dans ses organes.

Température, confusion, convulsion, détresse respiratoire.

Il y avait neuf spécialités de Notre-Dame autour d'elle : cardiologie, pneumologie, neurologie, hématologie, rhumatologie, néphrologie, chirurgie générale, chirurgie cardiaque, anesthésie.

Un grand hôpital universitaire permet une approche complète de telles maladies complexes. Les meilleures ressources au chevet. L'histoire de Pascale est un bel exemple de la tradition de Notre-Dame, aujourd'hui enrichie de celles de l'Hôtel-Dieu et de Saint-Luc dans l'édification du CHUM.

Le plan de traitement a été maintes fois revu et discuté collégialement. Un solide casse-tête sans deuxième chance. Neuf conditions, chacune à potentiel mortel, à traiter dans la bonne séquence. Désamorcer une bombe à plusieurs niveaux de sécurité.

La stratégie fut la suivante :

- Contrôle des convulsions par les neurologues.

- Traitement de l'insuffisance cardiaque par les cardiologues.

- Traitement de l'inflammation par les rhumatologues.

- Normalisation de la coagulation par les hématologues.

- Protection et traitement des reins par les néphrologues.

- Dilatation de la valve mitrale par les cardiologues.

- Chirurgiens cardiaques et anesthésistes prêts à l'éventualité d'une chirurgie urgente de la valve en cas d'échec de la dilatation.

- Cerveau, cœur, poumons, reins, coagulation stabilisés : anesthésie générale et ablation de la rate par la chirurgie générale.

Pascale a aujourd'hui 37 ans. Obligée d'être anticoagulée jusqu'à la fin de ses jours, elle ne peut avoir d'enfants sans risque élevé de malformations congénitales avec la prise de Coumadin durant sa grossesse. Elle enseigne toujours, est mariée et a une petite fille. Une adorable poupée de huit ans, appelée Joannie, qu'elle a adoptée en Chine. Pascale est la plus belle illustration du besoin d'un grand hôpital universitaire, structuré de façon optimale autour du patient.

Pascale et Joannie

CHAPITRE 19

Le cœur et la mort
Voit-on un tunnel avec une lumière?

A vertissement : je ne suis aucunement un expert de la mort et du deuil comme l'admirable Elizabeth Kubler-Ross, psychiatre et pionnière des soins palliatifs, ou nos spécialistes en soins palliatifs. Mais le cardiologue développe malgré lui une certaine expertise de la mort.

Les cardiologues font face continuellement à des situations de vie et de mort, et ont appris à gérer des situations terminales. Évidemment, on ne sauve pas tout le monde. Le cardiologue est confronté des centaines de fois au choix entre la vie et la mort, au deuil. Ce qui suit est le fruit des réflexions que j'ai eues tout au long de mes études et de ma carrière. Il y a beaucoup de questions soulevées par la mort, beaucoup d'aspects que j'ai observés sur le terrain, et il me semble que ces observations sont d'intérêt général. J'ignorais ces choses avant mon cours de médecine et ma pratique. J'apprécie de les savoir maintenant.

Avec le vieillissement de la population apparaît ce que j'appelle la dynamique du quatrième âge, soit les grands vieillards. Pour eux, les questions du choix des traitements se posent continuellement, puisque la possibilité de mourir est toujours présente, et le traitement pas aussi fructueux que chez les moins de 75 ans. La médecine, forte de ses succès contre la maladie, tente de transposer ceux-ci au vieillissement, la barrière physiologique finale. Or, la plupart des études *excluent* les patients de plus de 75 ans. Il est imprudent de transposer les résultats obtenus chez des moins de 75 ans aux plus âgés. C'est un raccourci que prend la médecine, une déduction empreinte d'une bonne intention, et l'enfer en est pavé.

Certains chiffres, disponibles au Réseau québécois de cardiologie tertiaire (RQCT) sont de grand intérêt: au Québec, la mortalité d'un pontage coronarien chez les plus de 80 ans est au-dessus de 10%. Si une intervention doit s'ajouter, tel le changement d'une valve, ce pourcentage monte à 30%. Et ce sont des patients sélectionnés, ceux pour qui on croit avoir une bonne chance de récupération. Une personne de plus de 75 ans faisant un arrêt cardiaque à domicile a moins de 5% de chances de retourner chez elle. Une chance sur 20 de redevenir comme avant. La plupart ne survivent pas ou ont des séquelles si sévères qu'elles doivent être placées en institutions médicalisées. Ces importantes données doivent être de plus en plus disponibles pour que nous fassions des choix éclairés sur notre vie.

C'est maintenant une règle éthique de demander aux gens âgés leurs attentes concernant une réanimation cardiovasculaire. Ce qui étonne dans notre culture, c'est la surprise causée par une telle question. À 85 ans, il semble raisonnable que la mort soit une éventualité, surtout si l'on est malade. Les possibilités de réanimation, si puissantes soient-elles pour la circulation cœur-poumon, sont limitées pour la préservation de l'intégrité du cerveau et pour un organisme en fin de course.

Cette question devrait être abordée personnellement par chacun, à un moment approprié et à tête reposée, voire discutée avec ses proches. Comme un testament. C'est pourquoi les médecins doivent être des conseillers et des guides attentifs dans des décisions aussi cruciales.

Ces décisions doivent être claires pour le patient et ses proches. Un jour, Urgence-Santé a emmené un patient qui venait de faire un arrêt cardiaque. Manœuvre rapide et efficace, patient réanimé et transporté à l'urgence. Une surprise attendait l'équipe en recevant des archives le dossier du patient. Il y était clairement mentionné qu'en raison d'une maladie terminale sans possibilités thérapeutiques, seuls les soins de confort étaient requis, car le patient avait refusé toute forme de réanimation. Or, il avait été «reparti», maintenu en vie et branché de toutes parts. Tout le monde était dans l'embarras. L'information manquait au bon moment.

Ces décisions ne peuvent se baser que sur un maximum d'informations et d'après des études bien faites. Comme dit plus haut, la majorité des études médicales excluent les plus de 75 ans. Heureusement, il y a de plus en plus d'études gériatriques nous guidant afin de prendre les meilleures décisions, en toute connaissance de cause. En plus de l'expertise des gériatres appelés pour une évaluation globale de la personne âgée et de son pronostic.

Habituellement, dans le quatrième âge, c'est du cas par cas, et on doit tenir compte de toutes les conditions associées. Mon record est un patient de 94 ans à qui j'ai fait une angioplastie coronarienne, car il ne sortait pas des soins intensifs, en proie à des crises d'angine à répétition et non stabilisées par les médicaments. Ce sympathique et alerte vieillard vivait chez lui et s'occupait d'un joli jardin. La coronarographie, inimaginable chez un nonagénaire à l'époque de mon cours de médecine, a montré une lésion simple à traiter. Il est maintenant chez lui et jardine toujours.

Le plus difficile dans notre métier n'est pas de savoir quand faire quelque chose, mais quand ne pas la faire. Il y a des tonnes de documents sur les recommandations et les indications de traitement. À peu près rien sur les conditions qui nécessitent de ne rien faire. Éviter l'acharnement thérapeutique.

L'approche de la mort est très différente d'une culture à l'autre. Les Latins, habituellement pratiquants et ayant un grand sens de la famille, gardent leurs vieillards très longtemps à la maison. Il est assez fréquent qu'ils meurent à domicile, entourés des leurs. Généralement, les gens foncièrement religieux (particulièrement les religieux…) ont l'approche de la mort la plus sereine. Comme une étape bien ancrée et prévue dans leur culture, accueillie non avec bonheur mais avec la paix d'une vie bien remplie et un espoir sincère dans l'au-delà.

Concernant les soins aux personnes âgées, les congrégations religieuses sont des modèles de générosité. Ou pour employer un terme totalement désuet, des modèles de charité pour leurs aînés, les soutenant et les entourant jusqu'au dernier souffle. Avec le rejet de la religion autoritaire et de sa mainmise sur notre société, il est dommage que le bébé ait été jeté avec l'eau du bain. Le plus pénible :

des vieillards laissés à l'urgence pour perte d'autonomie, avec peu ou pas de visite. Heureusement, le cœur de nos bénévoles est à l'ouvrage.

On peut lire beaucoup de choses sur ce que ressent une personne lors de son décès. Grande désillusion de ma part. J'ai attendu pendant des années qu'un témoin de la proximité de la mort, un réanimé, me parle de tunnel lumineux, de voyage astral, de vision de personnes chères et décédées qui le saluaient, de planer au-dessus de son propre corps. En vain. Nous avons réanimé des milliers de «morts». Ce qu'ils nous disent au «retour», c'est qu'ils se sont endormis. Désolé pour la platitude du punch.

Mais un aspect me rend heureux : la mort par arythmie maligne est l'une des plus douces que l'on puisse se souhaiter. Tout simplement s'endormir. Celui qui est emporté par une mort subite est plaint et pleuré. Pourtant, les plus à plaindre sont les proches, brisés de voir un être aimé disparaître de leur vie. Le docteur Michel Martin, chirurgien cardiaque du CHUM, est mort dans son sommeil au début de la quarantaine. Un grand ami, un jeune et brillant médecin, disparu après seulement trois ans de pratique. Victime d'une myocardite virale, reconnue et diagnostiquée, mais contre laquelle il n'existait aucun traitement efficace. De nos jours, nos connaissances et outils s'étant raffinés, Michel aurait eu un défibrillateur implantable. Un soir, Michel s'est tout simplement endormi pour ne pas se réveiller, sans aucune souffrance, seule consolation. Une arythmie l'emportait. Le deuil des proches a été très dur.

Depuis mon externat, j'ai vu des personnes agoniser de toutes les façons possibles, parfois de façon très souffrante. Agoniser vient du latin *agonizare* : lutter, faire un effort. «Nous arrivons donc au grand combat», auraient été les derniers mots de Robert Bourassa à son médecin, le Dr Joseph Ayoub. Se préparer à mourir. Heureusement, une nouvelle spécialité s'est attachée à cette étape difficile de la vie : les soins palliatifs. L'unité pionnière au Québec dans ce domaine est à Notre-Dame. Elle a été dirigée avec fougue et bonne humeur jusqu'à récemment par le docteur Yves Quenneville, psychiatre, qui en est aussi le cofondateur. Cette première unité de soins palliatifs du Québec a été fondée en 1979, outre le docteur Quenneville, par le docteur Maurice Falardeau, chirurgien du cancer, et par madame Andrée Gauvin. Des experts de la compassion, de l'accompagnement et du soulagement. La mort subite n'est pas l'apanage habituel des insuffisants cardiaques terminaux. Leur situation ressemble plutôt à celle des cancéreux en fin de vie. Depuis plusieurs années, nos spécialistes en soins palliatifs sont au chevet de nos patients cardiaques terminaux et de leur famille, avec un soutien extraordinaire et extrêmement apprécié. Retour de la médecine technologique vers les valeurs ancestrales : de plus en plus d'institutions se préoccupent aujourd'hui de cette dimension. Au-delà de la possibilité de guérir, il y a la possibilité de bien mourir, sans souffrance, en toute dignité et entouré des siens. Un vieil adage : *If you can't cure, you can always care.*

La disponibilité et l'efficacité des défibrillateurs soulèvent un nouveau débat. Le problème moral se pose devant le vieillard qui a l'indication clinique d'un défibrillateur, mais dont la mortalité sera probablement plus d'insuffisance cardiaque ou cérébrale que d'arythmie. Pour ces patients, très âgés et très malades, c'est un vrai casse-tête éthique : mourir d'arythmie ou être continuellement réanimé par le défibrillateur pour mourir à brève échéance d'une autre maladie plus souffrante ? Si nous pouvions prédire dans quelles conditions la prochaine complication mortelle surviendra, le choix serait simple. Mais c'est une prédiction aujourd'hui impossible.

La réflexion de chacun devant sa vie et sa croyance, et la formulation de sa volonté simplifieraient beaucoup ces questions. Guidées bien sûr par une évaluation médicale aussi complète que possible. Ne soyez pas surpris devant la question : « Désirez-vous être réanimé ? »

Elle ne sera certainement pas posée au père de famille qui vient de se faire opérer pour une hernie. Mais je l'ai posée à mon patient de 94 ans avant de faire sa coronarographie. Il avait décidé que non, pas de mesures de réanimation et pas de chirurgie à cœur ouvert, mais il était partant pour évaluer la faisabilité d'une intervention percutanée. À sa dernière visite à la clinique, nous avons échangé des fleurs vivaces pour nos jardins.

CHAPITRE 20

« *Scotty, beam me up* »
Science-fiction de la cardiologie

Internet : le savoir planétaire

L es connaissances des chercheurs en recherche fondamentale amènent de plus en plus rapidement au seuil de l'hôpital de potentielles prouesses cliniques. La révolution de l'accès aux connaissances depuis Gutemberg est sans aucun doute Internet. Tout est communiqué partout dans l'heure. Grâce à Internet, les plus fabuleux musées, bibliothèques, institutions, universités, hôpitaux du monde ouvrent leurs portes. Nous avons l'habitude de consulter les revues médicales électroniques et d'assister à des conférences du monde entier en *Webcast*. Plus encore, le show-business américain a donné des outils d'enseignement de taille à la médecine. La télédiffusion planétaire multidirectionnelle. Un bon exemple, le *Trans Catheter Therapeutics* de Washington. À ce congrès, 10 000 cardiologues du monde entier sont devant un grandiose déploiement d'écrans, de sono et de projections dignes d'une soirée des Oscars. Des collègues filmés en direct à Prague, Tokyo, Montréal, Londres, Rotterdam, jusqu'à 50 villes par session. Ils pratiquent des procédures et échangent leurs points de vue avec les congressistes, tous liés par satellite. Visite virtuelle des grands centres et présentation des équipes. Réalisation de procédures pointues devant 10 000 pairs qui peuvent interagir avec questions et commentaires. Avec toutes les contraintes du direct. Une fabuleuse façon d'apprendre, d'enseigner et d'échanger, de voir comment les meilleurs hôpitaux du monde fonctionnent.

Conseil pour les amateurs de recherche sur la santé : consultez les sites d'organismes officiels. Il y a un nombre ahurissant de sites affichant des raisons sociales pseudo-scientifiques, créées par n'importe qui. C'est comme les produits naturels. La jungle. C'est le problème d'Internet. N'importe qui peut dire n'importe quoi. Donc, il faut choisir des sites d'organismes reconnus pour éviter des informations bidon et des déceptions futures.

Le cœur chirurgien

Au fil d'un milliard d'années d'évolution, le vivant s'est doté d'une multitude de capacités d'autoréparation que la médecine comprend mieux et dont elle s'inspire de plus en plus. Le plus spectaculaire : la salamandre qui sait faire repousser patte, queue, œil et cœur blessés, prouesse que la recherche médicale tente aujourd'hui de comprendre pour mieux nous traiter. Excellent ouvrage : *Le secret de la Salamandre* d'Axel Khan, généticien de premier plan. Un brillant exposé sur les progrès et enjeux de la thérapie génique.

Avons-nous quelques propriétés en commun avec la salamandre? Oui, nos organes sont capables de créer de toutes pièces de nouvelles artères pour suppléer à celles qui se bouchent. Ce sont les collatérales ou pontages naturels. Le cœur se ponte lui-même depuis des millions d'années, bien avant l'apparition de l'homme. Le cœur est un très bon chirurgien, mais parfois trop lent. La survenue d'un infarctus résulte d'une course : vitesse d'ouverture de la nouvelle artère de secours contre vitesse de fermeture de l'artère malade. L'angine chronique et répétée est un puissant stimulant, car il incite le cœur à envoyer un signal de détresse : «*Mayday, mayday*, il faut de l'oxygène en antéro-latéral.» Le message de détresse, un SOS en code bio, est relâché par les cellules souffrantes, comme une balise de détresse par un marin en difficulté. Le message est envoyé à la fratrie, les autres artères du cœur. Des microvaisseaux invisibles à l'œil nu et présents depuis notre naissance se dilatent, se recrutent, obéissant au message de détresse envoyé par le muscle souffrant. Les artères se déploient vers la zone souffrante, telles les garde-côtes répondant à un message de détresse. Comment est fait ce message? De protéines émises par des cellules, communiquant entre elles. Les cellules parlent entre elles.

Il y a aujourd'hui un grand intérêt scientifique pour ces messages biologiques. Si nous trouvions la protéine porteuse du message «artère, ouvre-toi!», nous pourrions stimuler la prolifération de pontages naturels, les meilleurs de tout l'arsenal de pontages connus. Trouver le message. Le biologiste est l'homme qui murmure aux cellules. Ce traitement connaît une vaste investigation depuis au moins 20 ans. Il s'appelle l'angiogenèse. Faire des pontages biologiques. «Bio» est décidément tendance!

En attendant l'angiogenèse dans la vie de tous les jours, pouvons-nous stimuler nous-mêmes ces pontages biologiques? Oui, démontré depuis longtemps: l'activité physique stimule la formation de pontages biologiques de pratiquement tous les vaisseaux sollicités. Dans les cas de claudication intermittente légère à modérée par exemple, avec douleur dans le mollet causée par le manque de sang à l'effort, on conseille de marcher davantage. Cela développe les collatérales, angiographies à l'appui, et améliore la tolérance à la marche. La fonction crée l'organe. Même principe pour le cœur. Chez le coronarien, une activité physique bien dosée est prescrite entre autres pour développer des collatérales. C'est ainsi que Yves, rencontré au chapitre 13, a évité la greffe cardiaque. Il a développé de nouvelles artères au lieu d'attendre un don.

Les collatérales sont des artères microscopiques présentes à la naissance. Quand l'organe manque d'oxygène, un SOS biologique est émis et la cavalerie accourt. Les collatérales se lancent à l'aide de l'artère malade pour soutenir le cœur. Les collatérales se dilatent, se gonflent et finissent par remplacer l'artère qui se bouche. Nous voyons souvent des personnes avec une importante artère bloquée sans qu'il y ait eu de dommage, parfois sans aucun symptôme. Ils se sont pontés eux-mêmes et ils en sont fort surpris lorsqu'on le leur apprend.

À l'inverse, le gros infarctus dramatique survient chez le patient dont une coronaire se bouche en une fraction de seconde, beaucoup trop rapidement pour que son «cœur chirurgien» fasse un pontage. Nous savons que quelques heures ou quelques jours plus tard, une collatérale se développera invariablement, mais trop peu et trop tard pour sauver le muscle de l'asphyxie et de l'infarctus. La revascularisation d'urgence, par fibrinolyse ou dilatation, devient nécessaire.

D'où l'intérêt pour la salamandre qui peut faire repousser un organe au complet. Et l'activité physique qui stimule cette repousse. Le secret est dans la cellule souche.

La greffe cardiaque par cathéter

L'histoire de Samer Mansour, jeune hémodynamicien du CHUM, n'est pas banale. Samer est né à Beyrouth (prononcez Bailleroute, c'est lui qui le dit). Il rigole quand il nous voit fermer les écoles pendant les tempêtes de neige. «Quand j'étais petit, aime-t-il raconter, il tombait des bombes et mes parents me disaient "Ouste, à l'école!"».

J'ai connu Sam par des heureux hasards qu'il faudrait provoquer plus souvent. À la fin des années 1990, le Dr Pierre Daloze, chirurgien en greffe de Notre-Dame, a donné des conférences au Liban. Un jeune médecin résident a demandé de lui être présenté. Il voulait venir étudier la cardiologie au Canada. Juillet 1998. Samer Mansour débarque en stage à Notre-Dame. Trois années de cardiologie générale où tout le service lui a reconnu de grandes qualités. Nous lui avons proposé de rester avec nous et il a engagé ses procédures d'immigration. S'ensuivit son *fellowship* en surspécialité : une année dans nos laboratoires, puis une année à Paris et, enfin, une année de recherche avec les pionniers de la greffe de cellules souches, à Aalst, en Belgique.

Le concept que Samer vient développer au CHUM consiste à utiliser les cellules souches de notre moelle osseuse pour remplacer les cellules cardiaques mortes après un infarctus. Les biologistes ont découvert que les cellules les plus primitives de notre moelle osseuse peuvent se transformer en pratiquement toute cellule spécialisée. Imageons un peu : ces cellules sont comme des Pokemon qui peuvent se transformer avec de nouvelles propriétés spécialisées. Des cellules au pouvoir dormant, qu'il faut identifier et pour lesquelles il faut trouver la clé afin qu'elles se métamorphosent. La faculté de la salamandre de reconstituer des organes pourrait se trouver aussi au fond de notre moelle, chez nos cellules primitives, appelées «pluripotentes», qui peuvent se transformer en nouvelles cellules matures et spécialisées. Certaines cellules souches peuvent devenir des cellules cardiaques. Ce mécanisme de réparation existe à l'état naturel. Lors d'une blessure, notre moelle osseuse envoie des cellules souches qui iront à la plaie pour participer à la réparation et la guérison. La médecine tente d'amplifier ce mécanisme naturel pour avoir une guérison optimale.

Notre cœur de secours serait dans la moelle osseuse. Les premiers résultats de la recherche sont encourageants, mais nous n'en sommes qu'au tout début. La piste est très prometteuse, bien que tout soit à faire et à prouver. L'hypothèse est qu'en sélectionnant dans la moelle osseuse les bonnes cellules de réparation pour le muscle du cœur, nous pourrions réparer le muscle malade en injectant des cellules souches dans la zone malade, par l'artère qui a été le siège de l'infarctus. Une fois sur place, ces cellules se transforment en cellules cardiaques, remplaçant les cellules mortes. Une mission de reconstruction en zone délabrée par la guerre. De façon stratégique, par l'artère thrombosée qui a causé l'infarctus. Et, par voie furtive, une piqûre au poignet.

Si les travaux sont concluants, notre avenir change : devant un cœur détruit après un infarctus, au lieu d'envisager une greffe cardiaque, nous pourrions greffer les cellules souches du patient là où s'est fait le dommage, repassant dans l'artère qui a été débloquée lors de l'infarctus. Une greffe cardiaque percutanée. De plus, pas de rejet : ce sont les propres cellules du patient. Aussi sécuritaires que la transfusion autologue, par notre propre sang, prélevé avant une chirurgie. D'où l'inutilité des médicaments anti-rejet ou contre les infections causées par ces médicaments qui ralentissent le système immunitaire. Chaque patient pourrait être greffé au moment optimal avec ses propres cellules, au lieu d'attendre des mois et, parfois en vain, le cœur d'un donneur. Québec 2007 : 300 greffes d'organes par année pour 1 400 personnes en attente. Il n'y a que 25 greffes cardiaques par an. Et 100 000 insuffisants cardiaques. Cœur mécanique ? Après 40 ans de développement, c'est toujours à l'état expérimental et, au mieux, un outil complexe, à haut taux de complications, de transition vers une greffe cardiaque.

Le fait d'utiliser les cellules du patient éliminerait aussi les débats éthiques des cellules souches d'autres organismes, en particulier de fœtus. Toutefois, il reste à démontrer qu'à un âge mur, nos cellules souches ont autant de potentiel que celles de l'embryon.

Même sans envisager le besoin extrême de la greffe cardiaque, plusieurs patients émergent d'un infarctus le cœur passablement détruit. Débute alors leur vie d'insuffisant cardiaque, qui nécessite un suivi étroit, une clinique d'insuffisance cardiaque spécialisée, une kyrielle de médicaments et plusieurs visites à l'urgence. Si, avec cette greffe percutanée, nous pouvions améliorer suffisamment la fonction du cœur, la vie de ces patients serait changée du tout au tout.

Pour illustrer cette éventualité, prenons un chiffre simple et d'une grande importance en cardiologie : la fraction d'éjection. À chaque battement, le cœur éjecte 60 millilitres des 100 millilitres de sang qui remplissent le ventricule. Il éjecte 60 % de son sang. Soixante pour cent est une fraction d'éjection normale. Un infarctus détruit une partie du muscle du cœur qui devient une cicatrice. La fraction d'éjection va s'abaisser. Plus elle est basse, plus on fait de l'insuffisance cardiaque. Nous sommes modérément limités à 40 % et très diminués à 20 %. Les grands défaillants se situent sous les 20 %, chiffre sous lequel on envisage la greffe ou le cœur mécanique lorsque le patient remplit tous les critères qui sont très restrictifs. Après un infarctus, si on pouvait augmenter la fraction d'éjection de 20 à 40 % avec l'injection appropriée de cellules souches, on verrait une spectaculaire amélioration de la qualité de vie du patient. L'amélioration de la fonction du cœur entraîne une diminution des besoins en médicaments, en cliniques d'insuffisances cardiaques, en hospitalisations et en défibrillateurs. Certains travaux préliminaires avec les cellules souches atteignent presque 10 % d'amélioration.

Santé Canada vient d'approuver le protocole de greffe de cellules souches de Samer Mansour, le premier au Canada, en collaboration avec l'équipe du docteur Denis-Claude Roy, hématologue de l'hôpital Maisonneuve-Rosemont et expert international en cellules souches. Pour ensuite le développer à grande échelle avec nos collègues des grands centres de cardiologie. À suivre.

Techno-senseurs

Plusieurs outils, dérivés de la technologie des pacemakers, sont mis au point pour suivre nos insuffisants cardiaques. Aujourd'hui, ceux-ci enregistrent continuellement le rythme cardiaque, nous donnant toute l'histoire du rythme cardiaque des derniers mois. Les ingénieurs biomédicaux développent aujourd'hui des sondes électroniques miniatures qui imitent nos biosenseurs : pression, rythme, teneur d'oxygène, etc. Ces petites sondes pourraient s'installer à des endroits stratégiques du cœur, de façon à ce que nous puissions lire les données de l'intérieur. Tout comme les sondes de l'espace donnent plusieurs renseignements sur les corps célestes éloignés.

Chez l'insuffisant cardiaque qui se présente en défaillance, habituellement avec une surcharge d'eau dans les poumons et les jambes gonflées, il aurait été souhaitable de voir venir l'accumulation d'eau. Elle est toujours précédée d'une hausse de pression dans les cavités du cœur. Comme la baisse de pression atmosphérique annonce le mauvais temps. On développe aujourd'hui des puces qui peuvent s'insérer à l'endroit voulu dans le cœur avec un cathéter. Ces puces mesurent la pression et, si la pression augmente, c'est signe que l'accumulation d'eau et l'œdème pulmonaire vont survenir. Elles permettraient de faire de la météo cardiaque et de voir venir les inondations pulmonaires. Dans les unités de soins intensifs, nous mesurons depuis 30 ans les pressions intracardiaques au moyen de cathéters.

L'idée est de remplacer ces cathéters par une petite puce électronique, insérée en permanence dans le cœur, dont on pourrait lire les mesures avec un lecteur électromagnétique. Ainsi, d'une visite à l'autre, il serait possible d'avoir ces mesures pour ajuster finement le traitement. Comme les lecteurs électroniques de notre voiture à sa visite au garage. Pour revenir à l'anticipation, celle de Suzuki : prévoir les épisodes de défaillances. Voir plus loin ? Que cette lecture de biosenseurs puisse être faite par téléphone ou Internet, au jour le jour si besoin est. Un *Big Brother* bien intentionné.

Laser et stent téléguidé

À la fin des années 1980, il y a eu beaucoup d'enthousiasme sur l'utilisation du laser pour débloquer les artères malades. Suivi de beaucoup de déceptions. On doit le mentionner, car beaucoup de questions nous sont posées sur les possibilités du laser en cardiologie. Le laser est utilisé de longue date en médecine, particulièrement en ophtalmologie et chirurgie. Toutefois, on enregistre l'échec de tous les modes de laser essayés dans les coronaires. Nos petites protégées semblent trop délicates pour cette approche maintenant pratiquement abandonnée. Le laser a encore sa place en cardiologie pour une application : retirer quand il le faut les vieux fils de pacemakers enfouis et fixés dans le muscle cardiaque. Méthode qui évite une chirurgie à cœur ouvert.

Par ailleurs, une nouvelle ère d'exploration vient du développement de superaimants d'usage médical, dont le plus connu est la résonance magnétique nucléaire. Grâce à eux, nous pouvons téléguider un outil métallique dans les régions du cœur avec un positionnement anatomique 3D. Ceci ouvre la possibilité d'éliminer les cathéters. Faire dans les artères ce que les gastro-entérologues font avec la capsule d'endoscopie pour explorer l'intérieur du tube digestif, un petit sous-marin intestinal. Le concept serait le suivant : un stent est inséré par une piqûre dans une artère. Puis il est amené et déployé magnétiquement au site du blocage. Les arythmologues sont plus près de l'application clinique quotidienne avec les cathéters qu'ils positionnent avec un *joystick* pour une position optimale. Il s'agit pratiquement de jouer à *Star Wars* sur l'ordinateur. Ne vous découragez pas en voyant vos ados assis devant leurs jeux vidéo. Ils apprennent peut-être leur futur métier, pilote, astronaute ou cardiologue. Si on leur rend l'extérieur invitant, ils profiteront aussi du plein air.

Stent bio

Depuis longtemps, la chirurgie utilise des points fondants, des sutures biodégradables, très solides au début, qui sont ensuite digérés par notre organisme, évitant la persistance de ces fils et la visite à la clinique pour les retirer. Malgré l'efficacité souveraine de nos stents, révolution de la cardiologie, des questions se posent sur l'insertion répétée de grilles métalliques dans nos artères, bien loin de ce que fait Mère Nature.

Le concept de «stent fondant» est très attrayant : il fournit un excellent résultat initial, disparaît au fil du temps et laisse une artère «nature». Plusieurs dérivés des points fondants actuels sont en essai, ainsi que les stents au magnésium, qui se dissolvent progressivement. Guy Leclerc, chef de cardio du CHUM et chercheur fondamental, a beaucoup étudié ces nouveaux modèles dans ses laboratoires d'Accelab. Pour le moment, la principale limitation est l'inflammation associée à la résorption de ces stents. Elle fait gonfler la paroi de l'artère, ce qui est non souhaitable chez nos petites protégées de un à trois millimètres de diamètre. Le concept est là, mais il reste encore beaucoup à faire. Les toutes premières études humaines viennent d'être présentées et sont encourageantes.

Implantation de valve par cathéter

Puisque l'hémodynamie peut réparer les artères, nous essayons d'obtenir les mêmes succès pour les autres structures du cœur. Depuis plusieurs années, la dilatation de valves rétrécies se fait avec des bonheurs inégaux. Succès probant dans le rétrécissement de certaines valves mitrales répondant aux bons critères, espoir suivi de déception pour la valve aortique. À Montréal, l'expertise en dilatation de valve a été développée par les trois professeurs qui m'ont le plus influencé : Raoul Bonan, Ihor Dyrda et Jacques Crépeau de l'Institut de Cardiologie de Montréal.

La valvuloplastie percutanée vient de prendre un nouvel essor avec la confection de valves artificielles qui peuvent se replier sur un cathéter et être insérées à l'endroit voulu. Ces travaux sont encore préliminaires, mais suffisamment prometteurs pour qu'une autre de nos recrues, le Dr Jean-Bernard Masson, aille compléter son *fellowship* dans ce nouveau domaine, chez John Webb, un collègue de Vancouver, pionnier de cette technique.

Bioingénierie : confection sur mesure

Une étape plus avancée dans la conception des valves artificielles et les pontages consiste à les faire de tissu humain à partir de cultures de cellules. Les biologistes peuvent cultiver des cellules spécialisées comme on cultive du gazon : en semant dans un «terreau bio» pour finir par obtenir un tapis de cellules. On arrive ainsi à faire les trois couches de nos artères : l'intima, la média et l'adventice. En les juxtaposant en forme de cylindre, on pourrait recréer une artère qui servirait à faire un pontage. En pratique, les cellules souches seraient prélevées chez le patient, cultivées, façonnées en artères puis implantées chirurgicalement. Ces équipes, dont une travaille à Québec, sont à deux doigts de nous construire des artères neuves, à partir de nos propres cellules. Cette technique ouvre la possibilité de réparer à l'infini des vaisseaux malades, avec des tissus tout à fait compatibles pour le patient. Évidemment, ce type de pontage ne peut se faire en urgence, mais un grand nombre de chirurgies de revascularisation peut se faire de façon non urgente. Sur le même principe de la mise en banque de notre propre sang pour une chirurgie élective, nous cultiverions en serre nos prochains pontages ayant comme propriété une excellente durabilité.

Les valves mécaniques artificielles sont très efficaces, mais imparfaites. Elles sont moins performantes que les valves naturelles, plus à risque d'infection et nécessitent l'usage à vie d'un anticoagulant, la «warfarine». Dans la recherche d'une valve plus semblable à la nôtre, on a exploré les tissus animaux en fabriquant des valves en péricarde de veau ou de porc. Ce que les Québécois, avec leur sens amusant du raccourci, appellent «valve de cochon». Même si elles évitent à long terme l'utilisation d'anticoagulant, les valves de tissu animal sont beaucoup moins durables que les nôtres ou que les valves mécaniques.

Est-ce que les cellules souches peuvent encore venir à notre rescousse? Il y a des pistes prometteuses. On pourrait créer une valve de remplacement parfaite, identique à l'originale.

On peut cultiver les cellules souches en tissu valvulaire, puis confectionner une valve identique à celle qui sera remplacée. Comme plan, on se sert des images de résonance magnétique, véritable bleu de travail pour le bioingénieur. L'imagerie médicale est si perfectionnée que l'on peut avoir, après étude de son cœur en résonance magnétique nucléaire et reconstruction tridimensionnelle, un modèle parfaitement adapté à la personne. Un tailleur sur mesure pour notre cœur, avec nos propres tissus.

Il est intéressant de voir tous ces virages technologiques qui s'inspirent plus que jamais de Mère Nature. Comment résout-elle ce problème? Pouvons-nous reproduire sa solution en respectant au maximum le milieu? Tendance heureuse qui semble se disséminer dans toutes les sphères scientifiques et politiques.

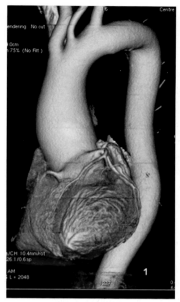

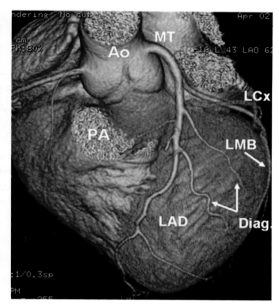

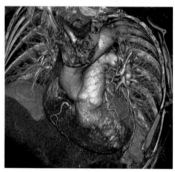

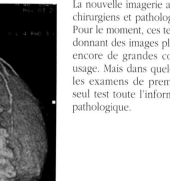

L'image qui remplace l'autopsie.

L'imagerie médicale, particulièrement par tomographie axiale (scan) et par résonance magnétique nucléaire (RMN), s'approche de la précision du pathologiste. Le cœur reste la dernière frontière de ces deux outils radiologiques pour une raison simple : comme un mauvais sujet pour le photographe, il bouge tout le temps. Sans atteindre encore la précision des autres imageries (échographie et cathétérisme), les développements récents en scan et RMN donnent une reconstitution remarquable de l'anatomie cardiaque et ajoutent beaucoup à nos connaissances physiologiques.

La nouvelle imagerie arrive à la frontière de ce que seuls les chirurgiens et pathologistes voyaient il y a seulement 5 ans. Pour le moment, ces techniques ne sont pas d'usage courant, donnant des images plus « sexy » que diagnostiques, et ayant encore de grandes contraintes cliniques qui limitent leur usage. Mais dans quelques années, ce seront probablement les examens de première ligne, nous fournissant par un seul test toute l'information anatomique, physiologique et pathologique.

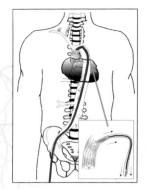

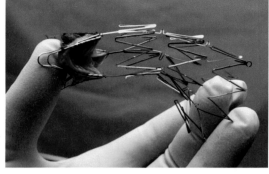

Pose de valve par cathéter

La réparation et la pose de valve cardiaque percutanée sont en développement croissant. Des modèles de valves aortiques artificielles sont ainsi conçus pour être repliés sur un cathéter, insérés par l'artère de l'aine, amenés au travers de la valve malade et déployés. Le principe du stent appliqué à une valve. Dans le but d'éviter une chirurgie à cœur ouvert, qui reste encore et pour des années la référence à laquelle se comparent ces nouvelles approches.

Robotique au pilotage informatique

Aux commandes de la prochaine génération de salle de cathétérisme. Après insertion des cathéters, la manipulation intracardiaque se fait à distance, par des manettes tout à fait identiques aux *joysticks*. Ce système robotisé fait positionner le cathéter avec des gestes très précis, par la main et l'œil de l'homme, démultipliés par l'ordinateur. Les missions dans l'espace ont donné une grande impulsion à cette robotique fine.

Navigation par pilotage électromagnétique

Autre variante de l'exploration par cathéters : ils sont positionnés par un champ magnétique très puissant, le même qui génère les images de résonance magnétique, faisant la synthèse entre les cartographies physiologiques et la manipulation des outils de traitement.

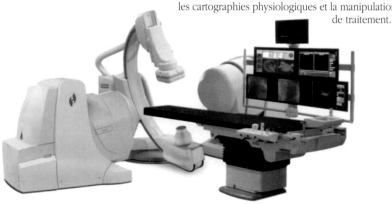

De la science-fiction à la cardiologie planétaire

Curieux revirement des sources d'inspiration de la science-fiction, l'astrophysique et l'aérospatiale. On leur a longtemps reproché d'être des sciences exorbitantes (au propre comme au figuré…), d'être à la limite de la futilité. Elles sont revenues les pieds sur terre en tournant leurs fabuleux instruments d'observation spatiale vers notre petite planète. Les instruments construits pour observer l'extra-terrestre posent maintenant des diagnostics terrestres. À la Bernard Werber, nous regardons *Nos amis les terriens*. Les télescopes en orbite, les satellites, toutes les applications spatiales et astronomiques ont trouvé un nouveau rôle : ils sont devenus les scanners pour suivre l'état de Mère Nature. Les outils astronomiques sont devenus nos appareils d'imagerie médicale planétaire. Historiquement, la science est comme un chat, elle retombe toujours sur ses pattes. On ne sait jamais quand la curiosité de l'homme lui apportera quelque chose. Sans s'en douter, l'astrophysicien est devenu le cardiologue de son propre astre. Des géologues et des climatologues se sont penchés au-dessus de son épaule. Des biologistes et des démographes. Des généticiens et des médecins. Beaucoup d'observations, interprétées par des milliers d'experts et acheminées par nos vulgarisateurs.

L'Organisation mondiale de la santé, le *Center for Disease Control*, le Groupe international d'experts sur le climat de l'ONU (GIEC), Suzuki, Guilbault, Lemire, des experts qui ont vu et qui nous parlent. Ils sont nos biosenseurs, nos Cassandre. Profitons-en. Anticipons et décidons de notre mieux-être, de notre sort, de notre héritage.

Cœur et Kyoto

Cet ouvrage se destinait d'abord à la vulgarisation d'un thème assez peu abordé dans la littérature grand public, la maladie coronarienne sous tous ses angles. Toutefois, les voies du cœur finissaient toujours par recouper l'environnement comme facteur majeur. Et insensiblement, le fil de cet ouvrage a conduit à plaider résolument la cause de l'environnement comme influence majeure de la maladie cardiaque. Le cœur et la terre nous donneraient-ils des pistes pour des solutions communes? Se peut-il que plusieurs approches de prévention de la maladie coronarienne soient à peu de chose près les mêmes que pour les gaz à effet de serre? Et que nous fassions d'une pierre deux coups?

Marcher 30 minutes au lieu de prendre sa voiture 5 minutes diminue le risque cardiovasculaire tout en diminuant les gaz à effet de serre. Double succès. Tailler la haie au ciseau est une activité physique et permet d'éviter de consommer de l'énergie avec un taille-haie électrique. Manger moins et consommer localement signifie: moins d'importations, moins de carburant, moins d'entreposages réfrigérés, moins de gaz à effet de serre et de meilleurs revenus pour notre économie. Triple succès médical, environnemental et économique. Les exemples pour dé-mécaniser nos activités, diminuer la consommation d'énergie tout en améliorant notre forme physique et mentale existent à l'infini. L'opportunité quotidienne: prendre les escaliers. Cela vaut bien des abonnements au gym.

Ce qui suit fera hurler les défenseurs des intérêts financiers, mais il est *impossible* d'avoir une croissance économique perpétuelle dans l'environnement fini qui est notre biosphère. Celle-ci représente la mort du seul habitat humain de l'univers. Syndrome des parents qui meurent d'avoir trop mangé, laissant le frigo vide et les déchets aux enfants, tout en leur faisant payer la note passée et future.

Chaque siècle a laissé un héritage culturel et scientifique. Et le nôtre? Le 21e siècle devrait léguer une planète propre et en équilibre. Notre intérêt? Éviter nos propres maladies et… l'extinction de nos enfants. Nous avons pratiquement abouti à celle des morues de Terre-Neuve et des bisons de l'Alberta. Prochaine espèce en voie d'extinction: l'*homo sapiens sapiens*. Farfelu, avec plus de six milliards d'humains aujourd'hui? Les prévisions 2100 sont extrêmement préoccupantes. Il n'est pas du tout certain que l'Humanité soit encore là. La sixième extinction, qui inclut l'homme, ce dinosaure nouveau, est bel et bien annoncée. D'ici là, les cardiologues auront fort à faire, on l'a vu à plusieurs reprises au cours de cet ouvrage.

Autant je sais ma science précise, autant peut l'être celle du Groupe d'experts intergouvernemental sur l'évolution du climat (GIEC) de l'ONU. Il faut les écouter. Ils nous donnent le pouls de notre planète.

Mère Nature est malade entre autres parce que sa température monte. La planète se réchauffe. La chaleur augmentant, le métabolisme augmente son activité aussi et surchauffe. Pour l'humain, fonctionner à 40 de fièvre est à peu près impossible car il y a déséquilibre de l'organisme. Maman fait de plus en plus de fièvre. Plus la température de la planète monte, plus il vente. L'énergie accumulée par la hausse de température augmente le brassage atmosphérique. Tendance globale qui a déraciné les arbres centenaires de Versailles et de Stanley Park à Vancouver. Les ouragans tropicaux remontent maintenant jusque sur les côtes des provinces atlantiques. Cela regarde mal pour nos infrastructures. Si la tendance se maintient, la facture planétaire sera salée. C'est déjà parti. Le prix en a été annoncé par Nicolas Stern, dans un rapport commandé par Tony Blair : 6 500 milliards de dollars en destruction climatique. Le Katrina planétaire.

Le féminin sacré existe-t-il ?

Le succès du roman *Da Vinci code* s'explique entre autres parce que Dan Brown a su mettre ensemble les pièces d'un casse-tête de centaines d'éléments disparates, parfois mythiques de notre culture et de notre inconscient collectif. Son talent a été de trouver un lien entre eux, un sens commun pour aboutir au grand secret (romancé) de la civilisation chrétienne : le féminin sacré, la place de la femme dans la spiritualité et la vie.

À bien y penser, symbolique pour symbolique, le féminin sacré existe vraiment. Les voies du cœur viennent de là, le parcourent et y retournent. C'est notre planète.

La Terre est le féminin sacré. Comme notre mère : unique dans l'univers. La fécondeuse, la nourricière, la source de vie. Notre Mère est malade, tous les experts s'entendent pour le reconnaître. Le compteur a déjà commencé et comme dans l'infarctus, la mortalité augmente avec le temps.

Mais il y a moyen de faire quelque chose. Il y a déjà eu des hécatombes auxquelles l'humanité a survécu : les grandes glaciations, les grandes famines, les pestes qui ont tué la moitié de l'Europe au Moyen-Âge, les deux grandes guerres avec des dizaines de millions de morts. Nous avons pour le moment contenu deux nouvelles pestes, le SRAS et la grippe aviaire. Nous pouvons contenir l'obésité et la pollution, la maladie coronarienne et le réchauffement climatique. L'humanité peut survivre, mais doit s'unir pour protéger sa santé, sa Mère, son féminin sacré. Tous les traitements existent. Les solutions pour la prévention de notre infarctus et celui de la planète existent et se rejoignent. L'essentiel, c'est d'être déterminé.

Le défi de la médecine environnementale. Pendant mon cours de médecine, j'ai eu le plaisir d'être le caricaturiste des journaux de la faculté de médecine à l'Université de Montréal. Celle-ci, dessinée en 1979 et publiée dans le magazine *PLEXUS*, paraît prémonitoire des défis posés à la médecine moderne et semble tout à fait d'actualité...

Bibliographie et ressources

Histoire, société et institutions

L'Organisation mondiale de la santé (OMS) a publié conjointement avec le *Center for Disease Control* (CDC) *The Atlas of Heart Disease and Stroke* dans lequel figure un tableau synoptique des grandes percées historiques en matière de maladie cardiovasculaire. Cet ouvrage bien illustré donne un vaste survol de la situation cardiovasculaire sur notre planète. Indispensable pour les gestionnaires et les penseurs de la santé cardiovasculaire.
http://www.who.int/cardiovascular_diseases/resources/atlas/en/index.html

L'Atlas cardiovasculaire canadien est publié sous les auspices de l'Institut de recherche en santé du Canada, de la Fondation des maladies du cœur du Canada et de l'*Institute for Clinical Evaluative Sciences.*
http://www.ccort.ca/Atlas-french.htm

L'American College of Cardiology consacre ses pages aux faits marquants de l'histoire de la cardiologie.
http://www.acc.org/media/patient/chd/timeline.htm

Mayo Clinic. L'histoire de quelques grandes institutions donne la mesure de nos pionniers en maladie cardiovasculaire. En particulier celle de la Clinique Mayo, centre hospitalier universitaire optimal regroupant hôpital, facultés de santé et centre de recherche.
http://www.mayoclinic.org/tradition-heritage/

Les Cliniques Cleveland, Ohio, sont acclamées depuis 12 ans par *Newsweek* comme étant la meilleure institution américaine en matière de maladie cardiovasculaire. Entre autres sommités, y travaille Steve Nissen, un des grands penseurs et chercheurs de la cardiologie moderne, le pape de l'échographie intravasculaire, un homme simple et attachant, actuel président de l'*American College of Cardiology*. Site descriptif des percées historiques de ce grand centre regroupant centre de recherche et faculté de médecine.
http://www.clevelandclinic.org/heartcenter/pub/history/ timeline/default.asp?firstCat=56&secondCat=58

Society for Cardiovascular Angiography and Interventions. L'histoire de quelques pionniers en cardiologie d'intervention se retrouve sur le site de la SCAI, société fondée par Judkins et Sones, pionniers de la coronarographie.
http://www.scai.org/drlt1.aspx?PAGE_ID=3600

L'Université de Chicago. Son centre hospitalier universitaire, le *University of Chicago Medical Center*, est reconnu comme l'un des vingt meilleurs hôpitaux des États-Unis. Ce campus universitaire (hôpitaux, facultés, centres de recherche), legs de Rockefeller, est une machine à Nobel : 79 en 75 ans.
http://www-news.uchicago.edu/

Du côté de la France, le site de l'*Assistance Publique – Hôpitaux de Paris* regorge d'informations. Tout particulièrement le chapitre sur l'évolution de l'architecture hospitalière, très éclairant sur les développements du concept d'un hôpital selon l'évolution de notre société.

Hôpital Pitié-Salpétrière Hôpital Européen Georges Pompidou
http://www.aphp.fr/site/histoire/architecture.htm

Enfin, à Montréal, l'*Université de Montréal* profite de son 125e anniversaire pour souligner son évolution et les grandes percées faites dans ses institutions, notamment l'ICM et le CHUM.
http://www.125.umontreal.ca/histoire.html

Information sur la santé cardiovasculaire

S'il n'y avait qu'un site à consulter, ce serait celui de *La Fondation des maladies du cœur du Québec*. Nouvelle édition à tous les mois, rubrique sur tous les tenants et aboutissants de la santé, du stress à l'alimentation, ce site autorisé est le plus complet.

http://www.fmcoeur.qc.ca

Santé Canada présente sur son site le guide d'activité physique pour jeunes, adultes et aînés.

http://www.phac-aspc.gc.ca/pau-uap/guideap/index.html

Le guide alimentaire canadien, autre contribution majeure de Santé Canada.
santecanada.gc.ca/guidealimentaire

L'American Heart Association a une section grand public aux informations très détaillées sur son site.

http://www.americanheart.org/presenter.jhtml?identifier=1200002

Pacemakers, stent, chirurgie

Plusieurs sites de l'industrie médicale ont des sections destinées au grand public, vulgarisant maladies et procédures en cardiologie.

Sur les pacemakers et stents, la compagnie Guidant-Abbott :
http://www.guidant.com/patient/

Sur plusieurs aspects de la santé cardiovasculaire, la compagnie Medtronic :
http://www.medtronic.fr/france/patients/patients.html

Sur les stents : la compagnie Boston Scientific :
http://www.taxus-stent.com/

Sur les chirurgies de valves, la compagnie Cordis :
http://www.allaboutmyheart.com/